JN065252

≫アリエナイ理科別冊≪

アリエナイ工作事典

The Encyclopedia of Mad-Craft

薬理凶室

まえがき

No. Date

皆様、こんにちは。超空気砲こと「エグゾーストキャノン」を作り続けていたら、

いつの間にかアリエナ理科の怪人になってしまったyasuと申します。

さて、この本は「工作」の本、しかし巷にあふれる工作本とはやや趣が異なり、

100均グッズを改造して凶悪玩具を作ったり、3Dプリンターでラボクラスの実験器具を作ったり、

はたまたイナズマや衝撃波を眼前に生み出すエクストリームマシンを作ったりする、

世にも奇妙で過激な「アリエナ工作」の事典です。

本書の元祖である『アリエナイ理科ノ工作』が世に出たのは、なんと2007年…。

それから14年の年月が経ち、いつの間にか元号は令和になり、かつて空想されたサイバーパンクが現実となり、

興奮がリアルからバーチャルの世界にシフトしつつあるこの時代に、また工作？と思われる方もいるかもしれません。

しかしこの工作こそ、現代の科学文明の原点です。

生物学、医学、化学、そして物理学… 科学文明のすべては理論と実験によって積み上げられ、

この実験を支えてきたのが「工作」なのです。どんな時代であろうと工作は高尚な営みであることは間違いなく、

科学文明の益々の発展のため、我々は工作の重要性を説き続けているわけであり……

って、そんなことは実はどうでもよくて、「工作」っていつの時代でもとにかくアホみたいに楽しいんですわ!!!!!!!!

はじめてエグゾーストキャノンを作った時

ということで、ちょっと自分の昔話をさせて下さい。

当時の自分は中学2年生。書店で偶然手に取った書籍が、『図解 アリエナイ理科ノ工作』でした。

そして目に留まったのが、同書の最初に載っているにもかかわらず、

最高難易度に君臨する超空気砲「エグゾーストキャノン」の記事だったのです。

これをどうしても自作したかった私は、ページがバラバラになるまで本を読み込み、鉛筆で方眼紙に設計図を描き、

ホームセンターに足繁く通い、今まで気に留めたこともなかったあらゆる売り場を駆け巡りました。

お小遣いで電動ドリルやディスクグラインダー、ネジや未知の配管部品を買い集め、

果てはキャノンのコアとなるピストンを取り出すため実家の空気入れを鹵獲して解体。

こうして集めた素材を、自宅の駐車場でバリバリ削り、穴をあけ、溶接し、それをまた削り…を繰り返し、

ようやく完成したのが、この「エグゾーストキャノンMk.1」です。

空気を充填して構え、恐る恐るトリガーを引く…その瞬間、銃口から耳をつんざく爆音が閑静な住宅街に響き渡ったのでした。

完璧に動作している…!!!!!!!!!!

バラバラになるまで読み込んだ、『図解 アリエナイ理科ノ工作』(2007年刊)。

集めた素材を加工し…。自宅駐車場での組み立ての様子

2008年3月29日、ついに「エグゾーストキャノンMk.1」が完成した

そう、これだ、これである。私は本能で理解(わか)ったのです、工作が与えてくれる可能性を、そして楽しさを。
自分の頭で考え、自分の足で巡り、自分の目で吟味し、自分の手で加工・接合・組立・調整した「機械」が、
眼前にヤバい衝撃波というアリエナイ物理現象をやすやすと生み出すという興奮と歓びを！

工作がもたらしてくれるもの

「充分に発達した科学技術は、魔法と見分けが付かない」というアーサー・C・クラークの言葉はあまりに有名ですが、
科学が魔法に相当するなら、工作とはそんな魔法を生み出す自分だけの「杖」を作り出す手続きと言えます。
ファンタジーの魔法は派手で強力ですが、一方の杖は買い物だし、呪文を唱えれば誰でも発動可能です。
しかし工作では自身の知恵と工夫、何より試行錯誤を経て、自分専用のスペシャル仕様の杖を作ります。
だからこそ、それを使って人の能力を超える現象を生み出した時の興奮と歓びは筆舌に尽くし難いのです。

どうです？　工作したくなってきましたか？　ならば結構！
いまいちイメージが湧かない？　それもまた結構!!

本書に記された数々のアリエナイ工作の中から、何か1つでも作ってみましょう。
中には専門的で高度な工作も含まれていますが、100均素材で試せるものも用意してあります。

工作を繰り返していくと、物が持つさまざまな特性について肌感で理解が進み、
素材を吟味する目も自然と養われます。物を加工する方法の引き出し、工具の扱い方などはいうまでもなく、
これらは座学だけじゃ絶対に身につかない生きた技能です。
そしてふと本書に立ち戻れば、挑戦できる工作の数はもちろん、
作ってみてぇ！と思う工作の数もグッと増えているに違いありません。
そう、これこそ冒頭に述べた、科学文明発展の原動力だと私は考えています。
科学文明を築くために工作を頑張ってきたのではない。工作がめっちゃ面白かったから、もっと作ってみたい！
やがては自分じゃなきゃ作り出せない、まだ見ぬ機械を、現象を、この手で…!!
そうして発展したのが現代の科学文明であると。

と、まあ、長くなってしまいましたが、要するに「工作」、とくにパワフルなアリエナイ工作ってひたすら面白いんです！
それこそ、あの日をきっかけに、10年以上にわたりアリエナイ工作を続け、
こんな過激な本のまえがきを書くことになってしまうほどにです。
さあ、頭と手と足を動かし、工作で現実世界をハックしましょう。
その体験がもたらす新たな発見とスキル、そして好奇心に身を任せましょう。
やがて魔法とも見分けがつかない、いや魔法すら超越した物理現象を放つ、
アタナだけの最強の「杖」を完成させる日を目指して…。

薬理凶室［物理担当］　**yasu**

Chapter01：暗黒玩具の製作

デゴチ

yasu

POKA

[工作担当]
おバカな工作ばかりをしていたら、怪人になっていた機械グマ。クマというアバターが愛されることを発見し、やり過ぎてもこれならごまかせると思っている

[物理・工作担当]
エグゾーストキャノンに魅せられた挙げ句、取り憑かれてしまったエンジニア。機能美と造形美に狂おしいほどのこだわりを持つ

[機械工作担当]
アリエナイ工作を体現する、通称「機械王」。放射能マーク入りのシルクハットを愛用し、ガイガーカウンターを片手に素材探しがライフワーク

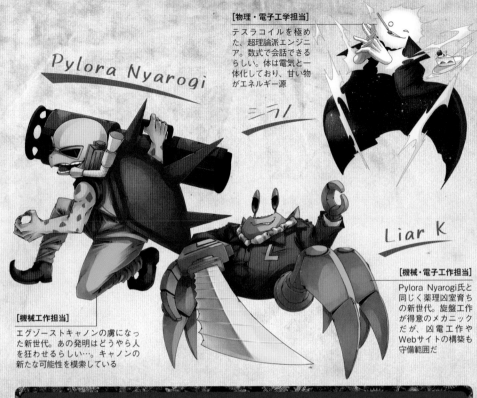

Pylora Nyarogi

シラノ

[物理・電子工学担当]
テスラコイルを極めた、超理論派エンジニア。数式で会話できるらしい。体は電気と一体化しており、甘い物がエネルギー源

Liar K

[機械・電子工作担当]
Pylora Nyarogi氏と同じく薬理凶室育ちの新世代。旋盤工作が得意のメカニックだが、凶電工作やWebサイトの構築も守備範囲だ

[機械工作担当]
エグゾーストキャノンの虜になった新世代。あの発明はどうやら人を狂わせるらしい…。キャノンの新たな可能性を模索している

[情報セキュリティ担当]
「ア理科ポータル」の運営など、薬理凶室を影から支える凄腕SE。サイバーセキュリティが専門だが、物理セキュリティもカバーする

Joker

スピーナ

レナードニ世

[物理・工作担当]
強電系物理学者。爆光・爆音・稲妻・放射能…と、危ない実験と工作が専門の鬼才

[電子工学担当]
深海の岩影でひっそりと生きている、弱電系のエンジニア。強力な発電器官を持つデンキウナギに憧れている

[金属工学担当]
実戦冶金学を極めた刃物職人。メス型ナイフ「フリップフロップ」シリーズの製作者。金属の声が聞ける

しろへび

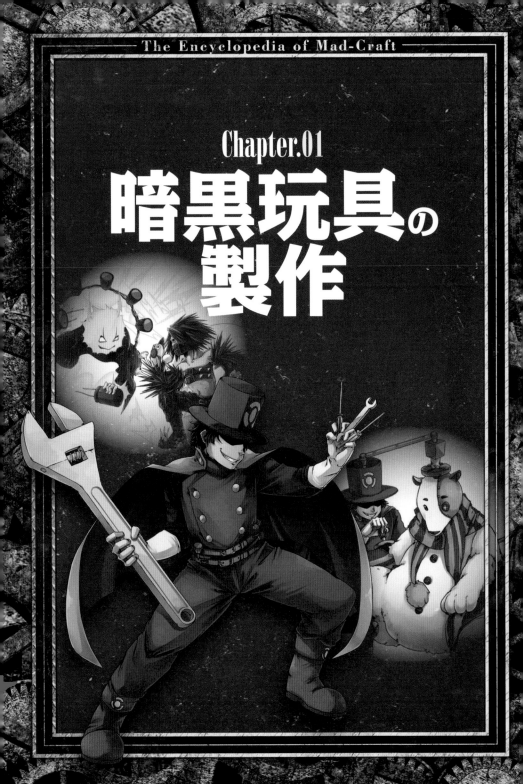

Chapter.01

暗黒玩具の
製作

100均アイテムで始めるアリエナイ工作
ダイソー裏工作講座
● text by POKA

工作レベル ★☆☆☆☆

本格的な工作を始める前に、ダイソーアイテムを使って腕鳴らし。自分の工作レベルを知ることから始めよう。100円なんだから失敗してもOK。とにかく手を動かすのだ!

ダイソーの商品はアイデア次第で、工作に使える素材の宝庫です。具体的な工作や実験は11ページから紹介していきますが、ここではその例をいくつか紹介しましょう。

まずは「UVクラフトレジン液」。クラフトコーナーにはハードタイプやソフトタイプ、色も豊富に揃っています。UVレジンの利点は、紫外線を照射すると一瞬で固まること。そして、瞬間接着剤とは異なり、盛った状態で硬化させられます。

3種類のビットがパッケージされた「ミニルーター用切断セット」も外せません。ダイヤモンドカッター入りで110円は、最高のコスパです。1番大きい砥石タイプは、ダイヤモンドカッターの消耗が激しい鉄材の切断に使えます。丸のこ刃は非常に薄く、精密な切断に最適。

「汚れ落とし消しゴム」は、研磨剤入りで頑固な汚れやサビを落とすのに便利に使えます。同様の製品としてダイヤモンドタイプもありますが、シート状の研磨面が表面に付いてるだけなので消耗が激しく、すぐ寿命に

…。その点、この消しゴムタイプは全体に研磨剤が含まれているため長く使えます。

オモチャやパーティーグッズコーナーで売られている、イタズラ用の感電グッズも面白いです。この「びりびり扇風機」は、ボタン電池と昇圧回路で構成されていて、外装は違えど中身は大体どれも同じようです。あまり大電流を流す仕様ではないので改造してパワーアップなどは難しそうですが、部品取りやちょっとした高電圧回路が欲しい時に役立ってくれるでしょう。

UVクラフトレジン液 ハード
110円

UVライトを照射すると一瞬で硬化する。UVライトが手元に無ければ、日光でも可

汚れ落とし消しゴム
110円

斜めカットで、基板の細かいサビもピンポイントで落とせる

びりびり扇風機
220円

色違いなどでいくつか種類があるが、中身は大体同じ

ミニルーター用切断セット
110円

ダイヤモンドは世界一硬い素材なので、ダイヤモンドカッターなら何でも切れる

Memo:

威力は見た目以上!
ハイパワースリングショット

必要な材料
● 虫ゴム　● ポンチ
● ピーラー　● 首輪
● シリコーンスプレー

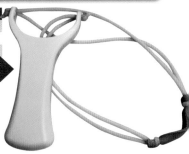

パワーソースとするゴムは自転車補修用の「虫ゴム」、弾をつまむホルダー部には犬の「首輪」。500円ほどでハイパワーな玩具ができた!

01

02

03

04

05

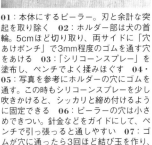
06

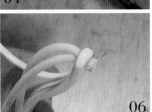

07

01：本体にするピーラー。刃と余計な突起を取り除く　**02**：ホルダー部は犬の首輪。5cmほど切り取り、両サイドに「穴あけポンチ」で3mm程度のゴムを通す穴をあける　**03**：「シリコーンスプレー」を塗布し、ペンチでよく揉みほぐす　**04・05**：写真を参考にホルダーの穴にゴムを通す。この時もシリコーンスプレーを少し吹きかけると、シッカリと締め付けるように固定できる　**06**：ピーラーの穴は小さめできつい。針金などをガイドにして、ペンチで引っ張ると通しやすい　**07**：ゴムが穴に通ったら3回ほど結び玉を作り、穴から抜けないようにする

　ダイソーにある素材を組み合わせて、オリジナルのスリングショットを作ってみましょう。

　Y字の本体にするのは「ピーラー」です。グリップの感じと二股部分の距離感、強度など完璧な形状をしています。刃を固定する穴があいており、この部分にゴムが通せる構造もナイスです。刃の部分を取り外して余計な突起を取り除けばOKです。

　弾を指で摘むホールド部分は、犬の首輪を使います。幅も最適かつ強度も十分です。パワーソースとなるゴムは、自転車コーナーにあった補修用の「虫ゴム」をセレクト。1本ではパワーが弱いので、二つ折りにしてパワーを稼ぎます。

　あとは、このゴムを本体に取り付けて、余計なゴムをカットすれば出来上がり。思った以上に強力なので、人に向けるのは絶対ダメです（笑）。

真空爆音発生装置

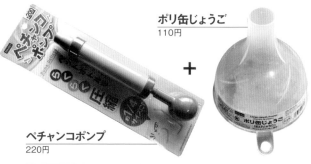

ポリ缶じょうご
110円

ペチャンコポンプ
220円

サランラップ
ポリエチレンや塩化ビニル樹脂製のラップは避ける

ラッパ状の広い口にラップを貼って、ポンプを吸引。限界を超えると破裂する

パーン!

塩ビ管を使う手も!
プラ製ロートがうまくハマらない場合、VP25の塩ビ管を試してみよう。異径継手と組み合わせられる。

01

02

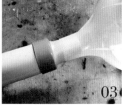

03

01:ロートに付いているフックは不要なので、カッターなどで切り落とす
02:ロートの口の部分が少し細いので、ストーブで温めて柔らかくする
03:ポンプの先に押し込むと、ぴったりフィットする(やや強引さが必要)

　ペットボトル内部を減圧して、小さくできるハンドポンプ。内部に逆止弁が仕込まれており、持ち手を往復させることで連続的に排気が可能です。これをベースに、ロート&食品用ラップを組み合わせて爆音発生装置を製作してみましょう。

　ロートはさまざまな種類があるので、出口が広いモノを選んで下さい。それでもそのままでは

ハンドポンプにハマりにくいので、ストーブの熱で加熱して柔らかくするのがコツです。この状態でハンドポンプの吸引口をギュッと押し込むと、ピッタリとフィットするでしょう。

　また、破裂板(ラプチャーディスク)代わりにする食品用ラップは何でもいいわけではなく、旭化成「サランラップ」が最適のようです。サランラップ

の材質はポリ塩化ビニリデン。これが、破裂時に瞬間的にバラバラになりやすいことが分かりました。ピッタリとロートに貼って準備完了です。

　サランラップの強度は高く、内部を減圧しても結構踏ん張ります。そして、ある所で内側に吸い込まれるようにパーンと破裂! 耳鳴りがするぐらいの大音量が発生するハズです。

Memo:

怪しく光る ハンドメイド用蓄光パウダー

ハンドメイドのアクセサリー材料も充実しているダイソー。UVレジンコーナーの一角で、「蓄光パウダー」を見つけました。蓄光パウダーは硫化亜鉛系の組成が一般的で、こちらも同様のものと思われます。硫化亜鉛は古典的な蛍光物質として知られており、銀や銅を微量追加することで、蓄光性のドーピングが可能です。

前置きはこのへんにして、早速ピカらせてみましょう。蓄光物質は365nmの紫外線に反応して強く蛍光を発するので、ブラックライト（UVライト）を照射してみました。強烈に発光し、ブラックライトをオフにしてもしばらく薄緑色に光り続けます。

硫化亜鉛系の蛍光体は、無機系の蛍光物質です。有機物でも蛍光体はありますが、強い紫外線や熱で分解するなど、耐久性はあまり良くありません。一方、無機系の蛍光体は化学的に安定しており、劣化しにくいという特徴があります。熱にも強いため、溶けたガラスに混ぜ込んでも大丈夫な場合があるほどです。そこで、ガラス管を使って、こんなものを作ってみました。

ガラス管の端を溶かして塞ぎ、少量の蓄光パウダーを投入。そしてさらに加熱して、パウダーをガラス管の中に閉じ込めてしまいます。よく冷やしてからブラックライトを照射したところ、何の問題もなくしっかりピカりました。とにかく扱いやすく面白い素材なので、いろいろな実験や工作で活用してみては？

ダイソーオンラインショップ
https://www.daisonet.com/

UVレジン用封入パーツ 蓄光パウダー
110円

かつては大きな模型店で蓄光塗料として売られている程度だったが、ダイソーで手軽に調達できるようになったのはアリガタイ。ダイソーのオンラインサイトでも購入可能だ（1セット8個入り）

ブラックライト照射

照射オフ

蓄光パウダーにブラックライトを照射すると、強烈に発光する。ライトをオフにしても、薄緑色にしばらく光り続ける。蓄光物質の特徴だ

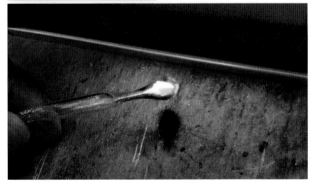

ガラス管を加熱し、内部に蓄光パウダーを入れて閉じ込めた。ガラスが溶けるほどの熱にさらされたが、ブラックライトにしっかり反応した。熱に対する強さも検証できた

ハイパワー青色パルス装置

100円ショップ、特にダイソーは改造アイテムの宝庫。ちょっと前までは、モバイルバッテリーを弄り回して散々遊びましたが、新たな"オモチャ"を見つけました。それが、COB型のLEDライトです。

COBはチップオンボードの略で、基板の上に複数のLEDチップを乗せてパッケージ化したもの。基本的に1つの基板に9個以上のチップを乗せているため、光が強いのが特徴…なのですが、こんな光量じゃモノ足りません。そこで、強烈な青い光を発生させるバルス装置的なものに改造しましょう。

分解して構造チェック

ダイソーの「COBホルダーライト」は、単4形乾電池×1本で駆動する省エネタイプです。発光色は白色で、点灯モードはハイ・ロー・点滅の3つ。バルスの際は、この点滅モードを使うことにします。

次に電気系統をチェック。青色LEDは1.5Vでは動かないため昇圧回路が必須ですが、この製品は既に組み込まれています。青色LEDを光らせられるだけの電圧が作れるので、電気的な改造は不要です。

問題は、どう青色を発色させるか？ということですが、これは白色LEDの製作過程と構造を知っていれば簡単にクリアできます。どういうことかというと、白色LEDは元々は青色LEDなんです。青色LEDを蛍光体に当てて蛍光させることで、白色光が得られます。つまり、この蛍光体を取り除くことで本来の姿、つまりは青色LEDに戻るというわけです。

この蛍光体の正体は、「Ce:YAG」と呼ばれ、セリウムで活性化されたYAG結晶になります。

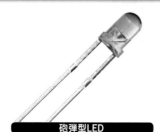

砲弾型LED
「リードフレーム型」「丸型」とも呼ばれる。ドーム型のプラスチックに発光部が封入されている

COB型LED
複数のLEDチップを基板に乗せてパッケージングしたもの。ムラのない大光量が得られる

青い閃光を放出するバルス装置に!

COBホルダーライト　　110円
販売はダイソーだが、100均商品でおなじみのグリーンオーナメントが製造。各ネット通販でも取り扱いあり。セリアでもCOB型LEDライトは販売されているが、ダイソーの方がLEDが大きい

Before
改造後

COB型LEDの蛍光体を取り除いたのが、こちら。内部の電気系統は一切いじらずに、鋭い青色を発せられるようになる

After

ムスカもビックリ！

01：内部を分解。COB型LEDは5cm弱で、10個のチップを内蔵している。すべて並列でつながっているようだ　02：ラッカー薄め液でCOB型LEDの蛍光体を除去。指で触ってシリコンが剥がれ落ちるまで、半日〜1日程度浸けておく　03・04：黄色い蛍光体が除去されると、10個の青色LEDチップが出現する

COB型LEDの発光部を覆っている黄色い物体がそれです。これはYAG蛍光体の板などが使われているわけではなく、耐熱性と透明度の高いシリコン樹脂に蛍光体を練り込んだもの。つまり、このシリコン樹脂を取り除いて、その下にある青色LEDを露出させればいいのです。

シリコン樹脂を除去

シリコン樹脂は有機溶剤に弱く、特に芳香族系の炭化水素で速やかに脆化を起こしてボロボロになります。強い酸でも分解可能ですが、下の青色LEDチップが破壊されてしまうので、半導体にダメージの少ない有機溶剤で処理するのが最適です。

適当な有機溶剤としては、ラッカー薄め液やパーツクリーナーあたりがオススメ。小さいビニール袋に有機溶剤を入れてLED部を漬け込みます。半日から1日程度漬けるとシリコン樹脂が膨潤して脆化。シリコン樹脂を丁寧に取り除いて完了です。この時、LEDチップ部はデリケートなので、硬いものにぶつけないように気を付けましょう。COB型LEDの青色LEDチップは並列に接続されているため、シリコン樹脂の除去の時などに破壊してしまうと、その部分だけが光らなくなります。シリコン樹脂は歯ブラシで優しく擦ると、LEDチップを傷めずうまく取り除けますよ。

鋭い青色で発光！

処理したCOB型LEDをケースに戻し、単4形充電池を入れてテストします。改造に成功していれば、強力な青色の爆光が得られるはずです。ということで、スイッチオン…完全にバルスでした（笑）。かなり鋭い青色なので、直視すると目が疲れてくるほど。直接裸眼で長時間見るのは避けましょう。

このCOB型LEDライトは110円と激安なので、素子をたくさん並べて超爆光させてみるのも面白いかもしれません。オレンジや黄色の蛍光体は強く光らせることができるので、蛍光の実験にも使えそうです。

電球実験キットの限界を突破する!

ダイソーの実験キットシリーズ「あなたもエジソン!電球のしくみをしろう!」は、シャープペンの芯をフィラメントにして電球を作るというもの。キット内容は、ワニ口クリップ付きのリード線3本と電池を固定するための治具用のPET板シートが3枚入ってるだけの簡素なものです。この他に、ガラス瓶・アルミホイル・シャープペンの芯を自分で用意します。

基本の実験手順は以下の通りです。2つのワニ口クリップにアルミホイルとシャープペンの芯を挟んで瓶の中にセット。ワニ口クリップのリード線は瓶のフタに穴をあけて外に通します。取扱説明書によると、リード線とフタの穴の隙間には接着剤を流し込んで密閉するといいそうです。シャープペンが熱せられると、固化用の成分が揮発して煙が大量に出ます。密閉しておくと煙が漏れずニオイがしにくくなるからでしょう。また、シャープペンの芯の主成分は炭素であり、空気中で発熱すると酸素と反応して燃えてしまいます。瓶の中に新鮮な空気を入れないことで、芯の燃焼を抑えら

01:ダイソーから発売されている、「子ども実験シリーズ」のキット 02:取扱説明書通りに組み立ててて実験すると、シャープペンの芯がほのかに赤熱する程度だ

子ども実験シリーズ「DAISO SCIENCE」ラインアップ

●No.1 モーターをつくろう! ●No.2 スーパーボールロケットをつくろう! ●No.3 月の満ち欠けをしろう! ●No.4 まか不思議なアメーバをつくろう ●No.5 ホバークラフトのしくみをしろう! ●No.6 不思議なシャボン玉をつくろう! ●No.7 あなたもエジソン!電球のしくみをしろう! ●No.8 塩を育ててみよう! ●No.9 プラネタリウムをつくろう! ●No.10 望遠鏡をつくってみよう! ●No.11 アニメのしくみをしろう! ●No.12 飛行機を飛ばそう! ●No.13 今何時?日時計で答えよう!

れるためと考えられます。

電源はアルカリ単3形乾電池×4本となりますが、電気的な特性を確認したいので今回は安定化電源を用いることにしました。結構な大電流が流れることが想定されるため、10A以上流せる安定化電源を用意。これにより、電池電圧でどれだけ電流が流れるかなどを詳細にチェックできます。

シャープペンの芯1本でテスト

まずは取扱説明書に従って実験してみます。アルカリ単3形乾電池4本なので、電源の電圧を6V(1.5V×4本)に設定。冷えた状態では5A以上が1秒ほど流れるようです。赤熱して安定すると、約3Aで安定。5A放電は、アルカリ乾電池にはかなり大きめな負荷といえます。赤熱してしまえば電気抵抗が上がりますが、最初は結構な電流が流れることが分かりました。新品の乾電池でないとこの実験は難しそうです。また、単3はあまり大電流を流せないので、単2か単1が望ましいでしょう。

発光時間は芯の種類によって変わると思いますが、おおむね1~2分ほど。フィラメントが蒸発するというよりは、空気中の酸素で燃焼してしまっている印象です。内部を真空にするか、ヘリウムなどの不活性ガスで置換すれば、さらに長時間光らせられるでしょう。

夏の定番! 科学実験キット

ダイソーでは、夏休みに合わせて科学実験キットが投入されているようだ。2020年は「チャレンジSCIENCE!」シリーズとして、以下の商品が展開。素材としてもいろいろと活用できそうなので、要チェックだ。

「チャレンジSCIENCE!」シリーズ

●ミョウバンで紫結晶をつくろう! ●光るパウダーアートをつくろう! ●キラキラクリスタルをつくろう! ●キラキラスライムをつくろう! ●テーパードミラーの万華鏡をつくろう! ●水を一瞬で凍らせてみよう! ●冷却パックをつくろう!

Memo:

実験❶ シャープペンの芯を3本に増加

シャープペンの芯はBより濃いものが推奨されている。Bを3本束にしてテストした

　シャープペンの芯を3本に増やすと、計算上では15Aほど流れて9Aほどで安定するはずです。使っている安定化電源は25A以上流せるので、容量的には十分。

　スイッチを入れると、芯に含まれる結着剤から凄まじい量の煙が発生。リード線とフタの小さな隙間からモクモクと煙があふれ出てきました。瓶の内圧が少し高くなっていると考えられます。芯1本に比べてちょうど3倍程度の明るさで光りましたが、リード線がかなり熱く、危険な状態です。

実験❷ 電圧を18.8Vに設定

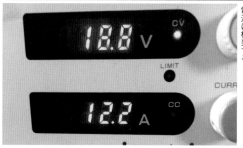

電圧は約3倍の18・8Vに設定してみた。これは、約12・5本分の単3形乾電池に相当する

　続いて、3倍程度の電圧をかけてみました。シャープペンの芯は3本なので、およそ9倍のパワーとなるはずです。その結果、かなり眩しく強い熱線を感じるほどに！　電流は15A以上流れるはずなのですが、芯が蒸発して細くなったためか、思ったよりも流れませんでした。

　そしてしばらくして「なんか焦げ臭いな」と思ったら、リード線が熱で溶けていました。キット付属のリード線は芯線がかなり細いからでしょう。シャープペンの芯が消耗するよりも先に、ケーブルの発熱でこちらがメルトダウンするとは…。シャープペンの芯を増やす実験は3本が限界なようです。さらに太いリード線で配線すれば、まぁ…。

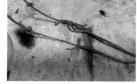

芯よりも先にリード線がメルトダウン。ビニール部分が溶けてボロボロになった

実験用スタンドをDIY

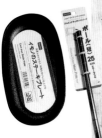

01

02

プレートに電動ドリルで穴をあける。ここでは、M6のネジに合わせて6mmにした。ポールの底にある高さ調節用のネジを取り外し、プレートの底側から通してポールを固定。これで完成だ

03

材料

●ステーキプレート
●ポール(25cm)

鋳物のプレートに穴をあけて、ポールをネジ止めするだけの簡単工作。土台にはこのステーキプレートが最適だったが、販売終了や在庫切れなら後継商品などを検討しよう

フラスコや試験管だとかを使って化学実験を行う場合、それらを固定する台座（スタンド）も必須のツールです。ネット通販で格安品を探しても数千円はするので、これをダイソーアイテムで自作してみましょう。

材料はシンプルで台と棒があればいいのですが、素材選びは大事です。中身の入ったフラスコがひっくり返ったりしないように、土台となる台座にはある程度の重さが要求され、また、しっかりと固定できる必要があります。でないと、フラスコや試験管を落としてガラスが割れたり、中の薬品をぶちまけることになりかねず、大変危険だからです。

ということで、台座はステーキ用プレートをチョイス。鋳鉄製なので頑丈かつ重量があり、安定しています。そして支柱とするのは、ラック用のポールが良さそうです。高さ調整用のネジが付属されており、プレートとのジョイントに使えます。

それでは加工していきましょう。ポールのネジがM6だったので、プレートの適当なところに6mmの穴をあけます。このへんは、調達した素材との兼ね合

いで決めて下さい。

ポールの高さ調整用のネジを、プレートにあけた穴の底側から通して、ポールを固定すれば完成です。実験用のクランプやロート台を取り付けて使いましょう。気になるのは、台座のプレートは鋳鉄のためサビびやすいことぐらいかな…。とにかく安くて簡単なので、試して損はないと思いますよ。

メモクリップは電子工作用スタンドに流用できる!

クリスタルガラスが台座のメモクリップ。これはワニ口クリップになっているので、ハンダ付けの際に電子部品の足の保持に流用できる。熱がクリップ側に逃げるので過熱を防げる点も◎。トランジスタやLEDなど長時間の過熱がNGの部品の作業に最適だろう。

セミクリスタル
メモクリップ
110円

Memo

ダイソーの注射器と針を合体

ダイソーでは、各種注射器が調達できます。金属製の針も売っているので、これらを組み合わせて活用法を考えてみました。

玩具やパーティーグッズコーナーに、オモチャとして注射器が並んでいます。今回入手した大型タイプのパッケージには「Fake Syringe」と記載されていますが、性能的にはごくごく普通の医療用注射器と同様と思われます。気密性などは特に問題はありませんでした。

続いて針。これは、化粧品を小瓶に移したりするキットから拝借することに。「スポイトセット」に、金属製の注射針が同封されていました。太さを測ってみると0.6mmほど。香水や化粧水をこの注射針とスポイトで吸い出して移動するためのものなので、先端は研磨されていません。写真の通り、針の先端は斜めではなく真っすぐです。

この金属製の注射針、ライター用ガスのコネクタにぴったりフィットすることが分かりました。そのままだとちょっと針が長いので、半分ぐらいにカットするといい感じです。ちなみに、ニッパーやペンチでそのまま切断すると、管が潰れてしまうため、切りたいところにニッパーなどで回しながら溝を入れるのがコツ。管を押し潰さず、折ることができます。

さて、こうして加工した注射針と注射器の組み合わせると、ライター用ガスやエアダスターといった可燃性液体を、正確に計量しながらの取り出しが可能に! 燃焼実験で使えますね。

おもしろ!注射器(60mL) **スポイトセット**

玩具の注射器にスポイトセットの金属針が、ピッタリフィットする。可燃性の液体ガスを正確に取り出すのに便利だ。注射器は60mLなど、大きめのタイプが使い勝手がいいだろう

スポイトセットの注射針を短く加工する

  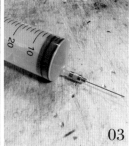

01 02 03

金属製の針の太さは約0.6mm。本来の用途は、香水や化粧水をこの針とスポイトで吸い出して、別の小瓶に移すためのものだ。このままでは長過ぎるので、ニッパーで溝を付けて折るようにしてカット。注射器に接続した時に扱いやすくなる

使い捨てライターの分解と活用方法

　ダイソーをはじめ100均には、使い捨てライターが2・3個セットで販売されています。このライターは中に入っている液化ブタンを、安全に取り出せるよう設計された装置です。ゆえに、格安品とはいえ超精密な部品が利用されており、他の工作に流用できる可能性があります。ということで、コイツを分解して、どのような部品が使われているか見ていきましょう。

　電子着火式とヤスリ着火式がありますが、今回は後者を餌食に…。どのライターを分解しても同じような構造をしているの

で、完全に改良され尽くした最終形態といえるでしょう。他メーカーで品でも部品が共通のものもあります。

　ざっとバラしてみて、私は特にバルブに注目。底の部分をペンチでつまんで、引っ張ると取り外せます。6つの部品からできていて、精緻なOリングやバネで構成されていました。

　以上で分解が終了したので、具体的な用途を考えてみましょう。まずはバネ類。ヤスリ着火式の使い捨てライターには、小さなバネが必ず2つ使われています。1つが発火合金を回転ヤ

スリに押しつける用のもので、こちらの方が長いです。大きなストロークを必要とする用途に使えるかもしれません。もう1つは、バルブに内蔵されているものです。こちらは非常に小さいので、小型の逆止弁などに活用できるかも。

　同じくバルブから得られたOリングは、内径が2mm程度です。これは、極小のガス流用制御装置などに流用できそうです。素材は不明ですが、恐らく耐油性の良い合成ゴムとして広く使われているNBR（ニトリルゴム）だと思われます。

ヤスリ着火式のライターを分解すると、6つの部品で構成されていることが分かる。これらの部品は、どのメーカーでも共通のようだ

100均では使い捨てライターが、数個セットで販売されている。部品取り用の素材と考えると、非常にコスパの良いアイテムだ

さらにはバルブをバラしてみた。どれもミリ単位の極小パーツ。超ミニサイズのOリングやバネが得られる

Memo:

鏡の世界の時計を作る!!

100均のクォーツ時計を脳がバグる中二病仕様に!

● text by デゴチ

工作レベル ★☆☆☆☆

クォーツ時計の仕組みを理解すれば、針が逆に進むようカスタマイズできる。さくっと作って、「時間を司る能力を持っているの…」と、友人に中二病っぽくつぶやいてみよう(笑)。

100円ショップの時計が不可思議な時を刻む!?

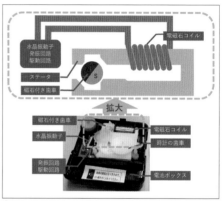

↑クォーツ時計は、水晶振動子に電圧をかけることで発生する震えを利用して、磁石付きの歯車を回転させる

←100円ショップのクォーツ時計をカスタマイズした「逆転時計」。反転させた文字板を貼り付けることで、より"逆転時計らしさ"を演出できる

　薬理凶室の怪人の皆様におかれましては、医学・薬学・化学・物理学、さらには数学などハイソサエティな頭脳派集団だと思います。反面、私は工作して遊んでいるだけという比較的庶民的な知識レベルですが、そんな強大な知の集団に対して一矢報いるべく、ここでは現在の科学では抵抗できない「時間」を扱う工作をしてみましょう。

　今回作るのは「逆転時計」です。普通の時計は右回りで針が進みますが、逆転時計は左回りで針が進みます。ぱっと見、鏡の世界にいるような少し不思議な感じなので、友人が来た時に話のネタになり、「ふふふ、私の部屋は時間が逆転しているのよ…」といった、中二病全開なことが言えます。

　材料は、100円ショップで売っているクォーツ時計だけ。作り方も非常に簡単で、分解して少し手を加えるだけです。

「クォーツ」とは何ぞや?

　「クォーツ時計」のクォーツとは、水晶振動子のことです。水晶に電圧をかけると、変形して水晶固有の周波数で震えるという特徴があります。水晶の周期

的な振動を電気的特性の揺れとして利用し、発振回路を動作させて、一定周期の電気の波を生成。その電気を電磁石のコイルに流し、磁石を取り付けた歯車を回転させることで、時計は一定の時を刻むわけです。

　ちなみに、この水晶が電圧印加で変形する現象を1881年に発見したのは、放射線の研究で有名なキュリー夫人の夫、ピエール・キュリーさん。キュリーさん一家は夫・妻・娘、皆がノーベル賞を獲っていて「え、ノーベル賞? フツー獲るもんでしょ?」…的ないろいろすごい

参考サイト 「未来時計工房ブログ」
クォーツ時計が動く仕組み
https://blog.goo.ne.jp/sarurokitajima

クォーツ時計が動作する仕組み

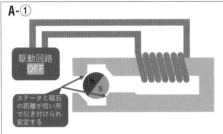

A-①

駆動回路
OFF

ステータと磁石の距離が短い所で引き付けられ安定する

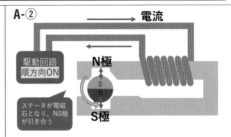

A-②

電流

駆動回路
順方向ON

N極

S極

ステータが電磁石となり、NS極が引き合う

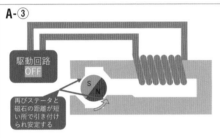

A-③

駆動回路
OFF

再びステータと磁石の距離が短い所で引き付けられ安定する

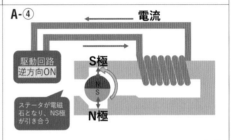

A-④

電流

駆動回路
逆方向ON

S極

N極

ステータが電磁石となり、NS極が引き合う

誤家庭なので、気になる人は調べてみましょう。

時計が動く仕組み

クォーツ時計は、磁石付きの歯車を電磁石のON/OFF切り替えだけで動かす仕組みも面白いです。電磁石はコイルで発生した磁界を効率良く磁石として利用できるよう、鉄やフェライトなどの磁性体を芯にします。クォーツ時計で「ステータ」と呼ばれるこの芯はコの字型をしており、形は上下で非対称。写真では分かりづらいですが、磁石付き歯車を囲むステータ内側の形も不均一です【B】。磁石は磁性体と引き合うため、ステータに対して斜め方向に安定します【A-①】。

ステータに巻かれたコイルに電流が流れると、ステータは電

⬆電磁石のON/OFFを繰り返し、都度磁極を逆にすることで、歯車の回転を促す

➡クォーツ時計で歯車を動かすための芯となる「ステータ」。コの字型で歯車からの距離が不均一になるよう、形は非対称になっている

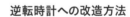

B

磁石となります。すると磁石付き歯車は、自身の磁極と電磁石の磁界により回転【A-②】。コイルの電流が切れると、再び歯車はステータの1番近い所に引き寄せられ斜め方向に安定します【A-③】。駆動回路が前回とは逆方向に電流を流すと、ステータは前回とは逆の磁極の電磁石となり、歯車は電磁石の磁極の向きに従い引き寄せられて回転【A-④】。この一連の動作により、時計の歯車は決められた

方向に回転を続けて時を刻むわけです。

逆転時計への改造方法

動作の仕組みが分かれば、逆回転させることは簡単。このステータ【B】の上下をひっくり返せばよいのです。

時計を分解してステータを反転させて元通り組み直すのは、少し慣れが必要かもしれませんが、100円ショップで売っている時計なら気楽に試せるでしょ

Memo:

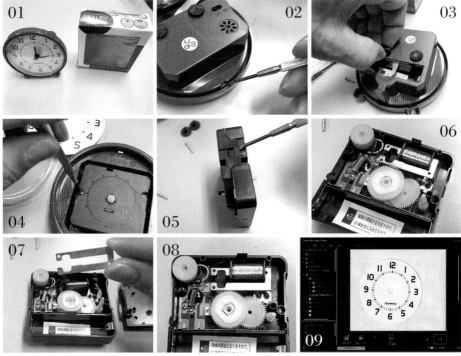

01：100均だけに構造はシンプルだ。秒針があるものの方が見ていて楽しい　02：背面のツメを外せばカバーは取り外せる
03：竜頭は手で引き抜ける　04：時計ユニットはネジ留めされていた　05：ユニットのツメも、ドライバーなどで押せば簡単に
取り外せる　06：コイルに挿し込まれているステータ　07：細い皮膜線を切らないようにステータを取り出す　08：取り出した
ステータを逆にして挿し込む。ここが改造の肝　09：文字板をスキャナーでPCに取り込んだら、反転させてプリント。これを元
の文字版に貼り付けて、組み立て直せば完成だ

う。時計は秒針があるものがオ
ススメ。逆回転しているのが分
かりやすいので楽しいです。
100円ショップの時計は最小の
コストかつ最小の労力で組み立
てられるようになっているた
め、文字板のカバーは背面にあ
るツメをドライバーなどで押せ
ば簡単に取り外せます。裏面の
竜頭も挿し込まれているだけな
ので、手で引き抜けばOK。文
字板の裏に隠れた時計のユニッ
トは、ネジを外して取り出しま
す。時計のユニットは側面をツ
メで留められているだけなの

で、これもドライバーでツメを
浮かせることで開けられまし
た。時計のユニットを開ける際
は、組み立てて戻す時に歯車の
位置などを確認できるよう、あ
らかじめ写真を撮るなどして元
の状態を記録しておきましょう。
　ステータには細い皮膜線を巻
かれたコイルが挿し込まれてい
るので、この線を切らないよう
に取り出して下さい。で、コイ
ルに挿し込まれたステータを上
下逆に挿し直せば、改造は終わ
り。あとは、時計を組み立て直
すだけです。

文字板を反転させる

　ステータの上下をひっくり返
すだけで、針の動きは逆になり
ます。ただそれだと、逆転
時計と分かりづらいでしょう。
なので、文字板をスキャナーで
PCに取り込み、反転モードで
印刷。それを元の文字版に貼り
付ければ、いかにも狂った世界
の時計っぽくなります。
　低コスト・低技術でも、見た
目のインパクトがある工作は可
能です。皆さんもぜひ作ってみ
ませんか？

工作のレベルアップに必携のツール
電動工具のトリセツ

● text by デゴチ

回す・切る・削るといった作業効率がグッとアップして、ヒジョーに便利なのが電動工具。安全に使いこなすために知っておくべき基本とコツを、工具別に解説しよう。

回す　電動ドリルドライバー

価格帯：5,000〜30,000円
主要メーカー：マキタ、リョービ、HiKOKI、BLACK+DECKERなど

アリエナイ工作で多用するのが、「ネジを回す」「穴をあける」という回転系の工具です。頻度が高い作業なので電動工具を使うと、人力でコツコツやるよりも楽に、早く、そして正確かつ効率的に行えるようになります。

先端にドリルチャックという部分があり、ここでドリルやドライバービットを保持して、ネジ回し＆穴あけにマルチに使えるのが「電動ドリルドライバー」です。よく似た工具に「インパ

クトドライバー」がありますが、こちらは固い木材のネジ留めなど高負荷なネジ回しに特化した専用工具になります。回転と打撃を同時に繰り出す奥義、「二重の極み」みたいな技を使うものと考えて下さい。

電動ドリルドライバーの電源は、コードレスの充電式と、家庭用AC100Vコンセントから電源供給してパワフルに使えるコード式の2種類あります。個人的には素人工作ではそこまで

パワーが必要ないので、どんな場所でも気軽に作業できる充電式が便利だと思います。

電動・手動にかかわらずネジを回すスクリュードライバーを使う際は、ネジを回すことよりもしっかりネジ山にドライバーを押し付けることを意識するのが大事です。その力が弱いと、ドライバーがネジ山から浮いて滑ってネジ山が潰れてしまい、いわゆる「ネジをなめて」しまう状態になります。

見た目は似ている！

インパクトドライバー　　　ドリルドライバー

ドリルチャックを回すと3つの爪が動いて、ドリルやドライバービットをしっかりつかむ。ドリルやドライバービットには、一定のトルクをしっかりつかむ。ドリルやドライバーには、一定のトルクで空回りするクラッチが付いているものもある。ネジ留めの際、一定のトルクで締めたい時に便利だ

● **回転系工具を使う場合の要確認事項**　軍手などほつれやすい手袋を外して、素手で作業するのが基本だ。手袋が回転部に巻きこまれてケガをする危険がある。同じ理由で、ネクタイ・タオル・マフラーなどは着用せず、髪が長い場合はまとめておくこと。シャツの裾などもズボンにインしておこう。ファッションとしてはダサいかもしれないが、工作においては「安全ではない状態で作業するのが最もダサい」のだ。また、工作全般に関してだが、目の保護のため作業時は保護メガネの着用もお忘れなく。

Memo:

穴をあける 卓上ボール盤

価格帯：10,000～50,000円
主要メーカー：マキタ、リョービ、高儀、プロクソンなど

ドリルドライバーにドリルを取り付ければ、材料に穴をあけられますが、大抵は微妙に穴が斜めになってしまいがち。そこで利用したいのが「卓上ボール盤」です。ドリルと回転数を適切に設定すれば木材をはじめ、プラスチックから金属まで大抵のものに垂直な穴をあけられます。選ぶポイントは、家庭用AC100V電源で使う300W程度のもので、材料を置く台の高さと位置が調整できて、材料を固定するバイスが付いているタイプ。というのも、ボール盤は電動ドリルドライバーよりもパワフルなので、穴をあける材料をしっかりバイスに挟んで固定して作業する必要があるからです。

ドリルは、チャックをチャックハンドルで回して緩める/締める作業をして交換する。金属は油をさしながら切削。ドリルの摩耗や熱による材料の焼き付きを防ぎ、キレイに穴をあけられる。また、貫通孔をあける場合は、加工対象の下に廃材を当てておくのがコツだ。ドリルが抜けた側もバリが出ず美しく仕上がる

なお、材料によりドリルの回転数は変えた方がベター。その際は、メンドウに思っても誤動作で手が巻き込まれないようにコンセントを抜いた状態で行って下さい。

切断 電気丸ノコ

価格帯：6,000～20,000円
主要メーカー：リョービ、マキタ、HiKOKIなど

工作の中で最も体力と時間を使うのが、木材などをノコギリで切る作業です。量が半端なかったり、長い直線で切る必要があったりすると大変…。そこで活躍するのが「電気丸ノコ」です。円板状のノコギリをモーターで超高速回転させて、木材を切断する工具になります。

使用時の注意事項は基本、他の回転系工具と同じですが、電気丸ノコは特に切り進める向きに気を付けて下さい。原則、手前から奥へ、自分から離して行く方向に材料を切断すること。筆者は、初めて電気丸ノコを使用した際に、自分に向けて切り進める持ち方をしてしまいまし

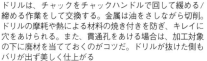

電源はAC100Vのものが多い。ベニヤ板や石膏ボードなど、長い直線を切断する際によく使う。本体にガイド金具をセット可能なので、材料の端から指定の幅で真っすぐ切断できる。丸ノコが進む方向に気を付けること。人がいない＆物がないことを確認して作業しよう

た。すると作業中、丸ノコが材料から外れて自分に飛んできたんです。履いていたジーンズの股の縫い目に丸ノコの刃が引っかかったのでケガはしませんでしたが、肝を冷やしました。

セーバーソー 価格帯：3,000〜50,000円
主要メーカー：マキタ、リョービ、高儀、HiKOKI、Boschなど

「セーバーソー」「レシプロソー」と呼ばれる電動ノコギリ。ノコギリを前後に動かす運動を、機械にやらせる素敵な工具です。この工具があるだけで、世の中の大抵のものはバラバラに破壊できると思います。粗大ゴミを分解してコンパクトにできるので、この工具だけは家族から悪い目で見られない、祝福された工具だとも思います。ただ、大きな音が出るので、昼間の明るい時間帯に近所迷惑にならないよう配慮して使って下さい。深夜に風呂場で死体をバラバラにしようとしても、爆音のため速攻で通報されると思います（笑）。電気丸ノコは直線の

ノコギリのガイドはしっかり材料に付けて、工具がぶれないように両手でしっかりと保持する。材料もバイスで固定するか、足で踏んで体重をかけて固定し作業しよう。なお、刃は木工用・鉄工用・プラスチック用などと付け替えられる。刃の交換時は、誤動作防止のためコンセントから抜いておくこと

切断しかできませんが、セーバーソーは多少湾曲したラインで切断することも可能です。トリ

ガーの引き具合に応じてノコギリの動く速度が変わるので、調整できます。

電動サンダー 価格帯：3,000〜15,000円
主要メーカー：マキタ、リョービ、高儀、BLACK+DECKER、Boschなど

工作の仕上げなどでヤスリをかける場面があります。木工作品の肌触りを良くしたり、金属の表面を磨いたりするなど、作品の完成度を上げるために必要な作業です。「電動サンダー」は、紙ヤスリを取り付けて高速で振動させることにより、対象物を超効率的に研磨する工具。価格は3,000円程度からと、気軽に手を出しやすいのですが、こちらも動作時に爆音が発生するのが難点です。ご近所迷惑にならないように時間帯を気を付けながら、短時間で作業を終えなければというプレッシャーを感じる工具でもあります。

ヤスリ部分が細かな楕円状に振動する「オービタルサンダ

ヤスリは番号が多いほど目が細かいと覚えておこう。最初は低い番号で粗く磨き、番号の高いヤスリで仕上げていくのが基本だ。なお、粉塵がすごいので、保護メガネとマスクを忘れずに

ー」、ヤスリ部分がクルクル回転する「ランダムサンダー」、ベルト状のヤスリが回転する「ベルトサンダー」などいくつ

か種類があり、市販の紙ヤスリを利用しやすいのがオービタルサンダーです。これはビギナーでも使いやすいでしょう。

Memo:

削る　卓上ミニ旋盤
価格帯：10万〜30万円
主要メーカー：東洋アソシエイツ、サカイマシンツール、SK11など

「旋盤」は、加工対象物を回転させて固定したバイト（刃）で削る工作機械です。旋盤を電動工具というカテゴリーで語っていいのか疑問ですが、工作機械のラスボス級と勝手に筆者は思っているので紹介します。

加工できるサイズやモーターのパワーと、価格がダイレクトに比例。中華製は別にして、それなりのメーカー品であれば卓上旋盤の入門機でも最低10万円からなので、手を出すのは結構ハードルが高いです。

基本的に円筒状に切削するツールで、気体や液体などの流体を扱う際に使用するピストンを自作できます。ハイパワー工作のラスボス級「エグゾーストキャノン」を製作する際、市販の空圧パーツを利用しても何とかなりますが、旋盤があると設計の幅が広がります。

取り扱い激烈注意の切削工具
電動ディスクグラインダー

主なメーカーはHiKOKI、マキタ、Boschなど

ここまで紹介してきた電動工具は、加工対象の材料を何かしらの方法で固定して使うものだ。一方、「電動ディスクグラインダー」は、高速回転するディスク状のヤスリという危険な工具を、両手で保持して自由に材料に当てて切削作業を行う。他の電動工具以上に、取り扱いには留意が必要だ。金属を切削する際は、飛び散る火花による火傷防止や手の保護のため革手袋を着用するこ

と。回転工具に手袋は使わないという原則があるが、革手袋は線維がほつれて巻き込まれる危険性が低いので、手の保護を優先するためだ。

電動工具ではないが工作では大活躍
ネジ切り加工のタップ&ダイス

工作の必需品であるネジは、国際標準規格のISOや日本産業規格のJISなどで、太さ・幅・ネジ山の高さが規格化されている。このネジ穴やネジを作ることを「ネジを切る」という。

雌ネジを作る時に使うのが「タップ」で、ドリルのような形状にネジ山の形をした刃が付いている。ネジ穴を作りたいところに下穴をあけて、タップをねじ込んでいくと穴の内側にネジの溝が切られていく。

雄ネジを作りたい時は「ダイス」を使う。ドーナツのように開いた穴の内側に、ネジ山の形をした刃が付いている。ネジにしたい棒にダイスを中心の穴に合わせて回しながら押し込んでいくと、棒がネジ山状の刃に削られてネジができる。

材料を固定して、下穴に対して真っすぐ両手でタップを回しながら押し込んでいく（写真は撮影のため片手だが）。半回転して抵抗が強くなったら、少し逆回転して切り子をタップの溝に逃がす

接着剤とパークリーナーの意外な使い道とは?
ホームセンターのアイテム活用術

● text by POKA

工作レベル ★☆☆☆☆

ホームセンターで売られている一般的なアイテムでも、その特徴と性質を知ることで活躍の場がグンと広がる。接着剤とパークリーナーそれぞれで、活用例を紹介しよう。

特殊な用途に使える2つの接着剤

エポキシ系接着剤

接着剤の定番である「エポキシ系」は、テスラコイルのコーティングに最適（「工作素材の実践知識」196ページも併せてチェック）。最推しは、接着剤大手メーカー・コニシの「ボンドEセット」ですが、安価なダイソー製品も侮れません。

Eセットの硬化は強固で化学的にも安定しており、理想的な接着剤といえます。ただし、硬化に1日かかる長時間反応タイプで、硬化開始時間は90分とかなり長め。テスラコイルのコーティングでは、接着剤が垂れてきてしまうので、コイルを回しながら硬化させるなどの工夫が必要になります。

一方、ダイソーの「強力接着剤」は、10分で硬化する短時間タイプ。Eセットの1/3の価格で購入でき、性能は悪くありません。ただ、短時間で固まる分、化学的安定性にはやや劣るようです。フツーに使う分には、問題になることはないのですが。

耐火耐熱接着剤

接着剤は一般的には有機物で作られていますが、耐熱接着剤は無機物がベース。成分はよく分かりませんが、ガラス質やセラミックなどで構成されていると考えられます。一般的な用途で出番は少ないものの、1,000℃程度が常用になる電気炉の簡易的な補修にオススメです。

エポキシ系接着L剤はコイルコーティングに!

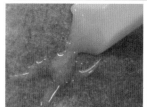

エポキシ系接着剤は、A剤とB剤を均等に混ぜ合わせることで硬化する。どちらも仕上がりは透明になる。左がダイソー、右がコニシの「ボンドEセット」

テスラコイルのコーティングは艶が重要。ダイソー製品でも仕上がりは十分だった。エポキシ系接着剤は混ぜると気泡が入って白く濁るが、薄く塗れば問題はない

耐火耐熱接着剤は電気炉の補修に!

ストーブの排気管修理などに用いるセメダインの「耐火パテ」。1,100℃まで耐えられる。塗った直後はグレーっぽい色をしていたが、熱を通すと真っ白に変化した。修繕跡が目立たずGood!

Memo:

パーツクリーナーを防錆仕様にアレンジする

強力な洗浄力ゆえ、金属はスプレー後に放置するとサビてしまう。パーツクリーナーに鉱物油を注入して、防錆仕様にカスタムする

「パーツクリーナー」の脱脂洗浄作用は強烈で、油をきれいさっぱり洗い流せます。ですが、工具や機械を洗浄する場合などは、完全な脱脂ではなく、程良い注油が行えると便利です。そこで、パーツクリーナーに油を注入して、洗浄力＋防錆性を持たせてみます。

注射器で鉱物油を注入

パーツクリーナーに油を混ぜるには、注射器で注入すればいいのですが接続ノズルが必要です。筆者が探したところ、ダイソーの「自転車の空気入れ」のノズルが注射器との相性が完璧でした。空気入れの先端がパーツクリーナーのボンベの先端にピッタリ刺さり、これでドーピングが可能になります。

オイルは鉱物油であれば何でもOK。量はお好みですが、薄っすらと防錆性能を持たすのであればパーツクリーナー1本に対して数十ccくらい。べっとり油を残したい場合は、100ccほど入れてもいいかもしれません。

パーツクリーナーにオイルを注入する際は、細めの注射器で押し込むように入れるのがポイントです。ドーピング後はよく振って、オイル成分をパーツクリーナー内部の液体と混ぜておきましょう。

さて、完成したクリーナーで、汚れたニッパーを洗浄してみました。ニッパーの摺動面の金属粉を含んだ汚れは取り除かれ、同時に隅々まで油が行き渡りました。パーツクリーナーは洗浄性能だけでなく浸透性があるの

で、深いところまで染み込みます。ここにオイルが含まれていると、揮発成分が蒸発した後に、潤滑・防錆性能を持ったオイルを残すことができるのです。

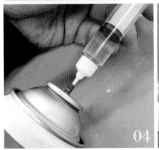
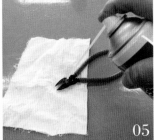

01：ダイソーのスプレータイプの「自転車空気入れ」（110円）。このノズルだけを利用する　02：注射器の先端に、自転車空気入れのノズルを取り付ける。まさにシンデレラフィット！　03：油は何でもOK。今回は混ざり物の少ない真空ポンプ用の油を入れてみた　04：注射器でパーツクリーナーに油を注入する。夏場などの暑い時期はパーツクリーナーの内圧が高くなるので、冷凍庫で冷やしてから作業するといい　05：ニッパーに吹きかけてみた。汚れを除去しつつ、油を浸透させられて一石二鳥だ

不協和音を奏でるケルベロス風チキン
シャウティングチキンを凶化

● text by スピーナ

工作レベル ★☆☆☆☆

お腹を押せばキュートな声で鳴くシャウティングチキンちゃん。そろそろお前の声も飽きた…ということで、1羽で3つの異なる声を発する新たな姿に生まれ変わらせてみよう。

「シャウティングチキン」、可愛いですよね。名前だけ聞いてもピンと来ないかもしれませんが、1度見たら忘れられない顔にキュートな鳴き声。海外映画やドラマなどでよく見かける、黄色い鳥のジョークグッズです。ネット上ではさまざまな用途で使われて大活躍している"バズりマスター"ことシャウティングチキンは、特徴的な声で叫んでいるだけでも面白いのですが、慣れとは恐ろしいもの。だんだんと物足りなくなってきます。そこで、ちょっと改造してあげましょう。

まずは、シャウティングチキンを解体して構造をチェックします。「チキンを解体」というとおいしそうな響きがしますが、残念ながら出てくるのは超シンプルな部品。チキンを構成する要素は大きく分けて、黄色いボディと音を発生させるチューブの2つのようです。

チキンの声帯の仕組み

内蔵されているチューブは、細い方の先端に笛がはめ込まれており、この笛が鳴き声の発生源。笛を取り出して強く息を吹いてみると、チキンの声が自分

の口から出てきます。この笛をさらに分解してみると、中から小さな部品が3つ出てきます。

これは、クラリネットやサクソフォンのようなリード楽器と同じで、リード・マウスピース・リガチャーで構成されています。プラ板がリード、それを取り付けているプラスチックパーツがマウスピース、その2つを固定している丸い部品がリガチャーに相当。この部品で発生させられる音はリードであるプラ板の振動によって決まるため、プラ板を加工すれば、チキンの声が変わるというわけです。

例えば、プラ板の長さを変えることで音の高低を自在に調整できます。プラ板は写真02・03のように2つに折り畳まれた状態でセッティングされており、プラスチックパーツに接している方のプラ板が短くなれば単位時間あたりの振動数が多くなるため、音が高くなります。逆にプラ板を短くすれば振動数が少なくなるため、音は低く変化するのです。

空気を送り込むボディ

シャウティングチキンの体は首と胴体で構成されており、どちらも鳴き声を出すために必要な形状をしています。胴体を押

3羽が一斉に違う音を奏でる!

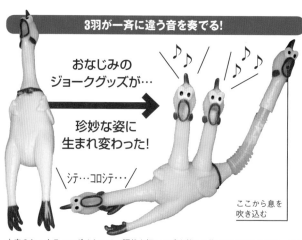

おなじみの
ジョークグッズが…

➡

珍妙な姿に
生まれ変わった!

シテ…コロシテ…

ここから息を
吹き込む

本来のシャウティングチキンは、胴体を押して手を離した際に音が出る仕組み。それだと3羽分の音を鳴らすには空気量が足りなくなるため、息を吹き込む仕様に変更した。人の息の代わりにブロアーを使ってもいいかも

Memo

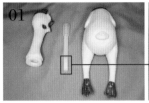

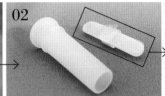

し潰して元に戻る際に、空気が内部に吸い込まれ、その空気がリードを振動させるのです。つまり、吸い込む空気量が少ないとリード線は振動しないので音は鳴りません。

チューブの細い方にリード部分をしっかりと取り付けて、太い方は首の部分に挿し込んで固定。外部から胴体の中へ入る空気がリードに集中することで、あの鳴き声を出せるのです。

チキンの魔改造

基本構造が分かったところで、いざ改造です。「戦いは数だよ兄貴！」ということで、声帯を増やしてあげましょう。シャウティングチキンをさらに3羽解体して、声帯の基本部分である首を取っておきます。そして、ベースのチキンのボディにホールソーで穴をあけて、首を移植していくのですが…。ここで問題となるのが、3羽のシャウティングチキンを鳴らすための空気が不足すること。1体分の空気では、すべてのリードを十分に振動させられません。

それを解決するために手っ取り早いのが、人間の息を利用することです。これでより強い空気を送り込めるハズ…！胴体から伸びている首を真っ二つに切断して、その間を延長するよ

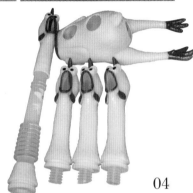

必要な材料

● シャウティングチキン×4匹
● オイルノズル×1本

01：シャウティングチキンは大きく3つのパーツで構成されている　02：チューブ先端に笛が組み込まれている　03：笛を分解すると、3つのパーツに分けられる。右のプラ板が声帯の役割をしている　04：首を挿し込むための穴をホールソーであける。胴体に2つ、お尻に1つ、チキンの首を増殖させた。また息を吹き込むための首は真っ二つに切断し、オイルノズルでつなぐ

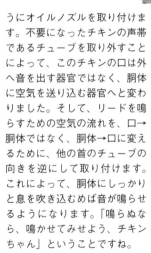

04

うにオイルノズルを取り付けます。不要になったチキンの声帯であるチューブを取り外すことによって、このチキンの口は外へ音を出す器官ではなく、胴体に空気を送り込む器官へと変わりました。そして、リードを鳴らすための空気の流れを、口→胴体ではなく、胴体→口に変えるために、他の首のチューブの向きを逆にして取り付けます。これによって、胴体にしっかりと息を吹き込むめば音が鳴らせるようになります。「鳴らぬなら、鳴かせてみせよう、チキンちゃん」ということですね。

そしてもう1つ、シャウティングチキンの1番のチャームポイントである声をいじってみます。上述した通り、チキンの声はリードのプラ板の振動によって決まるので、このプラ板の長さを短くor長くすることでいつ

もと違う声が聞けるようになります。好きな音程に変えたものを、新しい声帯として移植してあげましょう。今回は首が3つあるので、2つの声帯をいじって音程が異なる3つの音を重ねられるようにしました。

こうして完成したのが、4つの顔を持つ、スーパーチキンちゃん。元の姿が思い出せないくらい先鋭的な姿に生まれ変わりました。オイルノズルで延長したチキンちゃんと唇を重ね合わせるようにして息を吹き込むと、音程の異なる声が重なって不協和音のような音が響きます。発声器官が3倍に増えて十分に空気が送り込まれていることもあり、スーパーチキンちゃんは立派な楽器のよう。見た目も声も強化されて、より一層パワーみを増した改造チキンちゃん、一家に1羽いかがでしょうか？

"あの宝箱"の製作[基本編]

● text by デゴチ

工作レベル ★★☆☆☆

宝箱で最もテンションが上がるのは、中身を見た時より開ける瞬間かもしれない。そこで100均グッズを使い、あの効果音などを再現した宝箱を作ってみよう。小物入れにもピッタリ!

映画・アニメ・ゲームなどに登場する定番アイテムといえば、「宝箱」。作中では宝箱が開くと、眩いキラキラした光と「シャララーン」という効果音が鳴り響きます。欲しいです。宝箱の中に入っている宝よりも、そのキラキラ光って音が鳴る宝箱が欲しいです。目的と手段が入れ替わるのは優秀なエンジニアの証拠。「無い物は作る」をモットーに、キラキラ光る宝箱を作ってみました。

設計の検討

お宝がチェレンコフ放射をするようなものでない限り、それ自体を発光させることは困難です。そのため、発光装置はフタの内側に納め、フタを開けると上からLEDの光でお宝を照らして効果音を出せるようにします。装置はフタの端の部分にマイクロスイッチを配置し、フタが閉じている間はOFF、フタが開くとONになるように設計しましょう。

そのベースには、宝箱らしさは欲しいものの、ゴールドじゃなきゃだめとかぜいたくは言いません。100円ショップのセリアに「インテリアトレジャーBOX」という宝箱風の小物入れが販売されていたので、これでいいです。これがいいです。

ピカーン!

シャララーン♪

材料

●インテリアトレジャーBOX（セリア／110円）●ハートフルタクト（ダイソー／110円）●マイクロスイッチ（ヒロセ電機 DG13-B1LA／約100円）●ダンボール（装置の裏フタ固定用。固定できるなら何でも可）

宝箱を動画で見よう

このQRコードから、完成した宝箱の動作を動画（Twitter）で確認できる

使用する材料は、100円ショップや通販サイトなどで容易に入手できる。工作自体も簡単なハンダ付けができればOKだ

この宝箱を開けた時に、キラキラとLEDを光らせて効果音を鳴らすための装置はどう作るのかというと、これも100円ショップ頼み。ダイソーで売っている魔法のステッキ「ハートフルタクト」を使います。ボタンを押すとキラキラ光って、「シャララーン」と音が鳴るので、これを分解して内部回路だけを拝借しましょう。

装置のON/OFF切り替えには、マイクロスイッチを採用します。今回は「DG13-B1LA」を使用。近所に電子部品店が無い場合は通販でも買えます。何

でもかんでも100円ショップで手に入れたいという方は、ダイソーの「伸縮ランタンライト（6SMD）」（330円）のスイッチに使われているので、それを分解して取り出して下さい。

ギミックの製作手順

ハートフルタクトはドライバーで数か所のネジを外すと、簡単に分解できます。内部にはLEDとスピーカー、それらを制御する基板とスイッチ、ボタン電池3個（LR41）が入っているので、これらの部品をすべて流用しちゃうわけです【01】。

Memo:

01

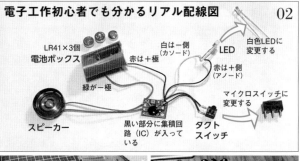

02

電子工作初心者でも分かるリアル配線図

LR41×3個
電池ボックス

白は一側
（カソード）

赤は＋極

緑が一極

白色LEDに
変更する

LED

赤は＋側
（アノード）

マイクロスイッチに
変更する

スピーカー

黒い部分に集積回
路（IC）が入って
いる

タクト
スイッチ

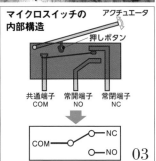

マイクロスイッチの
内部構造

アクチュエータ

押しボタン

共通端子
COM

常開端子
NO

常閉端子
NC

COM

NC

NO

03

04

05

01：ハートフルタクトを分解。電池ボックスも流用できるのでカッターで切り取ろう。破片が飛ぶので、保護メガネなどを装着すると安心だ　02：ハートフルタクトの部品。スイッチをマイクロスイッチに差し替える　03：マイクロスイッチの内部構造　04：ダンボールで装置の収納フレームを作る。スピーカー部の穴は必須　05：スピーカー・LED・マイクロスイッチをダンボールフレームの中に収納する

筐体に直接組み込まれている電池ボックス部分も使えるので、カッターやノコギリを使って強引に切り取りましょう。数回切り込みを入れてから力をかけると、簡単にポキっと折れます（強度はカニの甲羅並み）。

マイクロスイッチは、「アクチュエータ」というテコのような部分を押し下げている間はOFF、離すとONになるよう、共通端子（COM）と常閉端子（NC）を使います。ハンダごてを使い、ハートフルタクトのタクトスイッチに付いている配線をマイクロスイッチに付け替えましょう【02】。

元々使われているLEDは赤色なので、白色LEDがいい場合は付け替えて下さい。なお、電気工作の常識として、赤色配線はプラス側、白や黒や緑はマイナ

ス（GND）側であることがほとんど。LEDはダイオードですから、アノード（プラス側）からカソード（マイナス側）にしか電流が流れません。LEDを取り替える際は極性をよく確認して下さいね。

続いて、装置を宝箱のフタに取り付けます。最近は3Dプリンターが安価になり、電子工作の筐体やフレーム設計も便利になりましたが、今回は手軽に加工できて強度もあるダンボールで製作することに。フタの内側スペースのサイズに合わせたダンボールを数枚切り、重ねてセロテープで貼り付けます。ダンボールにはスピーカー・LED・マイクロスイッチが入る大きさの穴をあけましょう。マイクロスイッチはアクチュエータが宝箱の端に架かるように配置するこ

とで、宝箱のフタを閉じた際にアクチュエータが押されてスイッチがOFF。フタが開くとアクチュエータが離されてスイッチがONになり、装置が動作します。スピーカー・LED・マイクロスイッチをダンボールにはめ込むと、光と音の宝箱が完成です。

応用編

今回使ったハートフルタクトの音声チップは出力する音が固定ですが、この音声チップを小型のMP3プレイヤーモジュール「DFPlayer Mini」に置き換えると、好きな効果音に変更できます。「DFPlayer Mini」はオモチャで音を出す装置としては安価で使いやすいため、工作にはもってこいです。これを使った改良版キラキラ宝箱の作り方は、34ページで紹介します。

自分好みの効果音を自由に再生できるようにしよう
"あの宝箱"の製作［応用編］

● text by デゴチ

工作レベル ★★★☆☆

32・33ページでは、100円ショップなどで入手可能な部品を使い、キラキラした光と「シャララーン」という音が鳴る宝箱を作った。ここでは、効果音を変更できるように進化させる。

効果音を自由に変えられる！

POINT
DFPlayer Miniを使う！

microSDカードスロットを備えており、MP3データを再生できる。このパーツを組み込んで製作する。

VCC	BUSY
RX	USB-
TX	USB+
DAC_R	ADKEY2
DAC_L	ADKEY1
SPK1	IO2
GND	GND
SPK2	IO1

DFPlayer Mini

　人には自分が好む"宝箱が開いた時の音"があるものです。そんなマニアックな状況の音に特別な思い入れがあるかについては異論もありそうですが、この記事を読んでいる皆さんはこちら側の人間だと思うので、とりあえず話を進めます。

　ここでは安価な音声再生チップの「DFPlayer Mini」を用いた、「効果音を変更可能なキラキラ宝箱」の製作方法を紹介。多少、部品入手の難易度が上がりますが、工作レベルとしては前回とほぼ変わらないので、ぜひ作ってみて下さい。

好みの音を鳴らす方法

　DFPlayer Mini（ディーエフプレイヤーミニ、以下DFPlayer）は、microSDカードに保存したMP3形式の音声ファイルを再生可能な音声再生チップです。アンプを内蔵しているので、直接スピーカーを接続して音声ファイルを再生できます。「Arduino」などのマイコンと接続して、シリアル通信で再生や停止などの制御が可能です。ただ、筆者はとにかく怠惰なので、できる限り難しいことをせず部品点数も少なくして、低予算・低姿勢・低カロリーな工作がしたいのです。そこで今回は、マイコンを使わずにDFPlayerを制御する方法を考えます。

　このチップにはADKEY1とADKEY2という2つのアナログ入力端子があり、これらの端子に入力する電圧値に応じて、再生や停止などの操作が可能です。チップの仕様書を見ると、ADKEY1を0VにするとmicroSDカードに格納した1曲目が再生されることが分かりました。最小の部品と簡単な回路で音の鳴る宝箱を作る場合、microSDカードに効果音を1つだけ格納し、ADKEY1を0VのGNDにショートしておけば、電源が入ったら無条件で音声を再生できるハズです。

　LEDは、このシンプルな回路構成だと常に点灯状態。キラキラした雰囲気とするために、ここでは自己点滅LEDを使います。自己点滅LEDは発振回路などを内蔵しており、電源に接続しただけでLEDが点滅する便利なものです。

Memo:

DFPlayerを用いたシンプルな音声再生回路

マイクロスイッチ

電池
(4.5V)

NC
開

COM

NO
閉

LED

100Ω

GND

DFPlayer Mini

VCC

ADKEY1

GND

SPK＋
SPK－

電圧値に応じて電源がON/OFFになる特性を活かし、"あえて" シンプルな設計にした。
楽するところは楽するのが、工作を楽しむポイントなのだ

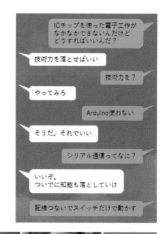

ICチップを使った電子工作が
なかなかできないんだけど
どうすればいいんだ？

技術力を落とせばいい

技術力を？

やってみろ

Arduino使わない

そうだ。それでいい

シリアル通信ってなに？

いいぞ。
ついでに知能も落としていけ

記憶つないでスイッチだけで動かす

必要な材料と主な道具
●DFPlayer Mini：DFRobot／120〜1,000円
●microSDカード：400〜900円
●LEDで光る風船2Pセット：セリア／110円
●LEDライト：ダイソー／110円
●インテリアトレジャーBOX：セリア／110円
●ハートフルタクト：ダイソー／110円
●マイクロスイッチ：ヒロセ電機／約100円
●単4形アルカリ乾電池5個パック：ダイソー／110円
●プラスドライバー、ニッパー、ラジオペンチ、ハンダごてなど

「LEDライト」は電池ボックス、「ハートフルタクト」
はスピーカーのパーツ取り用。「マイクロスイッチ」
はDG13-B1LAを使う

材料の調達

　設計の方向性が決まったので、必要な材料を揃えていきましょう。DFPlayerは秋葉原や日本橋の電気街、ネット通販などで容易に購入できます。日本国内の通販でも数個まとめ買いをすれば、1つ300円程度です（2021年1月現在）。原産国から直接通販で購入すると多少時間はかかるものの、送料込みで1つ120円前後と実質無料みたいな価格で入手できます。

　自己点滅LEDも電気街や通販で購入可能ですが、100円ショップ製でもOK。今回は、セリアの「LEDで光る風船2Pセット」を使うことにしました。この商品は風船の中にボタン電池に直結した自己点滅LEDが入っており、絶縁タグを引き抜くと電池が切れるまでカラフルな光が点滅し続ける玩具です。風船がもったいない気がしますが、このLEDを取り出して使います。

　なお、LEDを点灯させる際は、LEDに電流が流れ過ぎないように電流制限抵抗を付けるのが普通。しかし、自己点滅LEDは内部に発振回路などLEDへの給電を制御する回路を内蔵しているため、恐らくその回路内に電流制限も考慮されているハズ…ということで、今回はそのまま使用することにします。この商品も電池直つなぎですが、LEDが燃えるなどの事故が起こっていないようなので、恐らく大丈夫でしょう。他力本願ですが、ヨ

シッ。ご安全に。

　スピーカーとマイクロスイッチは、32・33ページの基本編で使用した同じ物を流用します。なので、ダイソーの「ハートフルタクト」は部品取りで、また成仏していただきます。

　なお、今回はこれらの装置を宝箱に納めるためのフレームを、3Dプリンターで作りました。基本編と同じくダンボールなどの厚紙で作ってももちろんOKなのですが、装置を組み立てる際に各部品をはめ込んでいけるので、トータルで考えると製作が楽になります。3Dプリンターを使えるようになると、工作の幅が広がるため126ページからの記事も読んで参考にして下さい。

01・02：ユニットを宝箱内に収めるフレーム。基本編ではダンボールで作ったが、ここでは3Dプリンターで作成した。見た目も使いやすさも格段にアップするぞ　03：ダイソーのLEDライトを分解し、電池ボックスを取り出す　04：ブレッドボードに仮組みして動作確認。スピーカーを接続し、ADKEY1をGND側に接触させた際に音声が流れればOKだ　05：SPK1とSPK2のリード端子を外側に折り曲げる　06：IO2のリード端子をニッパーで切り取る

電源も同じくボタン電池の「LR41」の使用を考えたのですが、動作テストで確認したところ、DFPlayerは音声データの再生時に120mA程度の電流が必要になるため、LR41では正常動作できないことが判明。供給電力が不足するとノイズが出て、途中で音声の再生が止まってしまいます。そこで、LR41より少し大きいボタン電池の「LR44」を直列3個で2並列して試してみました。音声データによっては再生できましたがやはり不安定だったため、結局は単4形アルカリ乾電池を使うことに。単4形アルカリ乾電池は3個直列で3.6〜4.5V程度を供給します。DFPlayerの仕様上の動作電圧は3.2〜5.0V（Typ. 4.2V）なので、仕様の範囲内で問題なしです。電池ボックスは、ダイソーに売っているLED懐中電灯の「ランチャーライトV9」を利用します。

これで材料が揃ったので、早速製作していきましょう。まずはDFPlayerの動作確認から。

各部品をハンダ付け

再生したいMP3形式の音声ファイルを、microSDカードに格納します。DFPlayerは32GB以下で、FAT16またはFAT32形式にフォーマットされているmicroSDカードが使用可能です。また、DFPlayerにはMP3データの読み出しルールがあるので、PCでmicroSDカードに「01」という名前のフォルダを作り、ファイル名を「001」としたMP3データを保存します。そのmicroSDカードをDFPlayerにセットし、スピーカーを接続して電源端子のVCC端子に5Vを印加。ADKEY1をGND側に接触させる

と、microSDカード内の音声ファイルが再生できるのです。

このDFPlayerに、スピーカー・マイクロスイッチ・電源をハンダ付けしていきます。DFPlayerのSPK1とSPK2のリード端子をラジオペンチで外側に折り曲げ、次にIO2のリード端子を根元からニッパーでカット。これでADKEY1とGNDの間の邪魔モノが無くなったので、ADKEY1のリード端子をGND側に折り曲げ、接触させてハンダ付けします。そして今度は裏返して、外側に折り曲げたSPK1とSPK2にスピーカーの電極をハンダ付け。

続いて、電池ボックスの接続です。＋極をマイクロスイッチの共通端子COMに、－極をDFPlayerのGNDリード端子にハンダ付けします。マイクロスイッチの常閉端子・NCをDFPlayer

Memo:

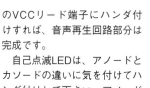

のVCCリード端子にハンダ付けすれば、音声再生回路部分は完成です。

　自己点滅LEDは、アノードとカソードの違いに気を付けてハンダ付けして下さい。アノードはDFPlayerのVCCリード端子、カソードはGND端子につなぐこと。LEDを他の製品からパーツ取り出した場合、リード端子の長さからアノードかカソードかの判断ができない時がありますが、大抵の場合、LEDの球内部の電極パーツの大きな方がカソード（GND側）です。例外もあるでしょうが、覚えておくと失敗する確率は減るでしょう。

07：ADKEY1のリード端子をGND側に折り曲げてハンダ付け　08：SPK1・SPK2とスピーカーをハンダ付けする　09：電池ボックスを取り付ける。電池ボックスの＋極をマイクロスイッチのCOMに、一極をDFPlayerのGNDにハンダ付け　10：マイクロスイッチのNCを、DFPlayerのVCCにハンダ付けする　11：LEDのアノードをDFPlayerのVCCリード端子、カソードをGND端子につなぐ。なお、LED内部の電極パーツが大きい方が、カソード側であることが多い。覚えておくべし　12：宝箱を開けると自動でLEDが点滅し、「クエスト達成風」の音が鳴る♪　13：microSDカードを交換すれば、好みの効果音を流せる。複数枚用意しておこう。なお、動作状態の動画はこのQRコードで確認できる（Twitter）

組み立てて完成！

　ハンダ付けしたDFPlayer・スピーカー・マイクロスイッチ・自己点滅LED・電池ボックスを宝箱の中に納めれば、効果音を自由に設定できるキラキラ宝箱の完成です。異なる音声ファイルを保存したmicroSDカードを2枚用意しておくと、切り替えて遊べます。

　1枚目を再生した後、もう1枚に挿し替えて再度フタを開けると、異なる音声ファイルが再生できました。完璧に動作している！…という状態の写真を何枚か撮りましたが、やはり誌面上で音の違いは表現できないので、Twitterにアップした動画をQRコードからご確認下さい。

　DFPlayerを使えば、お好みの効果音を使ったキラキラ宝箱を製作できることが分かったでしょう。誕生日やプロポーズなどの特別なイベントにぜひご活用下さい。

正義のヒーローのコアを邪悪なフィギュアに合体！
エクソシストドールを魔改造
● text by POKA

工作レベル ★★☆☆☆

映画『エクソシスト』に登場するヒロインキャラ・リーガンの、音声付きフィギュア。このキュートなドールを勝手に動くようにカスタマイズしてみよう。これぞまさしく "魔改造" だ。

リーガンちゃんが不気味に動く…！

映画『エクソシスト』
（1973年公開）

必要な材料
● THE EXORCIST フィギュア
● アンパンマン電動玩具
● 水銀スイッチ
● 結束バンド …など

help me

悪魔合体

つかまえて♪
ころぴょんアンパンマン
セガトイズ　　　　実勢価格2,000円
音楽に合わせて跳ねたり回ったりする幼児向けのオモチャで、対象年齢は3歳から。サイズは直径13cm

THE EXORCIST
MDS　　　　実勢価格15,000円〜
2018年秋に発売された、リーガンちゃんのフィギュア。市場在庫はほとんどないが、ヤフオク！などで入手できる

Memo：

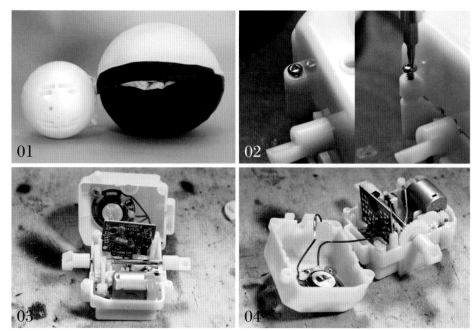

01：アンパンマンの電動玩具に内蔵されている、振動コアを流用する。フェルト生地のカバーをめくり、中から丸いユニットを取り出す　02：振動コアは三角ネジで閉じられている。これは三角ネジの一辺の長さに近いマイナスドライバーを使って、無理やりこじ開けられる　03：コアを分解。ギアボックスと制御用基板が入っている　04：ダイナミックスピーカーと音声ICにより、振動中は『アンパンマンのマーチ』が流れる仕様。そこで、スピーカーへのリード線を1本カットし、音楽再生機能を殺す。リード線の端はテープで巻き、絶縁しておこう

　ホラー映画の傑作『エクソシスト』。これに登場する悪霊に取り憑かれたリーガン・マクニールが、2018年秋にフィギュア化されました。約3等身にデフォルメされているのに、全く可愛くありません。傷だらけの顔面、乱れたヘアスタイル、お腹には「help me」の文字。そして、手足の関節を割と自由に動かせる上、背中に仕込まれているスイッチをONにすると劇中のフレーズが流れます。低音のしゃがれたあの声で。とにかく不気味です。これはもう…プレゼントに最適ですね！（笑）
　さて、せっかくなら、より不

気味さをパワーアップさせてみましょう。振動するパーツを組み込んで、勝手に動くように改造してみます。ということで、改造パーツを探していたところ、ちょうどいい玩具を発見しました。チビッ子たちの永遠のヒーロー『それいけ！アンパンマン』の電動玩具です。「つかまえて♪ころぴょん　アンパンマン」は、フェルト生地の丸っこいアンパンマンが音楽に合わせてランダムに動き回る、お子様向けのトイ。このコア部分を、邪悪なドールに合体させるわけです。正義の心を持った邪悪なドール…と、何か厨二病的な感じ

がしまくりですが、とりあえず作業してみましょう。

アンパンマン玩具を分解

　この電動玩具は、スイッチを入れると、一定時間偏心モーターが回転し強力な振動を発生させます。10秒程度振動モーターが動き続けるようです。内部の電子回路にはワンショットタイマーが組み込まれており、一瞬でも振動スイッチがONになると動作します。そして、一定時間動作した後は自動的にOFFになる仕様。
　ということで、アンパンのフェルトカバーを開けてコアを取

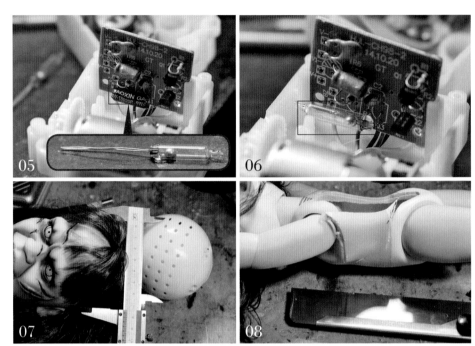

05・06：基板に接続されている振動スイッチの感度はイマイチ。そこで、取り外して水銀スイッチに入れ替える。水銀スイッチは、標準搭載の振動スイッチより少々大きいので、ギアに干渉しないようにしてつなぐこと　07：振動コアの改造が終わったら、移植先を検討。サイズ的に頭には入らないため、ボディにセットすることにした　08：胴体部分には音声発生用の回路ギミックが仕込まれている。まずこれを取り除き、球体のコアが入るよう、ノコギリでボディを切り取る

り出し、分解してみます。三角ネジを外して内部を確認。ギアボックスと制御用の基板が内蔵されていました。ダイナミックスピーカーと音声ICが組み込まれており、動作中はアンパンマンのテーマ曲が流れるようになっています。邪悪なドールにこの曲はちょっとまぶし過ぎるので、スピーカーを殺しましょう。スピーカーへのリード線を1本取ってしまいます。リード線の端はテープで閉じて絶縁しておくと安心です。

続いての作業は、振動スイッチの交換です。基板に標準搭載されている振動スイッチは、ス

プリングと接点でできており感度があまり良くありません。そこで、傾斜で動作する水銀スイッチに取り替えます。この水銀スイッチは、標準の振動スイッチよりも若干大きいので、ギアに干渉しないように気を付けて設置して下さい。

ちなみに、水銀スイッチとは、その名称通り、内部に水銀が入ったスイッチのこと。水銀はガラス管内でコロコロしており下部の電極に接触すると通電する仕組みです。水銀と金属接点はあまり大きな電流を流せないため、モーターを直接動かすようなことは難しいのですが、基板

上のセンサーと取り替えて使う場合は問題ありません。

ドールにコアを移植

振動するコアの準備ができたところで、いよいよドールに移植していきます。移植する場所はどこがいいでしょうか？　最初、頭をカチ割って入れようかと思ったのですが、1cmほど頭の方が小さく、コアをそのまま入れるのは無理なようです。頭に入れるにはコアの小型化が必要。しかし、そうなるとギアボックスから改造しないといけなくなり、手間がかかりメンドウなので他のポイントを探ること

Memo:

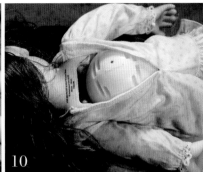

09：水銀スイッチは、傾きや振動によって水銀が動き、容器内の端子に接触すると通電状態となる。ゆえに、普段は水銀がOFFの位置にあるように調整してセットする。そして何より重要なのが、この球体のコアがずれたり落ちたりしないようにテープや結束バンドでしっかりと固定しておくこと。振動は思っている以上に強い

10：コアが胴体からハミ出ているが、パジャマを着せると目立たない。これで完成だ

11：横に寝かせた状態にしておくとOFFなので、スパイダーウォークの態勢で普段は飾っておこう

12：リーガンちゃんを起こしたり動かしたりすると、水銀が移動して通電状態に。呪いが発動する…！

The power of Christ compels you.

にします。そもそも頭を重くしたらバランスが悪くなるので、適していませんね…。

　ここは素直に、最も余裕があるボディに組み込むことにします。胴体は服で隠せるため、球体状のコアが多少ハミ出ても目立たなそうですし。

　ドールの胴体部分には、音声発生用の回路ギミックが搭載されています。振動コアを入れるには、これが邪魔です。少々残念ですが丸っと音声回路を取り除き、振動コアが入るように切り開く大手術を行います。手と足の関節部分の機能を残しつつ、背中側から左右の脇腹部まで

でカット。柔らかいプラスチック素材のため、ノコギリで簡単に切り取れました。

　コア内の基板に仕込んだ水銀スイッチは、特定の方向でONになります。水銀が下に転がってきたらONになるようにするためには、通常時は水銀がOFFの位置にあるのが望ましいわけです。つまり、ドールを寝かした状態（＝OFF）から起こすと、水銀が転がりONになるように調整します。といっても、水銀スイッチは振ってもONとなるためあまり深く考えずにセッティングして大丈夫です（笑）。適当な位置でビニールテープや

インシュロック（結束バンド）でしっかり固定しましょう。

　あとは、安定した姿勢にしてセットしておくのですが、せっかくなのでエクソシスト屈指の名シーンである、ブリッジで歩く「スパイダーウォーク」の態勢はいかがでしょうか。そして、この状態からドールに触って起こそうと動かした瞬間、強烈に振動します。このギミックを知らない友人や家族は、まるで本当に呪われているのかと勘違いしてしまう可能性も…？　なお、蛍光塗料を塗るなどさらなるカスタマイズをしても面白いかもしれません。

狂気の吹き矢製作

3Dプリンターで禁断のハイパワー型を開発

狂気の吹き矢製作

● text by yasu

工作レベル ★★☆☆☆

工作や実験は、経験こそが物を言う。まずは、失敗しても懐が傷まない、100均素材の吹き矢で肩慣らし。さらに、3Dプリンターでギミックを追加し最強のオモチャに仕立てよう…！

『アリエナイ理科ノ大事典Ⅱ』で製作した100均素材の「綿棒ネイル（釘）式吹き矢」では、小型化に主眼を置きました。その過程で導き出した吹き矢の理論初速をおさらいしてみましょう。

吹き矢に作用させる圧力をP[Pa]、筒内径をd[m]、加速長をL[m]、弾体重量をm[kg]とすると、得られる矢の初速v[m/s]は下記の通り。

$$v=\sqrt{\frac{\pi d^2 PL}{2m}}$$

この式を理解できると、もっとパワーアップ可能だと気が付くようになります。

前回の小型吹き矢のパラメータは、d=0.005 [m]、L=1 [m]、m=0.0006[kg]。そして肺が発生する圧力をP=10×10³ [Pa]とした時、理論初速はv=25.6 [m/s] と計算され、実験でもそれと近い値が得られました。ここで、各パラメータに着目すると、まだまだパワーアップの余地があるのです。例えば、肺圧力Pの値を増大させれば、吹き矢に大きな力がかかるのは自明ですが、プロのトランペッター級のトレーニングをこなす必要があり、これは現実的ではありません。一方、筒内径や加速長については、筒の設計次第で

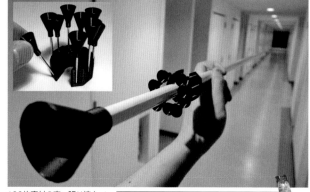

100均素材の突っ張り棒をベースにしたハイパワーな吹き矢を製作。さらに3Dプリンターを駆使すれば、携帯性と連射性を大幅に向上させた、至高の吹き矢も製作可能になる！

必要な材料・工具など		
●突っ張り棒（全長1m以上、直径16mm程度）		
●釘セット	●クリアファイル	●粘着布テープ
●ハサミ	●カッター	
●ペンチ	●ニッパー	

いくらでも増大可能。両者ともに値が大きくなればなるほど初速は大きくなり、特に乗数に着目すると筒内径dが最も初速に効いてくることが式から分かります。ということで今回は筒内径を大型化し本気のハイパワー吹き矢を作っていきます。

[Ⅰ]筒（バレル）の製作

さまざまな100円ショップの素材を検証した結果、直径16mm程度の突っ張り棒が人間の肺の容量と圧力から考えて最も効率が良さそうということが判明しました。これより太いと

肺の容量が足りず、逆に細いと弾にかかる荷重が足りずといった具合。では早速、分解していきましょう。

突っ張り棒は、内側と外側の2つのパイプがペアとなった二重構造で、使用するのは外側のパイプです。ペンチを駆使して両者を気合で分解。外側パイプの内部に収められているスプリングも引っ張り出し、ただの筒にしてやります。筒の端には、写真のようなゴム足が付いています。内側だけをカッターでくり抜き、再び筒にはめ直すことで、吹き矢の筒、すなわちバレ

Memo:

[1] 筒を作る手順

01：100均の突っ張り棒からペンチでスプリングを引っ張り出す　02：スプリングは不要なので廃棄　03：ゴム足に穴をあけて筒にはめ直せば、端部のバリをカバーできて安全。こちらを吹き込む側とする

[2] クリアファイル方式のダートを作る手順

01：6cm角にカットしたクリアファイルをなるべく細くコーン状に丸める　02：しっかり粘着テープで固定　03：その先端に釘を挿入　04：側面から細釘で固定する。これが重要！　05：奥まで打ち込み、余計な部分をニッパーで切る　06：余分なコーンをカット　07：いい感じのクリアランスを確保する　08：突っ張り棒バレルとクリアファイル方式ダートの完成だ

ルの完成です。

[2] 矢（ダート）の製作

　バレルができたら、そこに込めるダート＝矢を作ります。メイン素材は「クリアファイル」と「釘セット」。まずはクリアファイルを6cm角程度に切断し、これを手巻き寿司のように丸めて円錐状のコーンにします。なるべく円錐が鋭くなるように丸め、粘着テープでしっかりと固定。これでダートのコーン素体ができました。

　コーンの先端に、大きめの釘を挿し込みます。実は釘の固定方法が、この自作ダートのキモ。固定が弱いと弾着した際、衝撃でコーンと釘が一瞬で分離してしまいます。

　ではどうするか。パッケージから小さな釘を選び出し、コーンに挿入した釘の頭のすぐ背後を狙いペンチで挿し込みます。奥まで挿し込んだら、ニッパーで出っ張り部分をカット。粘着テープで抜けないように補強す

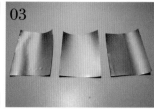

01：350mLアルミ缶の両端をカッターで落とす　02：端面をハサミで整えて開く　03：6cm角に3分割する　04：指を切らないよう慎重にアルミシートを丸める　05：アルミテープで固定　06：小型の釘で弾頭の釘を固定　07：ニッパーで不要な部分をカットする　08：完成！

れば、コーンと先端の釘は強力に固定され並の弾着衝撃では分離しません。

　最後にダートの外径をバレルの内径に合わせます。最初はバレルにセットし、大雑把にカット。最終的に内径に絶妙にフィットする直径になるよう、慎重にカットしていくのがコツです。ダートを挿入した際、バレルを傾けても落ちてこず、息を吹き込むと滑らかに加速する程度の密着がベストでしょう。

　完成したら、バレルにダートを挿入し発射してみましょう。バレルの端部を手で握り、そこに口を添えて思いっきり吹き込みます。フッと吹くのではなく、フーッっと吹き続けてダートを

加速していくイメージでやると初速が出ます。簡素な作りですが容易に数十mは飛翔し、対象にスコーンと気持ち良く刺さります。これが本当にストレス解消にもってこいで、筆者が中学生の頃は自室に木製の的を設置して毎日吹き矢のエイミング練習に努めていたという暗黒時代があります。くれぐれも実験の際は、絶対に人がいない安全な場所で行うことを徹底して下さいね！　マジで!!

[3]ダートをアルミで強化

　上述のクリアファイル方式ダートの、唯一の難点は耐久性の低さです。何度も繰り返し使用していると、だんだんヘタって

最終的には崩壊してしまいます。そこで筆者が当時考案したのが、このアルミニウム方式ダートです。アルミ缶をベースに製作したことで、クリアファイル方式と比較し耐久性が飛躍的に向上します。またコーンの形成には、100均で調達できるアルミテープを用いることで外観もよりクールに。太陽光を反射しつつ、メタリックな弾体が飛翔する様は心躍ります。

　基本的な作り方は［2］のクリアファイル方式と同様です。一応、簡単に写真で手順を紹介します。なおアルミ板の整形は、かなり慎重にやらないと指先がエッジで切れてボロボロに…（実際、当時の筆者の指はズタ

[4] 3Dプリンターで超本格的Blowgunを作る

01

02

03

04

05

06

07

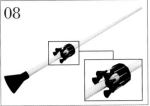
08

01：3D CADで作成したコーンのモデル 02：3Dプリンターで大量生産。この時、使用したのはAnyCubicの「i3 Mega」という機種。当時の価格は28,000円程度だった 03：頭を落とした釘を圧し込んだら完成 04：ダート用マガジンを設計 05：1時間でプリント完了 06：ダートをロードしたところ 07：吹き込み口も3Dプリント 08：マガジンはバレルにカチッとハマる。まさにリロード!

ボロでした…)。

[4] 高性能吹き矢の製作

100均縛りで小型からハイパワー型まで、複数の吹き矢の作り方を紹介してきましたが、これらはいずれも筆者が中学時代に開発したものです。そこで最後は現代の最新技術を活用し、実用性を向上させたより高性能な吹き矢の製作に取り組みます。名称は、「3D Printed Blowgun」とでもしましょうか。

3D CADと3Dプリンターをフル活用して、吹き矢を再製作します。まずはダートそのものの開発。3Dプリンターさえあればシートを丸めたりしなくとも、一発でコーンの形状を出力

できます。最終的に10回程度のテストプリントの後、ようやくコーンが形になりました。1度モデルが確定してしまえば、量産は超簡単というのが3Dプリンターの強みでしょう。

ここに頭をニッパーで落とした釘を圧入するだけで、即座にダートが完成。クリアランスをかなり追い込んでいるので、圧入にあたって接着剤などは要りません。

そして、今回はダート用マガジンも3Dプリンターで製作します。マガジンの側面には特殊構造の溝が設けられ、最大で9本のダートをロード可能。ダート使用時は外側へ傾けることでパチっと簡単に外すことができます。

またこのマガジンは、バレルに対して容易に着脱可能。マガジンにダートをロードした後、バレルにマガジンの溝をあてがい押し込むことで、カチッとバレルにはまります。さながら実銃のリローディングのような感覚です! ということで3Dプリンターの技術を利用した至高の吹き矢「3D Printed Blowgun」が完成しました! ダートの初速はそのままに、マガジンの採用によってダートの携行性と連射性が大きく向上。美しいフォルムとともに、非常に使い勝手の良い高性能なマシンに仕上がりました。シンプルなようで奥深い吹き矢の世界、ぜひ皆さんも体感してみて下さい。

ジェダイになるためフォースの導きに従って…
電動ライトセーバーの製作

● text by デゴチ

工作レベル ★★★★☆

ライトセーバーの玩具は世の中にごまんとある。見た目のリアルさにこだわった大人向けも多いが、伸びた後に自動で縮むモノは皆無だ。そこで、電動化する機構を考えてみたヨ。

映画『スター・ウォーズ』シリーズに登場する宇宙の騎士・ジェダイには、象徴的な武器があります。何でも切断できる光の剣、ライトセーバーです。一人前のジェダイとなるためには

フォースの導きに従って、勘を頼りに材料を集め、自らライトセーバーを作り上げねばなりません。そんなジェダイの象徴であるライトセーバーの性能をリアルに再現するのは、莫大なエ

ネルギーとコストが必要なので困難です。そこで、実際に光って刀身が自動で伸縮するという、見た目を再現したオモチャを作ってみます。これで自称ジェダイも夢じゃない!?

これがフォース…!?

誰が暗黒卿ダースベーアーやねん。深夜の動作テストで通報されなくてヨカッタ…(ホッ)

フォースの導きに従って、光る刀身が伸縮する電動ライトセーバーが完成…!

主な材料	●塩化ビニル(PVC)シート：600W×300H×0.2Dmm	
	●PLAフィラメント(3Dプリンター用)：テスト用含めて500g程度	
	●LED＆サウンドユニット：市販のライトセーバー玩具から流用	
	●USBコネクタ	●USBケーブル	●マイクロスイッチ：2個
	●タミヤ「3速クランクギヤーボックスセット」：ギア比16:1の高速モードを使用。ギアボックスは省スペース化のため3Dプリンターで作り直す	
	●DCモーター：マブチモーター「FA-130」	●単4形アルカリ乾電池：3本
使用工具	●ハサミ	●カッター	●定規	●ハンダごて	●ハンダ
	●ニッパー	●ラジオペンチ	●プラスドライバー	●3D CAD：Fusion360	●3Dプリンター

Memo:

Episode I ライトセーバーの原理と空圧式の検討

ビームソードの原理については、くられ先生の『アリエナクナイ科学ノ教科書』(ソシム)でも検討されています。私もいろいろ具現化の方法を考え、レーザーのように位相の揃った電磁波を照射、干渉させて任意の位置にプラズマを発生させ、刀身とする方法を考えていました。ただこの方法は、エネルギーを莫大に消費するでしょうから、手で持てるサイズに小型軽量化するのは難しいです。私の技術がこの設計に追い付いた時に作ることにして…。ということで、今回は今の技術で再現できる仕様で製作することにします。

ライトセーバーの玩具は、刀身が光ったり飛び出したりする仕掛けの市販品は多数あります。しかし、刀身が自動で縮むモノはありません。刀身が飛び出しても最後は手動で戻すのは興

ざめなので、刀身を自動で収納できる機構を目指します。刀身を伸縮する現実的な方法としては、刀身を袋状にして空気圧で膨張・収縮させる方法と、金属テープ仕様の巻尺「コンベックス」の構造を使った方法を検討してみましょう。

空圧式の検討

換気扇などに使われるシロッコファンの送風で静圧を確保する案と、圧縮空気を用いる案を考えました。初期検討でシロッコファンのパワー不足が判明したため、圧縮空気を用いる案をテストすることにします。

圧縮空気を送排気するバルブとビニール袋をセットし、刀身のビニール袋には、排気すると刀身が縮む方向にゴム紐を取り付けました。圧縮空気の送気バルブを開放すると刀身は膨ら

み、刀身が伸びていきます。空気が充填され内圧を保っている間は、刀身を振り回してもそのままの形状を維持。そして、排気バルブで排気するとビニール袋はしぼんでいきます。

ただ、ビニール袋が柔らかいため、真っすぐは伸び縮みませんでした。このビニール袋の曲がりを防ぐには提灯のように円筒形のビニール袋の周りをくるくるバネのように補強ワイヤーを入れる必要があり、ライトセーバーとして刀身を内側からLEDで光らせた場合にはそれが目立ってしまうでしょう。ビニール袋の縦方向に数本ワイヤーを通して、根元でテンションをかけておく方法も考えましたが、すべてのワイヤーを均等に引き付けるテンションを調整することは難しいため、この方法も却下。空圧式は断念しました…。

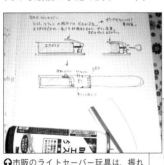

↑市販のライトセーバー玩具は、振れば伸びるが、収納は手動。カッコ良さが足りない。収納を自動化するために、空圧式を検討。圧縮ガスをパワーソースにする場合、炭酸ガスだと安心だ。可燃性ガスだと防爆設計が必要だろう…

↪電磁波の干渉で、空気中の任意の座標にプラズマを発生させる。装置の小型化が現在難しい。将来的には…※

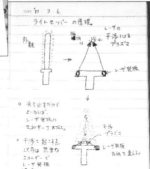

細長いビニール袋を刀身に見立てて、圧縮空気を送り込む。内部にゴムを通したが、伸縮時に曲がってしまった…

※2006年時点で、赤外パルスレーザーを使った空中の空気プラズマ化による発光を用いた三次元表示技術は実証済み。
ただ、まだ筆者にこの技術はないので自分で確認はできていない。今後頑張ります、はい。
参照サイト　https://www.aist.go.jp/aist_j/press_release/pr2006/pr20060207/pr20060207.html

機械式の伸縮機構は、「パンタグラフ」「テレスコピック」「スクリュー」…などいくつか種類があります。今回作る電動式のライトセーバーでは、それらの中でも特に収納性が優れたコンベックスの伸縮機構を採用することにしました。

コンベックスは巻尺の一種で、金属製テープとテープ先端に付いた爪が特徴です。テープを伸ばして長さを測り、収納時は巻き取りで手が切れるのではないかと恐怖心を感じるアレです。英語のConvexが凹凸の「凸」という意味で、金属製テープが円弧状に成形されており、巻き取り時は凸部が平坦になっていますが、引き出すと凸部がテープを真っすぐに保ちます。柔軟性と直立性を両立した測定器具であり、主に建築現場や工作で使用されています。

この構造を利用して、刀身の伸縮と伸びた状態を維持できるかを確認するため、ストローで小型モデルを作ってみました。縦方向に切り込みを入れたストローを爪楊枝に巻き付けると、爪楊枝の回転で棒状のストローが伸縮。動作実験はイメージ通りの動きなので、この構造で進めることにします。

ちなみに、コンベックス伸縮構造は、日本の特許では公開番号「特開平9-124234」で、これは既に特許の期限を過ぎています。最近は、ディズニーが米国特許「US10065127」として、「Sword Device with Retractable, Internally Illuminated Blade（内部が発光する伸縮式の刃を搭載した剣状装置）」という名前で申請していました。この内容を確認すると機構は同じで、伸縮する部位にLEDを付けただけなので、過去特許などの公知の事実から容易に類推できるものであり、公開だけして他者からの特許攻撃を防ぐ目的なのかもしれません。

コンベックス
金属テープの巻尺。ロック機構付きもあり、工作用途で使われる。なお、メジャーはビニールや布など柔らかいテープの巻尺で、主に体のサイズの測定で使われるものを指す

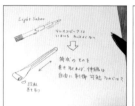

コンベックス式の伸縮機構を活用することを検討。これならライトセーバーの刀身を安定して伸縮できるのでは…？

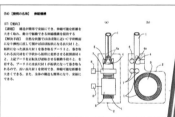

日本でのコンベックス式伸縮機構の特許。既に公知の技術だ
公開番号：特開平9-124234

ストローで小型モデルを作り、伸縮機構をシミュレーション。ストローをカッターで縦に切って、爪楊枝で巻き付ける。イメージ通りに動作した。これは、手品の飛び出すステッキと同じ仕組みだ。あとは柄（ボディ）を取り付けて、この動きを電動化すれば…

04

Memo:

Episode Ⅲ　刀身と電気回路部分の設計

ライトセーバーの刀身は、長さ約700mm、太さは直径約20mmを想定。伸ばした際に内側からライトで光らせたいので、可視光透過性のある素材が欲しいです。ストローは最適な材質なのですが、このサイズは残念ながら市販されていません。なので、ホームセンターで容易に入手できるポリ塩化ビニル樹脂（PVC）のシートを棒に巻き付けて、熱湯で成型しました。

PVCは、80℃程度の熱で容易に変形するため加工しやすく便利な素材です。ただ熱を加え過ぎると、白化して脆くなる点は覚えておいて下さい。また、PVCは使っているうちに割れてしまうこともあるので、将来的にはよりタフな炭酸飲料のペットボトルに使われるPET樹脂を使いたいところです。ともあれ、これで刀身は完成です。

電気回路部分の設計

この刀身は、モーターの力で巻き取ります。ステッピングモーターとマイコンを使えば任意の回転数で刀身の巻き取り、送り出しを制御できてスマートですが、大きくなり片手サイズに収めることは困難です。また、制御するための回路を作りマイコンを使うとなるとコストが高くなる点もネック。もしオモチャメーカーから声が掛かった時に、製造コストがかかり過ぎると、企画がお蔵入りになってしまうと困ります。これが大ヒットして、ライトセーバー御殿を建てるという私の夢が立ち消えになってしまうでしょう…。

そこで、よりシンプルで安価な方法を考案。直流モーターと市販のギアボックスを利用して、スイッチのON/OFFだけで動作させる機構とします。刀身を太さ10mm程度のロールで巻き取る場合、モーターは16:1程度のギア比が最適と判断しました。

刀身を伸ばす時も縮める時も、刀身の長さの分だけモーターが動いたら自動でストップしないと、伸ばし過ぎや巻き取り過ぎなどでモーターに負荷がかかり故障してしまう可能性があります。そのため、一定の位置まで刀身が伸縮すると自動でモーターが止まるようマイクロスイッチを制御回路に組み込みました。

対角線を利用してPVCシートを50W×700Hmmサイズでカット。細い棒状のものに巻き付けて、それを太いパイプに入れて熱湯で成型する。この作業は、塩ビ管のVP13とVP16 を使うのが最適だと分かった

タミヤのギヤーボックスで、コンベックス式伸縮機構を動かしてみた

このギヤーボックスは、低速で3つギアを使う場合にも対応するためケースが少し厚い。そこで高速ギア2枚用に、薄いギアケースを3Dプリンターで製作した

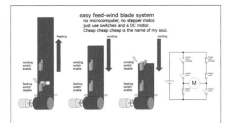

マイコンを使わず、マイクロスイッチだけでモーターの動作に制限をかけるややこしいローテク回路

刀身をLEDで光らせて、よりライトセーバーらしくします。さらに、なりきる上では音も重要なので、ON/OFFで刀身の伸縮音が出るようにサウンドユニットを組み込むことに。このサウンドユニットは市販品からの流用で、傾きセンサーと衝撃センサーが実装されているため、ライトセーバーを振ったりすると動作音が鳴る仕組みです。

サウンドユニットとモーターの電源を同一にしてしまうと、モーターを動かす際に流れる電流が大きいために電源電圧が一時的に落ちてしまい、サウンドユニットの制御回路が動作不良を起こす可能性があります。ゆえに、サウンドユニットとモーター駆動の電源は分けた方がベターです。電源は単4形乾電池を3本ずつ、合計6本使うことになります。今回の試作1号機では、USB端子を付けてモーター駆動用の電源をUSBの5Vから供給できるようにしました。

これを片手で持つ筒状の装置に組み込むためには、コンパクトに設計する必要が…。各パーツの配置に苦労しながら3D CADで設計し、モーターに取り付けるギアボックスも3Dプリンターで作り直しました。

ここでモーターを回してみると、刀身を伸ばすには刀身を巻き取るローラーを逆回転させるだけではなく、刀身をローラーから引き出すような力をかける必要があることが判明。この機構がないと、筐体内部のローラーに巻き付けている刀身が緩み、筐体内部で膨らむだけで出てこず、内部で刀身が詰まってしまうのです…。そこで、筐体外側にミニ四駆のタイヤを取り付けて、モーターから伝搬するギアの回転を伝えるようにし、送り出しローラーとして利用しました。多少不格好ですが、試作1号機としてまずは正常に動かすことを優先します。

01：PVCシートで作った刀身が光るように、根本部分にLEDを仕込む。ハンダ付けはヤケドに気を付けて丁寧に　02：市販のライトセーバー玩具からサウンドユニットを流用して組み込む。乾電池がスペースを取るので大変だ…　03：外部電源（5V）でモーター駆動用の電力をカバーできるように、USBコネクタをボディに追加した

04・05：3D CADの「Fusion360」でボディを設計して、3Dプリンターで出力。高さ200mm程度になると出力には数時間かかるので、失敗しないかドキドキする

06：ギアボックスが横にはみ出すが、とりあえず動けばOK。イケてるデザインと思い込もう　07・08：PVCシートの刀身を伸ばすには、刀身に回転するタイヤを押し付けて送り出すガイドが必要。ミニ四駆のタイヤを取り付けた

Memo:

Episode V 試作1号機の動作テスト

柄に設置したスイッチをONにすると、刀身が光と音を出しながら伸び始めます。そして一定の長さになると、内部に設置したマイクロスイッチが動作して動作が自動でストップ。刀身は巻き取られていた柄の部分から出てくると円筒状になり、棒状で形を保ちます。刀身はスリットの入った円筒形ですが、刀身がLEDライトにより内部から照らされて光ると、このスリットは案外目立ちません。常にサウンドユニットから動作音を出し続け、傾けると「ブォォン」と音を鳴らします。

スイッチをOFFにすると、刀身は動作音を出しながら柄の部分に収納されつつ光も消えました。刀身部分すべてが柄の部分に収まると、内蔵したマイクロスイッチが自動的にモーターの

手元のスイッチで伸縮を操作。暗い中だとLEDの光によって、刀身の切り込みはあまり目立たない

回路をOFFに切り替えて止まります。この伸縮を自動でストップさせるマイクロスイッチの位置は、今後も改善の余地があるものの意図したように動作しました。ということで、「電動ライトセーバー」の完成です。

早速、暗い中で試してみましょう。映画と同じように、光る剣が手元から伸びてくる感じを再現できました。ブンブン振り回しても、刀身は折れ曲がることなくきれいな太刀筋を光の残像として残します。完璧に動作している!!! ともかく、見た目が暗黒面に堕ちたクマだけに、

深夜、撮影する際に通報されなくてよかったです。

そして未来へ…

コンベックス伸縮機構を用いて電動ライトセーバーを作り、動作を確認できました。この構造を用いると棒状のものをコンパクトに収納できるので、導電体素材の刀身を使って伸縮するスタンガン警棒のような実用的なアイテムを作ることができるかも!? まあ、ともあれ、原案は出したので、ちゃんとしたオモチャメーカーさん、これ、商品化してくれませんか?

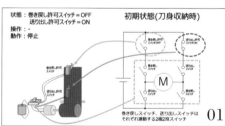

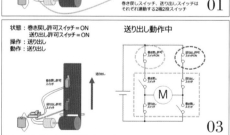

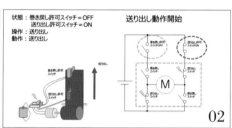

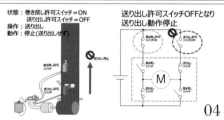

柄の先端に巻き戻し許可スイッチ、巻き戻しローラー根元に送り出し許可スイッチを配置。この各動作許可スイッチにより、刀身の巻き戻し、送り出しが一定量なされると自動で停止する。なお、刀身の巻き戻しは、送り出し動作の逆で、刀身が柄に収まりきったところで巻き戻し許可スイッチがOFFとなり、動作が自動で停止する

●QRコードは電動ライトセーバーの製作動画。合わせてチェック!
YouTube「自動伸縮する電動ライトセーバーを作ってみた」

限界を超えたレーザー光線を発射!
DVDレーザー銃をDIY

● text by レナード三世

工作レベル ★★★☆☆

DVDドライブから取り出したパーツで、超強力なレーザーポインターを作ってみよう。威力はガチなので、フィクションの世界の武器であるレーザー銃を再現できるぞ!

完成イメージ

完成したレーザー銃の外観。レーザーの焦点を調節できるようレンズ部を前に出している。市販のポインターを改造して小型タイプも作ってみた

マッチが燃える!!

フロッピーディスクも貫通

マッチ棒は一瞬で発火。懐かしのフロッピーディスク内部にあるフィルムも余裕で貫通。銃をゆっくり動かせば切断も可能だ

　DVDレーザー銃は、DVDドライブの書き込み用レーザーダイオード（以下、LD）で作った強力レーザーポインター。映画やアニメでしか見ることがないため、リアル光線銃は海外の動画サイトでも大人気です。日本で販売されるレーザーポインターの出力は規制で1mW未満。ですが、このレーザー銃ならプラスチックフィルムも貫通するほど高出力となるのです。

　製作での肝となるDVDドライブは、一般的に書き込み速度が速いほど高出力のレーザー銃が作れます。とはいえ、基本的には型落ちのジャンク品で十分。最低限書き込みが可能であれば、それなりに強力なレーザーとなります。PCパーツ系の

ジャンク屋で製造年月日が新しめのドライブを選ぶとよいでしょう。ノートPC用の薄型ドライブは改造に不向きな特殊LDだったりするので、スペースに余裕のある箱型がオススメ。ただ、ジャンクのドライブから取り出したLDはピン配置もスペックも一切不明なので、できれば同型のドライブを数台買ってピン配置や性能限界を十分探ってからだと、より強力で完成度が高いものを作れるでしょう。

　今回取り出したLDの場合、3本出てる足のうち金属製の本体につながってるのがマイナス、マイナスとハンダでショートされていたのがフォトダイオード（使わない）、もう1本の足がLDのプラスになっていました。大

体のLDで同じような構成ですが、物によって違う場合もあるので要確認です。ドライブを手に入れたらとりあえず分解して、赤LDを取り出します。LDは非常に壊れやすい素子なので、静電気など取り扱いは慎重に。うっかり過電流を流したり、2V以上の逆電圧をかけただけでも即死したりします。

　赤レーザーは人体を透過しやすく触ってもあまり感じにくいので、調整の際は青や黒のビニールやスポンジに照射してパワーを確認します。このパワーのレーザーはガラスや金属、プラスチックに反射しただけでも網膜が焼ける可能性があるので、サングラスなどで目の防護に十分気を付けましょう。

Memo:

DVDレーザー銃の作り方

作り方は、DVDドライブから取り出したLDを、市販のレーザーポインターなどの筐体に組み込み、LEDの光らせ方と同じ要領で電流を流すだけ。改造に使うレーザーモジュールは、大きくて作りのラフな分解しやすい物を選ぶ。小さいとLDが一体型で改造できない場合がある。LDは基本的に圧入で取り付けられているので、分解・組み立ては力任せになる。モジュールの筐体からLDを外す時には、ボルトなどを使うと簡単に外せてオススメだ。

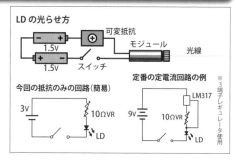

LDの光らせ方

今回の抵抗のみの回路（簡易）

定番の定電流回路の例

※3端子レギュレータ使用

主な材料 ●DVDドライブ ●レーザーモジュール※ ●可変抵抗(10Ω) ●電池ボックス(単3形乾電池×2本) ●スイッチ ●エアガン

①レーザーモジュール

今回の改造に使った波長650nm、5mWのレーザーモジュール。東京・秋葉原のaitendoにて500円で購入した

②ピックアップ部

DVDドライブから取り出した光学ディスクのピックアップ部。赤(DVD)と赤外(CD)の2個のLDが入っている

DVDドライブ（ジャンク）

今回は2008年4月製のDVDドライブを使った。型落ちで数百円程度のサイズの多少大きめのジャンクが狙い目だ

③ピックアップ内部

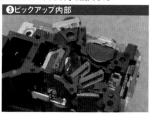

LDの判別はレンズ側からレーザーポインターでレーザーを照射して行う。光に照らされた方が今回使う赤LDになる

④レーザーダイオード

DVDドライブとモジュールから取り外したLD。普通はカバーがあるが、写真のようにむき出しの物もある

⑤モジュールにLDを組み込む

DVDドライブから取り出したLDを組み込んだところ。ここも力技で圧入するが、壊してしまわないよう慎重に行う

⑥レーザー動作テスト

レーザーの出力は光らせながら可変抵抗を回して調整する。うっかり電流を流し過ぎると即死なので気を付けよう

⑦パーツを銃に組み込む

今回はジャンクのエアガンに組み込んでみた。レーザー、可変抵抗、スイッチ、電池の4パーツで構成されている

⑧レーザー比較

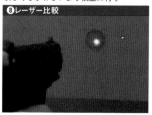

市販の1mWのレーザーポインター(右)と、推定100mWの自作DVDレーザー銃の出力を比較。強力さは一目瞭然だ！

※AliExpressなどの中国の通販サイトでは、5Wや10Wのレーザーモジュールが売られている。それらを流用してもいい。

マッハ7で射出するディスクランチャー
超高速コイン加速装置の製作

● text by レナード三世

工作レベル ★★★☆☆

電磁誘導の力を利用して物体を加速する武器、コイルガン(電磁加速装置)。ここではその1つ、円盤を強力に射出する「ディスクランチャー」を作ってみよう!

電磁誘導とは、2つのコイルの一方に電流を流すともう一方のコイルにも電流が流れるという現象で、この時、電流の流れる向きは互いに逆方向なので発生する磁場は反発し合うことになります。ディスクランチャーは、この片方のコイルを金属製の円盤に置き換えてもう一方のコイルに瞬間的に大電流を流すと、発生した強力な磁場によってコイルと金属円盤が強く反発し合い、円盤が発射されるという仕組みです。装置の構成は、加速用のコイル、放電用のコンデンサ、それと機械式もしくは半導体式の大電流スイッチをつ

なぐだけのシンプルなものになります。

電源として高性能なコンデンサが必要なのですが、これまではストロボ用の電解コンデンサ程度しか適したものがなく、高出力の装置を作るのは難しい状況でした。ただ最近は、医療機器のAEDに使われる強力なコンデンサの中古が、ネットオークションなどで出回るようになってきたので、これを利用します。

プロジェクタイル(発射体)として飛ばす金属円盤には、一円玉を使うのが定番。導電率の高いアルミ製で軽く、入手しやすいためです。重さがちょうど

1gで、エネルギー計算がしやすいという利点もあります。

装置の製作では、コイルを作るのがメインの作業。オモチャ程度なら適当に電線を数十回巻いたものでよいのですが、強力なコンデンサを使うとコイルにかかる電磁力も非常に強くなります。コイルを巻く時はエポキシ接着剤を塗り重ね、巻き終わった上からもさらに塗ってコイル全体を一体化し強固に固めるのがポイントです。

コイルを巻くボビンは金属以外ならOKで、今回はアクリル材で作りました。またスイッチは、機械式のスパークギャップスイッチを追加します。金属片を機械的に接触させるもので、性能は特に気にしなくて大丈夫です。

コイルとスイッチができたら、セットアップイメージのようにコンデンサとつないでコイルにコインをセット。コンデンサを充電してからスイッチを動作させると、スパークギャップの爆音とともにコインが物凄い勢いで吹っ飛んで行きます。

今回の実験では、入力エネルギーが400Jで初速が約250m/s(マッハ0.7)、約30Jの出力が得られました。効率が7.5%なので、コイルの設計を最適化すればもっと初速は上がるでしょう。

セットアップイメージ

電磁誘導を利用したディスクランチャー。コインを発射させるので、名称は「超高速コイン加速装置」とする。充電はコッククロフト・ウォルトン回路などを使い、100μAの電流計と100MΩの抵抗で簡易的に電圧計を組んでいる。MOTは重しで電気的につながってはいない

Memo: ※日本の貨幣を故意に損傷させる行為は、法律で禁じられています。発射体が傷付くような対象に向けて撃つ場合は、適当なアルミ円盤を使用して下さい。

●AED用フィルムコンデンサ

ネットオークションなどで入手可能になった、高性能コンデンサ。スペックは2kV100μFで、エネルギーは1個数百ジュール。高電圧で充電できるため瞬間的にかなりの大電流を流せる。当然、慎重に取り扱うこと。

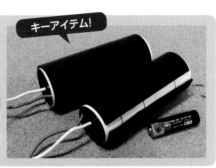

キーアイテム！

主な材料		
●AED用フィルムコンデンサ(2kV100μF)×2		
●アクリル板・アクリルパイプ		●被覆銅線(PEW・UEWなど)
●ボルト・ナット類	●圧着端子	●エポキシ接着剤
●木材	●4kV充電用電源	●電圧計

STEP01 コイルガンの心臓・コイルの製作手順

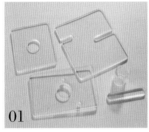

01

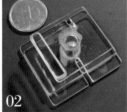

02

03

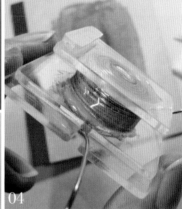

04

01：コイルのフレーム（ボビン）にはアクリル材を使用した
02：横向きに発射するのでコインを置く台を設けてある
03・04：強度を上げるために、コイルはエポキシ接着剤を塗りながら巻いていく。内部まで隙間なく埋めよう

STEP02 スイッチの製作と組み立て

➡アクリル板とボルトで簡易的なスパークギャップスイッチを作った。安全性を高めるには、ワイヤーなどで遠隔操作できるようにするとよいだろう

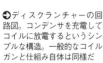

➡ディスクランチャーの回路図。コンデンサを充電してコイルに放電するというシンプルな構造。一般的なコイルガンと仕組み自体は同様だ

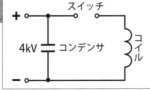

```
        スイッチ
  +  ○────○  ○────
4kV ═══ コンデンサ   コイル
  -  ○─────────────
```

STEP03 圧縮実験

放電

小っちゃくなっちゃった！

After

Before

コイルの中にコインをセットし、数〜10kJの高エネルギーで放電する。するとコイルとコインが反発し、コインは吹き飛び小さく圧縮される。これは海外のコイン（米・25セント）での例

“金田バイク”化して合法的に公道を爆走!
電動キックボードを魔改造

● text by デゴチ

工作レベル ★★★★☆

Amazonで販売されている格安の中華製電動キックボード。敷地で乗り回すだけじゃ満足できない。あの名作アニメ映画のバイクっぽく改造してナンバーを取得。公道デビューを目指す!

近年、話題の「マイクロモビリティ」とは、自動車より小型で少人数向けの乗り物のこと。近場での買い物や旅先の周遊などで“徹底的に歩かせない”という人類退化戦略の一つ…ではなく、世の中を便利にする流れです。そんな中、Amazonなどには中華製の電動キックボードが大量に出品されています。

多くの電動キックボードは、道路運送車両法(以下、車両法)の区分では原付という扱いであり、公道を走るにはナンバー取得が必要です。が、Amazonなどで購入した商品には販売証明書が付かないこともあるため、販売証明書を用いた常道のナンバー申請ができません。

「無い物は作る」がモットーの私ですが、販売証明書を偽造して…というわけにはいかないので、今回は電動キックボードを魔改造して電動バイクを自作します。これでナンバー申請時に、「自作したので販売証明書はありません」という論理的な説明が可能になるのです。

座席の低い金田バイク化

電動キックボードの構造は、ハンドルと前輪が組み合わさった棒状のパーツと、人が乗るボードと後輪が一体化したパーツ

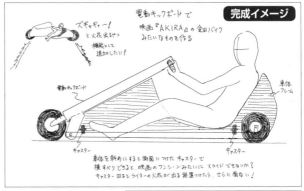

完成イメージ

電動キックボードで映画『AKIRA』の金田バイクみたいなものを作る

ズギャギャー! と火花出るやつ 機能として追加したい!

電動キックボード

車体フレーム

キャスター　キャスター

車体を斜めにすると側面につけたキャスターで横すべりできると、映画のワンシーンみたいにスライドできないか?キャスター回転とライターの火花が出る装置つけたら、さらに面白い!

ベースとなる電動キックボード

MEICHEPRO
中華製電動キックボード
メーカー：MEICHEPRO
実勢価格：35,000円

AKIRA
https://v-storage.bnarts.jp/sp-site/akira/
映画版に登場する通称・金田バイク。「ピーキー過ぎてお前にゃ無理だよ」という、鉄雄へのセリフが有名だ

で構成されています。前輪は、モーターとタイヤが一体化したインホイールモーター。棒状のパーツにハンドル・バッテリー・制御装置がまとまっているので、こちらが「本体」といえるでしょう。この本体は根元でボードと接続されており、ロックを解除すると折りたためます。

折りたたんでもモーターは動くので、本体を斜めにした状態で走るバイクを作ることにします。棒状の部分をバイクのフロントフォークのようにして、ハンドルに手をかける形を考えると、座席の低いバイク…、アニメ映画『AKIRA』に出てくる金田バイクのようなデザインです。

Memo:

STEP01　本体の分解とフレームの取り付け

電動キックボード本体根元の接続部をボルトで受けて固定する、木の合板フレームを用意します。その合板に、後輪のタイヤも取り付ける予定です。ホームセンターで厚さ11mmの合板と、2×4（ツーバイフォー）のSPF材[1]などを購入しました。

ホームセンターの工作室は作業場所に最適！

作業場所はホームセンターの工作室を利用。200円で工具を2つ借りた。電動工具なども揃っており、自宅などで作業場所を確保できない場合に非常に便利だ

①本体とボードの分離

まずは、本体とボードを分離します。本体は、折りたたみ用の金具でボードとネジ留めされているだけなので、そのネジを外し、本体と金具をつなぐピンは金具に固く打ち込まれているため、ピンの一部をドリルで削り強引に外しました。

②フレームの製作

手作りバイクのフレームは木造です。木造でも構造力学を理解して適切な荷重計算すれば、バイクのフレームとしても問題ない強度を得られます。ただし筆者は、大学で構造力学を履修していないので、これまでの日曜大工で得た知見と勘で作ることにします。

事前にスケッチしたデザイン図面（58ページ参照）を元に、購入した合板に下書き線を引いてノコギリとドリルで切断。50mmの長さに切った2×4のSPF材をその合板でサンド。電動キックボード本体の太さは50mmなので、2枚の合板の間に本体がピッタリはまります。

③フレームの取り付け

合板とSPF材で製作したフレームに電動キックボードの本体を直径8mmのボルトで取り付けます。ボードもフレーム底面にボルトで固定し、最後にシートの代わりに適当な木の板を取り付ければ車体の完成です。

本体とボードをつなぐ金具を取り外す

折りたたみ用の金具とボードを留めるネジを取り外し、本体側と金具をつなぐピンはドリルで破壊した

フレームを切り出す

多少下書き線を間違えたが、切断する前に気づいて修正できれば不具合ではない…

金田バイクっぽい雰囲気になった!?

フレームをネジ止めしたら、ボルトで本体に取り付ける。端材をシートにすれば、車体は完成だ

※1　2×4のSPF材:木の角材。家を建てる方法の一種「2×4工法」で主に使われる、統一された規格に沿ったサイズの建築材料で、忌むべきインチの申し子。2インチ×4インチかと思いきや、実際は1.5インチ×3.5インチ（38mm×89mm）。安くて加工しやすいので、工作でよく使う。

　実際に組み立てた車体に乗ってみると、ハンドルの回転軸が地面に対してかなり倒れていて、いわゆる「キャスター角」が非常に大きなバイクになっていることが分かりました。後輪駆動のバイクはキャスター角が大きいと直進安定性が増しますが、今回は75°あり、ここまで極端に大きなキャスター角だと、ほんの少しのハンドル操作で車体の重心が左右にぶれます。バイクの直立を保つためにハンドルを水平に維持しなければならず、運転しづらいです。

　金田バイクが一般的なバイクと同じように、ハンドルからタイヤまでが直結している場合、タイヤとハンドルの位置から推定するとキャスター角は75°程度です。これはピーキー過ぎて金田君でも運転無理だよ…。そう考えるとフロントタイヤは適切なキャスター角で支持され、電子制御で動作するステアリングモーターを使ったステア・バイ・ワイヤ※2なのではないかと思ったら、原作ではハブセンター・ステアリング構造という設定らしいです。つまり金田君はピーキー過ぎるバイクを乗りこなしているわけではなく、ユニークな構造の走りやすいバイクに乗っているということ…。

　ということで、大きなキャスター角を補正し、電動キックボード本体がフレーム支持部でスムーズに回転するように、ローラーを2つフレームに取り付けました。これでキャスター角は何とか運転できる50°になりました。

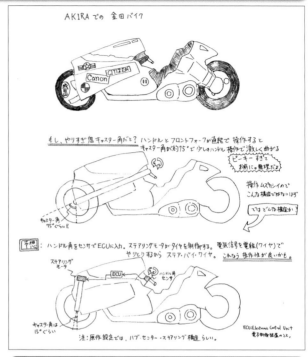

ローラーを取り付けてキャスター角を補正

マイナス25°の補正
これなら鉄雄も…!?

角材に固定したローラーをフレームに取り付け、ハンドル軸受用とした。これで運転に耐えられるキャスター角に補正する

Memo：※2　ステア・バイ・ワイヤ(Steer By Wire)：ハンドル操作(ステアリング)を、電気信号に変えて運転する方式のこと。
電線(ワイヤー)を介して電子制御装置に入力し、その信号がタイヤの向きを変えるステアリングモーターを制御する。

STEP03　保安部品の取り付け&ナンバー取得

自作バイクをナンバー交付申請するにあたり、バイクの構造や諸元を説明する書類を役所に提出する必要があります。皆さん想像して下さい。もし、バイクを自作したという人が窓口にやって来て、見た目が明らかにベニヤ板で作られた怪しげな物体を「バイクです」と主張してきたら…。「はい、分かりました。ではナンバーを出しましょう」…とはなりませんよね。見た目も性能のうちですから、車体を塗装して「ちゃんとしたバイク」に見えるように外装を整えてい

きます。

とはいえ、塗装といっても800円程度のアクリル塗料を吹き付けるだけです。作業自体は10分で終わりました。

①保安部品の取り付け

ナンバー登録には、バイクが車両法で決められた保安部品を装備していることも必要です。この電動キックボードには前照灯、速度計、前後車輪の独立ブレーキ、後部反射器が標準で備わっているため、警音器・バックミラー・尾灯・ナンバー灯・

ブレーキ灯・方向指示器を追加で装備すればOKです。車体に保安部品を取り付けたので、「原付」を名乗る資格を得ました。

②ナンバーの取得

自作バイクのナンバー取得のため、標識交付申請書と届出書を書いて近くの役所で申請します。届出書には、バイクの形状や保安部品の有無の説明を記載し、車体番号の写真も必要です。無事にナンバー交付を受けた後、自賠責保険に加入すれば、公道走行が可能です。

フレームの塗装
アクリル塗料のスプレーでフレームを塗装。もちろん、金田バイクをイメージして赤をチョイスした

保安部品の装備

ハンドル回り
ハンドルに警音器・バックミラー・方向指示器を追加し、後方にも尾灯など必要な保守部品を取り付けた

後方

届出書の車名・型式は「KANEDA-DEG01（カネダデゴワン）」とした。要は自作なので何でもいいのだ。自賠責保険（12か月7,060円）に加入して、晴れて公道デビュー！

モーターのコイルは温まってるぜ！

ナンバーを取得して公道デビューを目指す!
ポケバイ電動化Project

● text by デゴチ

工作レベル ★★★★★

道交法と車両法の保安基準を逸脱しない範囲で非常識な車両を作り、合法的に公道を走行できるふざけた原付バイクを作ってみることにした。これはその製作の記録である。

STEP01 ポケバイ改造の基礎知識

2万円のポケットバイク

自転車電動化キット

電動モーター化

バイクをゼロからフルスクラッチするのは難しいため、2万円ほどのポケットバイクをベースとして改造。自転車の電動化キットを使い、ガソリンエンジンから電動モーター仕様にする。その上で、ナンバーを取得し公道の走行を目指す

主な材料				
	●ポケットバイク(CR-PBR01)		19,800円	
	●自転車電動化キット24V・250Wモーター		15,000円	
	●バイク用鉛電池(12V/7A)×2		5,000円	
	●24V対応車用シガープラグ	220円	●自転車用赤色後方ライト	110円
	●自転車用ライト×2	220円	●自己点滅LED×4	300円
	●バッテリーケース用金具×4	600円	●バッテリーケース	110円
	●配線&ハンダ	適量	●自賠責保険12か月	7,060円

主な工具
●ドライバー ●ソケットレンチ ●モンキーレンチ ●六角レンチ ●ラジオペンチ ●ニッパー ●ボール盤 ●金属用ノコギリ ●電動ノコギリ ●万力 ●ドリルドライバー ●リベッター ●3Dプリンター ●CAD用ソフト …など

Memo:

2020年現在、公道を走るには道路交通法（道交法）と道路運送車両法（車両法）、それらに付随する保安基準を守る必要があります。バイクはエンジン排気量で区分されており、排気量、つまりパワーによって適用する法律の範囲を変えるというシステムで、これがまた道交法と車両法それぞれで定義されているので余計分かりづらいのです。

バイクを自分で作って公道を走るならば、排気量50ccまたは定格出力0.6kW以下の原付を作り、原付免許で乗るのが最も手軽な方法でしょう。原付は車検が不要なので、自作した車両が道交法と車両法に規定された保安基準を満たしていれば、ナンバー登録して公道を走ることができます。もちろん、車検がないからといってすぐ壊れるような車両で公道を走ることは迷惑になるのでNGです。強度も考える必要があります。

さて、車両法における原付の車体は最大で長さ2.5m、幅1.3m、高さ2.0mという規定がありますが、最小の規定はありません。人間が乗るバイクはある程度の大きさが必要なので、法律は人間の常識と良識を信じて最低限、他の交通の邪魔にならないための最大サイズのみを規定しているのでしょうか？ということで、現在の法律では原付はどんなに小さく作っても保安基準を満たせば合法なので、大人が乗るには少し小さい2万円程度のポケットバイク（ポケバイ）をベースに改造していくことにします。

このポケバイはガソリンエンジンを搭載してるのですが、排気ガスや騒音などの対応を考えるのが面倒です。車両法の保安基準にも、排気ガスに関する規定があり、一般人がこれをクリアするのはハードルが高いので、動力を電動モーターに変更してしまいます。電動モーターは、ネット通販にて15,000円程度で買える自転車電動化キットのものを使うことにしました。

あとは規定の電装系の保安部品を取り付けたら、必要書類を揃えて役所へGO！　ナンバーを交付してもらって、自賠責保険に加入したら、これで合法的に公道走行が可能になります。そこまで解説していきましょう。

エンジン➡モーター化

電装系の保安部品

この改造のキモになるのが、自転車の電動化キット。今回購入したキットには24V/250W定格の直流モーターに加え、チェーン駆動するためのスプロケット（歯車）、モーター制御回路、モーター回転数を操作するアクセルスロットルなどのパーツがセットになっている。別途12Vバッテリーを2つ用意して、これらを取り付けていく。ウインカーやブレーキランプなど保安部品も製作し設置する

申請書を役所に提出

ヒャッハー！

「軽自動車税（種別）申告（報告）書兼標識交付申請書」などを用意して役所に届ける。受理されるとナンバーが交付される

市販ポケバイの改造ポイントと実践

二輪の原付で公道を走行するために満たすべき、道路運送車両の保安基準があります。詳細は64ページの表にまとめました。

市販のポケバイで公道を走るには、エンジンをモーターに置き換えて、前照灯、ナンバーの照明、バックミラー、警音器、後部反射器を追加で取り付ける必要があります。モーターの性能が時速20km未満であれば、ブレーキランプ・テールランプ・ウインカー・速度計は省略しても可なので、作業難易度はそれほど高くありません。ただ、この保安基準の減免はマイナーなため、事情を知らない人から無用なクレームを受ける恐れも…。外から見えるブレーキランプ・テールランプ・ウインカーは、付けた方が無難でしょうね。

改造❶ ポケバイを分解してパーツを加工

ポケバイを分解して、各種パーツを取り外していきます。まずはガソリンエンジン。ボルトとネジで固定されているだけなので簡単に取り外せました。

タイヤホイールには、自転車とはサイズの異なるチェーンのスプロケットがネジで固定されているので外しておきます。そして、キットのスプロケットを取り付けられるようにタイヤホイールとスプロケットにボール盤で穴をあけます。タイヤホイールにスプロケットをネジで固定したら後輪の完成です。

モーターの取り付け位置は、ガソリンエンジンが付いていた場所にします。チェーンがフレームに接触しない位置は限られているためです。モーターはキットにある取り付け用金具を使って、フレームに固定することにしました。フレームに溶接できればベストなのですが、現時点でしっかりとした溶接ができないため、ドリルで穴をあけてネジで固定する方針です。ダンボールで取り付け用金具の型紙を作り、ポケバイのフレームに当ててフィットする形を確認しながら作業していきます。

購入したポケバイは、手元に届いたら4秒で分解。ガソリンエンジンやタイヤを、フレームから取り外していく

タイヤホイールに付いているスプロケットを外して、電動化キットのものを取り付ける。ホイールとスプロケットにボール盤で穴をあけて、ネジで固定できるようにする

モーターを固定するための取り付け金具を加工。厚さ2mmほどの鉄板なので、フレームに合わせて金属用ノコギリで切断する。なお、金属の切断は電動ノコギリがあると作業効率が上がる

Memo: ※「フェイルセーフ」の考え方とは…例えば制動灯（ブレーキランプ）は、他の交通車両に自車が減速操作を行ったことを知らせて追突を防止する目的があるため、運転者の操作に応じてブレーキランプが確実に点灯することが必要だ。ブレーキランプのLEDが1つだけだと壊れたら点灯しなくなり困るので、LEDを複数用意して同時に点灯させるようにする。しかし、それでも不十分。直列につないで点灯する回路構成とした場合、どこか1か所で

改造❷ 電装系の保安部品を作る

　ポケバイで保安基準を満たすために必要な電装系部品は、前照灯・番号灯・警音器です。尾灯・制動灯・方向指示器は時速20km未満のバイクでは省略可能ですが、安全のために作って装備することにします。

　前照灯は、自転車の電動化キットに付いているLEDライトをそのまま使用。このライトは、24Vをそのまま受け止めてくれる度量の大きい子なので無改造でOKです。

　電動化キットのモーター制御回路に24Vを供給するため、電源として12Vのバイク用鉛電池2つを直列に接続します。番号灯・尾灯・制動灯・方向指示器は5V定格のLEDを使うので、24Vから5Vへの変換が必要です。そのため、100円ショップの24Vに対応した「車用シガープラグ」のUSB電源を利用することにしました。そしてこれらはすべて、1つのランプユニットにまとめます。ランプユニットは3Dプリンターで製作し、100円ショップの自転車用赤色後方ライトをはめ込みます。

　そして、LEDを点灯する回路は並列回路で設計。これは乗り物など人の命に係わるような機械には「フェイルセーフ」という考えがあるからです※。ざっくりいうと「安全に壊れる」。仮に何か不具合があっても、人命や装置への被害が最小限になるような設計のことをいいます。

　灯火類の配線を行い、番号灯と尾灯が常時点灯、制動灯がブレーキ操作に応じて点灯。方向指示器のウインカーは、自己点滅LEDを使って方向ボタンを押している間点滅することを確認しました。警音器は100円ショップの防犯ブザーを使って方向指示器の操作ユニットに組み込み、電装系の完成です。

24Vから5Vへの変換は、シガープラグを使用した。ダイソーで220円で購入

ランプユニットは3Dプリンターで製作。100円ショップの自転車用赤色後方ライトをはめ込む

ブレーキランプのLEDは、フェイルセーフを考慮して並列で回路を組むことに

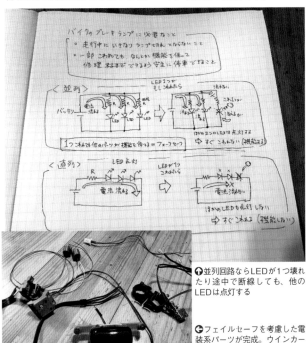
⬆並列回路ならLEDが1つ壊れたり途中で断線しても、他のLEDは点灯する

⬅フェイルセーフを考慮した電装系パーツが完成。ウインカーは自己点滅のLEDを使用し、警報器は100円ショップの防犯ブザーをそのまま使うことにした

※もLEDや配線が切れたらすべてのLEDが点灯しなくなってしまう。一方、並列回路で構成すると、どこか1か所が断線した場合でも、並列に接続された他のLEDは点灯するのでブレーキランプとしての機能を保てることになる。

改造❸ 必要パーツを取り付けてボディを組み上げる

電装系を動かすバッテリーを収めるケースをポケバイに取り付けます。バッテリーケースは100円ショップのプラスチックケースを利用。それをポケバイのフレームに固定できるように、金属ステーを折り曲げてフレームにネジで強引に固定します。

曲げた金属ステーは、プラスチックケースの底でリベット留めに。リベットはネジよりも突起が少ないので、ケースの中にバッテリーを入れても底面がガタツキにくくなるのです。

あとは電装系の保安装置をネジでポケバイに取り付けて完成。自作の原付はナンバーを登録する際に車台番号が必要になるため、ポケバイのフレームの表面を削り、シリアル番号を書いておきます。自分がメーカーなので、製品名とシリアル番号を自由に決められるのです。この電動ポケバイの名前は、デゴチが作った1号機なので「POKE-DEGO1」、シリアル番号は「PD-001」としました。

バッテリーケースをフレームに取り付けるための金属ステーは、万力などで固定するときれいに曲げやすい。電装系の各種保安装置を付けて完成。

表1 道路交通法と道路運送車両法の区分	排気量	～50cc以下(0.6kW以下)	～125cc以下	～250cc以下	～400cc以下	400cc超
道路交通法	車両区分	原動機付自転車(原付免許)	普通自動二輪車(普通二輪)			大型自動二輪車(大型二輪)
	免許種類	原動機付自転車(原付免許)	普通自動二輪車(小型限定)	普通自動二輪車(普通二輪免許)		大型自動二輪車(大型二輪免許)
道路運送車両法 車両区分		第一種原動機付自転車(原付第一種)	第二種原動機付自転車(原付第二種)	二輪の軽自動車(軽二輪)	二輪の小型自動車(小型二輪)	
運輸局へ届け出		不要(役所でナンバー交付を受けるだけ)		必要(運輸局で車両番号の指定を受ける)		
車検		不要			必要	

表2 道路運送車両における保安基準の主な内容 　　青の箇所は改造が必要

道路運送車両の保安基準		保安基準のざっくりとした内容	道路運送車両の保安基準		保安基準のざっくりとした内容
第59条	長さ、幅及び高さ	長さ2.5m、幅1.3m、高さ2.0m以内	第62条の3	尾灯	時速20km未満ならば省略可能
第60条	接地部及び接地圧	タイヤは道路を壊さないこと	第62条の4	制動灯	時速20km未満ならば省略可能
第61条	制動装置	ブレーキは前輪、後輪それぞれに付けること	第63条	後部反射器	後部反射器が付いていること
			第63条の2	方向指示器	時速20km未満ならば省略可能
第61条の3	排気ガスの発散防止	排気ガスはきれいにすること(電動ならば不要)	第64条	警音器	警音器を付けておくこと
			第64条の2	後写鏡	バックミラーを付けておくこと
第62条	前照灯	運転時、前照灯は常に点灯していること	第65条	消音器	排気ガスのマフラー付けること(電動ならば不要)
			第65条の2	速度計	時速20km未満ならば省略可能
第62条の2	番号灯	ナンバーが夜でも見えるようにすること	第66条	乗車装置	座席があればOK

Memo:

STEP03 ナンバーを取得して公道を走る冴えたやり方

最後に自作したポケバイのナンバー登録について説明しましょう。日本の公道でこんなふざけたものを走らせるわけですから、法律には筋を通しておく必要があります。

ナンバー登録は、エンジン排気量が125cc以下の原付は運輸局への届け出が不要で、市役所や区役所に届け出ればOKです。ちなみにこの"ナンバー登録"とは、「軽自動車税申告（報告）書兼標識交付申請書」（以下、標識交付申請書）に必要事項を記入して居住している自治体に「軽自動車税を払う必要のある車両を持っていること」を申請する手続きをいいます。

通常、原付はお店で買ったり友人から譲り受けたりするので、標識交付申請書の「申請の理由」欄には「購入」「譲受け」などの項目にチェックを入れて申請するのですが、今回は自作なので「その他」にチェックして、「自作のため」と記入。種別は原動機付自転車の「第一種」、車輪数は「2輪」にチェックを入れます。あとは住所や日付、所有形態、定置場、自分で決めた車名、年式、原動機の型式、車台番号、定格出力を記入。車台番号は役所での申請時に確認されるため、事前に写真を用意しておきましょう。

加えて、自作した原付がどんなものか、届け出をした背景や概要、問題が発生した場合の責任の所在が自分にあることを明確化する文書も提出します。「原

区役所で申請

自賠責保険に加入

役所の担当窓口で申請し、必要書類を提出する。標識交付申請書に加えて、「原動機付自転車等届出書」と「諸元表」もセットで。無事ナンバーが交付されたら、コンビニなどでバイク自賠責保険に加入しよう。原付の場合は12か月で7,060円だ

動機付自転車等届出書」と「諸元表」です。これらの書類は決まったフォーマットがなく、66ページの例は筆者が考えて書いたものなので、これを提出すれば必ず申請が通る保証はありませんので悪しからず。あくまで参考として下さい。筆者の場合、区役所で申請をして書類提出後、15分程度でナンバーを交付してもらえました。途中、車台番号について税務担当者から問い合わせを受けて、窓口の職員に車台番号の写真を見せるという確認があったぐらいで、あとは比較的スムーズ。なお、この申請に手数料は不要でお金の支払いはありませんが、原付で公道を走るには自賠責保険の加入義務があります。ナンバー取得後にコンビニなどで手続きして下さい。

今回作った電動ポケバイは非力なので、時速20km弱しか出ません。そして、車体が小さく他の自動車などからは見えにくいため、交通量の多い道路を走るのは危険なので避けるべきで

す。見えにくいという物理的な事実と矛盾しますが、異様に小さいので良くも悪くも目立ってしまうことは認識しておくべきでしょう。ちなみに最近、法改正が行われてミニカーなどの小型車両には視認性向上のため地上から1m以上の高さで視認できる構造、車体の最大高さに尾灯の取り付け、シートベルト装置の取り付けが必須となりました。この法改正は二輪の原付バイクに対しては適用されませんが、あまり悪目立ちし過ぎると今は合法な原付の自作自体が規制される可能性もあります。ということでバイクを自作して乗りたいという皆さん、行儀良くやっていきましょうよ、ねぇ。

ということで、この記事を参考にしてバイクを自作してしまった場合、しつこいようですが他の人の迷惑にならないよう十分気を付けて下さい。例によって君、もしくは君の仲間が逮捕、または起訴されても当方は一切関知しないのでそのつもりで…（スパイ大作戦的な免責）。

<書類1>

2020 年 6 月 26 日

原動機付自転車等届出書

【申請理由】
このたび、私が製作した原動機付き自転車（出力 250W の直流モータを搭載）の第一種原動機付き自転車の登録（白ナンバー）の申請を致します。❶
当申請による一切の責任は、私が負うものと致します。❷

【対象車両】
対象車両の外観図を下記に示します。
対象車両は、市販されている 49 cc の 2 ストロークガソリンエンジンを搭載したミニバイク（CR-PBR01）に対してガソリンエンジンを取りはずし、250W（0.25kW）の直流モータを搭載して電動化したものです。❸
主要諸元につきましては別紙をご参照ください。

左側面図　　　　　前面図　　　　　右側面図

後面図

車体番号拡大図 ❹

車名・型式: POKE-DEGO1（ポケデゴワン）❺
車体番号: PD-001
【申請者】
氏名: xxxx xxxxx
住所: 名古屋市ゲンゴロウ島ペンギン村モモンガ 1 番地
電話: 090-xxxx-xxxx

役所の方も人間なので、こんな面倒な申請の対応をしてくれることへの感謝の気持ちと言葉もお忘れなく。それが円滑にコトを進める最大の秘訣かもしれない（笑）

主要諸元表

❻別紙で諸元表を用意。自作バイクが、原付の条件を満たしているか確認できるようにする。各種サイズやエンジン出力などのスペックを記載

❼保安装置の有無も、原付として不備は無いか確認する重要な項目だ。方向指示器や速度計などは、自作バイクの最高速度が時速20km未満であれば免除されるので無くてもよいが、あった方がモアベター。スムーズに処理されやすい

原動機付き自転車等届出書

❶排気量50cc以下、もしくは0.6kW以下であることを明記すると分かりやすい

❷ここで覚悟を示せ！

❸自作した車両の概要を記載する。詳細は別紙に諸元でまとめればOK

❹車両のフレームに車台番号が刻印されている必要がある。自作で刻印が無い場合は任意の番号を刻印して、その番号を記入する

❺自作したらあなたがメーカー。車名などを自由に決めよう

<別紙>

POKE-DEGO1 主要諸元 ❻

本車両の主要諸元を下記に示す。
本車両は下記ベース車両に対してエンジンを直流モータに置き換えて電動化したものである。
※ベース車両: 49 cc 2 ストガソリンエンジン搭載ミニバイク（CR-PBR01）

項目		概要
車名・型式		POKE-DEGO1
全長(mm)		1000
全幅(mm)		550
全高(mm)		600
軸間距離(mm)		730
最低地上高(mm)		120
シート高(mm)		440
車両重量(kg)		20
乗車定員(人)		1
最小回転半径(m)		0.800
エンジン形式		MY1016Z2
エンジン種類		電動直流モータ(24V)
総排気量・出力(kw)		0.250
バッテリ		鉛電池 12V9Ah × 2 個を直列接続で使用
駆動方式		チェーン
保安装置 ❼	前照灯(ヘッドライト)	LED1 灯(キーONで常時点灯)
	尾灯(テールライト)	LED1 灯(キーONで常時点灯)
	制動灯(ブレーキライト)	LED4 灯(前後ブレーキいずれか把握で点灯)
	方向指示器(ウィンカー)	車両前後左右に右右 LED1 灯ずつ(スイッチで点滅)
	番号灯(ナンバー灯)	LED1 灯(キーONで常時点灯)
	警音器	あり(防知ロザーから自作)
	制動装置(ブレーキ)	前後独立ディスクブレーキ
	後部反射板	あり(車用を転用)
	後写鏡(バックミラー)	あり(自転車用を転用)
	速度計	サイクルコンピュータ(自作)

なお本車両の最高速度は時速 20 km未満であり法規上、尾灯、制動灯、方向指示器、速度計の装置は免除されるが、安全を配慮し搭載している）

Chapter.02

禁断の
キャノン学

エグゾーストキャノンにつながる空圧系爆音発生工作
ラプチャーキャノンを作る!

● text by Pylora Nyarogi

工作レベル ★★☆☆☆

圧縮空気が持つ威力を手軽に体験できる爆音発生装置。エグゾーストキャノンより簡単に製作できるので、空圧系工作入門に最適だ。まずはここから始めよう!

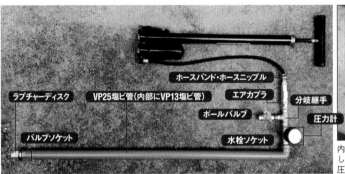

- ラプチャーディスク
- バルブソケット
- VP25塩ビ管(内部にVP13塩ビ管)
- ホースバンド・ホースニップル
- エアカプラ
- ボールバルブ
- 分岐継手
- 圧力計
- 水栓ソケット

内部の圧力を、必ず圧力計で確認しながら実験すること。大体5気圧で破裂した

爆音発生装置の材料
- ●塩ビ管(VP13・VP25)
- ●バルブソケット(VP13)
- ●エアカプラ
- ●ホースバンド
- ●ボールバルブ
- ●自転車用空気入れ
- ●水栓ソケット(VP13)
- ●ユニオン(1/2)
- ●ホースニップル
- ●圧力計
- ●継手各種
- ●ラプチャーディスク各種

ラプチャーディスク
VP13の塩ビ管の先端にユニオンという水道管部品を接続して、ラプチャーディスクを挟み込む。なお、「ラプチャーディスク(破裂板)」とは、設定圧力で作動する圧力安全装置のこと

ホースニップル
ホースを接続するための外ネジ付きのニップル。空気入れのホースの内径に合ったものを選ぶこと。100円程度からホームセンターで入手できる

　自転車用空気入れと塩ビ管と水道管継手で作る、爆音発生装置「ラプチャーキャノン」。構造がシンプルな分、製作も「エグゾーストキャノン」に比べると簡単です。

　まずは「バルブソケット」の六角部分の角をヤスリなどで削り、VP25の塩ビ管を着脱可能にします。続いて、水栓ソケットとバルブソケットを専用の接

着剤で固定。最後に、VP25の塩ビ管をカットします。これは、内部に挿入するVP13の塩ビ管が万が一爆裂した時のためのカバーになるのです。本体を内部に挿入した時に、ユニオンを接続するためのバルブソケットのネジが露出する長さになるように切断しましょう。(上の全体写真を参照)

　以上で材料の加工は終了です。

あとはそれぞれの部品を接続していくだけ。水栓ソケットのネジは「管用テーパーネジ」と呼ばれ、エア工具や金属製の水道管のネジと共通の規格になります。塩ビ系のパーツを空圧系工作で使いたい時に便利です。VP25の水栓ソケットのネジ径は1/2なので、ここを基準に継手の太さを選びましょう。なお、安全のために、「分岐継手」を使っ

Memo:

01・02：VP25の塩ビ管の内径に収まるように角を削る　03：パイプや継手を接続する。ボールバルブを取り付け、内部の圧力を抜く手段を用意しないと非常に危険だ
04：アルミ蒸着フィルムは、おおむね5気圧程で破裂した

て「圧力計」と「ボールバルブ」を取り付けておきます（詳しくは後述）。

VP25の塩ビ管に本体を挿入したら、先端のバルブソケットにユニオンを接続し、破裂板である「ラプチャーディスク」を挟みます。そして、パワーソースとなる空気入れとの接続は、ここではホース先端の、バルブに対応した金具をカットし、ホースバンドでホースニップルをつなぎました。確実で、空気漏れの心配がありません。これで管用雌ネジを持つカプラソケットを通して、空気を注入することができます。

ラプチャーディスクの研究

ラプチャーディスクの素材は、ポリ塩化ビニリデンの食品用ラップ（他の素材では音がショボい）とスナック菓子などの包装に使われているアルミ蒸着フィルムを利用しました。調べたところ、このアルミ蒸着フィルムはPETなど複数種のプラスチックを積層して作られたもので、入手性・加工性・強度が最適だったので採用することに。ちなみに、最強の爆音装置「ディー

ゼリングブラスター」で使われるラプチャーディスクはPET製の窓ガラス用防犯フィルムでしたが、今回の装置は簡易版のため運用圧力が足らず、破裂させられません。同じような素材のアルミ蒸着フィルムの方が適度に強度が低く、低圧でも破裂するため好都合なのです。

今回は内圧を高めてラプチャーディスクを破裂させるので、ラプチャーディスクの強度が音の大きさに反映されます。ラップとアルミ蒸着フィルムを比較すると、より強度の高いアルミ蒸着フィルムを用いた方が大きな音が出ます。なお、強度の高過ぎる素材を使うと、いつまでも破裂せずに内圧がどんどん高まっていくので非常に危険です。アルミ蒸着フィルムは、おおむね5気圧ほどで破裂しました。

気圧の調整が重要

ラプチャーディスクをセットしてから自転車用空気入れで塩ビ管の中に空気を送り込んでいくと、内部の圧力が高まってラプチャーディスクが破裂し、爆音が発生します。必ず圧力計で内部の圧力をモニタリングしな

がら実験を行い、想定以上に圧力が上がってしまった場合は、ボールバルブを開いて1度空気を抜き、ラプチャーディスクを付け直して再度空気を充填するようにしましょう。給水用の塩ビ管の耐圧は1MPaとなっていますが、この数値を目指すのはやめて下さい。危険です。

今回の爆音発生装置には、空圧系工作の重要な要素が含まれています。「自転車用空気入れ」「水道管継手」「塩ビ管」という、本来、接続することを想定していないパーツ同士を、いかにつなぐかということが学べるのです。想定外の使い方をする場合は、耐圧などをしっかりと確認して、事故が起きないように…という安全管理の重要性も学べるでしょう。

自転車用空気入れをパワーソースとして使えればコンプレッサーが無くても実験でき、管用ネジの使い方に慣れれば水道管を圧力容器として運用できます。また、ラプチャーディスクの選定も奥が深く、素材によって全く異なる結果に…。身近な素材でいろいろと試してみるのも面白いでしょう。

消火器を魔改造した新たな爆音発生装置
隔膜式衝撃波管の製作

● text by Pylora Nyarogi

工作レベル ★★★☆☆

加圧式消火器を本体とした、新たなキャノンが誕生。ラプチャーディスクを物理的に突き破るシステムを組み込むことで、圧倒的な爆音が鳴り響く！　衝撃波を体感せよ!!

デトネーションやディーゼリングなど、衝撃波を生成する方法はいくつかあり、空気圧を使うのが「エグゾーストキャノン」です。タンク内の圧縮空気と大気をピストンで隔て、そのピストンを駆動することで圧縮空気をイッキに開放して衝撃波を発生させます。

衝撃波の強さに影響するのが、「圧縮空気の開放速度」。短時間でタンク内の空気を排気することで、大きなエネルギーを得られるのです。そして、この点において有利なのが、「ラプチャーディスク（破裂板）」。素材を適切に選定すれば、ラプチャーディスクは一瞬で破断し、高速な排気を実現できるのです。「ディーゼリングブラスター」などのように、シリンダー内で爆発を起こさせてラプチャーディスクを破ることもできますが、今回は機械的にラプチャーディスクを破るメカニズムをトリガーとした、新しい爆音発生装置を作ってみます。

加圧式消火器を改造

新型キャノンは、加圧式消火器をベースとします。加圧式消火器は、グリップと連動するニードルで内部の二酸化炭素ボンベの封を切ることで動作する仕

完成イメージ。消火器のトリガーをそのまま流用しているので、付属の黄色いピンを安全装置としてそのまま利用できる

隔膜式衝撃波管の主な材料
●加圧式消火器　●ヘルール継手　●クランプバンド　●ガスケット　●長ニップル・キャップ　●米式バルブ　●鉄パイプ　●鉄板　●ネジ類　●窓ガラス用の防犯フィルム

ラプチャーディスクを高速で破り、爆音が放たれる！　ニードルでラプチャーディスク（防犯フィルム）を破るとバラバラになった。素材を見直す余地はあるだろう

組み。このニードルを延長し、消火器底面にセットしたラプチャーディスクを破るわけです。ニードルの外周にはリーク防止用のOリングがあらかじめはめ込まれているので、簡単な加工でラプチャーディスクを破るメカニズムを製作できます。

ニードルの延長には、M5全ネジを使いました。ニードルにM5の高ナットをハンダ付けし、そこに先をとがらせた任意の長

さの全ネジをねじ込めばOK。長期的な運用を考えるなら、先端部に焼きの入った金属をかぶせるなどの工夫が必要になるかもしれません。

続いて、二酸化炭素ボンベが固定されていた部分に管用ネジを切り、ニップルを取り付けます。全ネジと同じ径の穴をあけたキャップと組み合わせることで、ニードルの振れを防ぎます。

圧縮空気を供給するためのバ

加圧式消火器の改造手順

01：ニードルに合ったサイズのナットなら、ハンダ付けでもしっかりと接合できる　**02**：ニードルの長さは全ネジを高ナットにねじ込む深さで、ある程度調節できる　**03**：元々あるネジ穴を下穴として利用する　**04**：ホースが取り付けられていたネジと同じ寸法のボルトを用意すると作業が楽になる　**05**：ニードルが振れると不発の原因となるので確実に固定したい

ラプチャーディスク固定部の製作手順

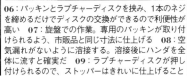

06：パッキンとラプチャーディスクを挟み、1本のネジを締めるだけでディスクの交換ができるので利便性が高い　**07**：旋盤での作業。専用のパッキンが取り付けられるよう、市販品と同じ寸法に仕上げる　**08**：空気漏れがないように溶接する。溶接後にハンダを全体に流すと確実だ　**09**：ラプチャーディスクが押し付けられるので、ストッパーはきれいに仕上げること

ルブは、消火剤の噴出口に取り付けました。穴をあけたボルトと米式バルブをハンダ付けし、Oリングを挟んでねじ込めば完成です。

ラプチャー固定金具を作る

　ラプチャーディスクには、窓ガラス用の防犯フィルムを使いました。今回の設計は口径が大きいため、既存の装置よりも低圧での運用を想定しています（5～6気圧）。

　このラプチャーディスクの固定には、フランジやユニオン継手などがありますが、今回は「ヘルール継手」を採用しました。フランジよりもコンパクトで、

かつ口径を大きくできるので、排気速度の向上につながります。ヘルール継手は、消火器の直径に合ったサイズを選びましょう。なお、片方のヘルール継手を消火器底面に溶接する必要があります。市販品はすべてステンレス製であり、異材溶接は難易度が高いため、ここでは溶接する方の継手を旋盤加工して作りました。丸棒から削り出してもいいのですが、形状的に材料のロスが多くなってしまうので、鉄パイプと鉄板を溶接したものを切削することに。クランプバンドと接触する部分をテーパー加工すれば、しっかりと締め付けられます。旋盤加工が完

了したら消火器底面に穴をあけ、溶接しましょう。

　ちなみに、加圧式消火器のニードルのストロークは約10mmと短く、空気圧をかけた時にラプチャーディスクが膨らむとニードルがラプチャーディスクに届かない場合があります。そこで、外側のヘルール継手に写真【09】のようなストッパーを取り付けました。

　完成したら、早速作動させてみましょう。ラプチャーディスクをセットし、圧縮空気を注入してからトリガーを握れば、ニードルがラプチャーディスクを破って爆音が発生します。ぜひお試しアレ！

衝撃波の研究では、金属製のラプチャーディスクに数百気圧をかけて破裂させるなどといった超ハイパワーな実験が行われています。
身近にある素材もラプチャーディスクとなり得るので、いろいろと試してみて下さい。

エグゾーストキャノン研究白書

すべては強烈な爆音と衝撃波を実現するために…

● text by yasu

工作レベル ★★★★★

DIYレベルでは最高峰の出力を有する「エグゾーストキャノン」。世に出て以来、多くのエンジニアたちを魅了し、数多の改良が行われてきた。その技術開発の歴史をまとめた。

ア理科シリーズを代表する超兵器「エグゾーストキャノン」。『図解アリエナイ理科ノ工作』（2007年）に初登場してから10年以上が経過し、これまでに数多くの新技術が開発され、性能を向上させてきました。ここでは、エグゾーストキャノンに盛り込まれてきた技術をお伝えします。

技術的な解説をする前に、まずはエグゾーストキャノンの構造と動作をおさらいしておきましょう。エグゾーストキャノンは、圧縮空気の圧力で駆動するバルブによって大容量の圧縮空気を瞬間的に排気（Exhaust）する空気砲です。最もシンプルな「単管式」と呼ばれる構造は、下記の図【01】の通り。主にノズル、トリガーバルブ、そして

コアとなるピストンユニットから構成されています。圧縮空気の充填完了後、トリガーバルブでバックチャンバーを減圧することでピストンユニットが駆動し、ノズルから圧縮空気が高速で発射される仕組み。本稿ではこれら3要素に焦点を絞り、それぞれに盛り込まれた技術を解説していきます。

Chapter1「ノズル」の最新技術
■ゴムパッキン　■Oリング

Chapter2「トリガーバルブ」の最新技術
1段式トリガーバルブ		2段式トリガーバルブ
■エアブロワー	■エアカプラ	■AEV
■バランスバルブ	■米式バルブ	■REV

Chapter3「ピストンユニット」の最新技術
■SEV

エグゾーストキャノンは、極めて強力な空気砲。個人的には充填圧力の高圧化にフロンティアがあると考えており、そのためのメカはまだ未開拓だ

エグゾーストキャノンの基本構造と動作

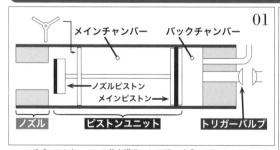

01
メインチャンバー　バックチャンバー
ノズルピストン
メインピストン
ノズル　ピストンユニット　トリガーバルブ

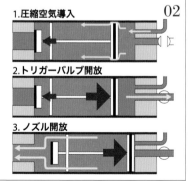

02
1.圧縮空気導入
2.トリガーバルブ開放
3.ノズル開放

01：エグゾーストキャノンの基本構造。トリガーバブル・ピストンユニット・ノズルの3つで構成されている　02：圧縮空気の充填完了後、トリガーバルブでバックチャンバーを減圧することで、ピストンユニットが駆動。そして、ノズルから圧縮空気が高速で発射される

Memo:

Chapter1 「ノズル」の最新技術

「ノズル」は圧縮空気が発射されるポートであり、発射待機時にはノズルシールピストンによって閉じられています。このピストンの構造の変遷について、解説していきましょう。

ゴムパッキン

初代エグゾーストキャノンより採用されていた方式で、ゴム板を押し付けることでノズルをシールします。構造は簡単ですが、充填圧力が低いとゴム板をノズルに押し付ける力が足りず、両者の隙間から空気が漏れ出て充填が行えないという難点がありました。

Oリング

ゴムパッキンのデメリットを解消するのが、Oリングによるシールです。Oリングとは断面が丸い環状のゴムであり、溝を設けた棒材にはめ込むことで高性能なピストンを作ることができます。その封止原理はゴムが圧力差によってシリンダー内面に押し付けられるためであり、高い圧力はもちろん、比較的低い圧力まで確実な封止性能が得られるのです。

加えて、Oリングを用いたノズルシールピストンにだけ構築できる構造があります。それは

ゴムパッキン

03：ゴムパッキンを用いたノズルピストン。空気が漏れやすいという難点がある

ピストンの助走区間です。ノズル部にピストンの助走区間を設け、ピストンがノズル全閉位置に達する前に十分に加速させておくことで、ノズルの全閉→全開に要する時間を大幅に短縮可能。これによってノズルから排気される圧縮空気の立ち上がりが鋭くなり、キレのある破裂音を生み出すことができるのです。

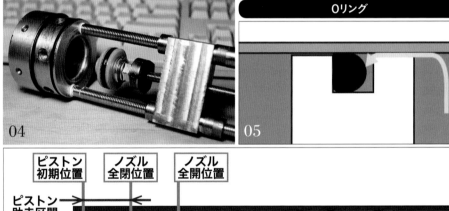

04

Oリング

05

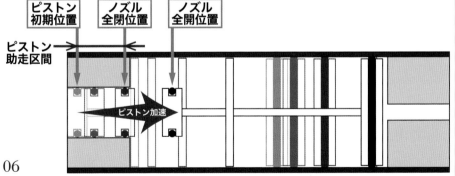

ピストン初期位置　ノズル全閉位置　ノズル全開位置

ピストン助走区間

ピストン加速

06

04：Oリングを用いたノズルピストン　05：Oリングの封止原理。丸い環状のゴムが、圧力差によりシリンダー内面に押し付けられることで確実にシールする　06：ノズルが開く前にピストンを加速することで、ノズル全閉→全開時間を大幅に短縮できる

エグゾーストキャノンの発射トリガーに用いるのが、「トリガーバルブ」です。ピストンユニット背後のバックチャンバーを減圧することで、ピストンユニットを駆動します。バックチャンバーの減圧速度が速ければ速いほどメインピストンの駆動速度が速くなり、ノズルの全閉→全開時間が短縮され、より急峻なノズル排気が実現可能。ゆ

えに、トリガーバルブはバックチャンバーを高速で減圧するという観点で、「高速大容量」の排気能力が求められるのです。エグゾーストキャノン高性能化の歴史は、このトリガーバルブ開発の歴史といっても過言ではなく、現在までにさまざま機構が考案されています。大きく分けて「1段式」と「2段式」の2つがあります。

1段式トリガーバルブ: 開発黎明期

最も歴史が長いのが、この「1段式トリガーバルブ」です。バックチャンバーにバルブを1つ取り付け、それを射手が操作することでバックチャンバーを減圧し、メインピストンが駆動します。現在までに適用されてきた、4つのバルブを解説していきましょう。流路面積や排気速度、操作性や安定性など、それぞれに特徴があります。

エアブロワー

『図解アリエナイ理科ノ工作』に掲載されている、プロトタイプの初代エグゾーストキャノンに採用されたのが、こちら。赤のトリガーを押すと弁が開いてエアーが流れる構造になっています。トリガーにはもってこいの形状で操作性に優れていますが、開放時に形成される流路の断面積

はおおよそ10mm²程度で、流せる流量が非常に小さいのが難点です。

エアカプラ

エアブロワーを超える流路面積を持つ排気ツールで、こちらも『図解アリエナイ理科ノ工作』に掲載された、消火器キャノンに使われていました。バックチャンバーにエアカプラのプラグを取

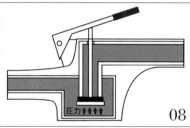

エアブロワー

07：初代エグゾーストキャノンにも採用されたエアブロワー。エスコの「エアブローガン」を使用した
08：エアブロワーの断面図。流量が少ないのが難点だ

圧力

エアカプラ

09

10

11

09：エアカプラをリリースすることで排気を行う　10：キャノンの後部にプラグを取り付け、カプラを接続する　11：エアカプラには標準サイズと大径サイズがある

Memo:

り付け、圧縮空気の供給と排気を1つの部品で兼ねるという非常に合理的な方式です。

カプラのソケットを接続して充填、そしてカプラをリリースすることで排気を行います。こうして形成される流路の断面積は50mm²と、先ほどのエアブロワーの5倍あり、メインピストンの駆動速度を高速化できます。さらに大型のエアカプラシリーズなら、流路の断面積は130mm²。大型のピストンユニットを用いた場合には、このカプラを採用することで強力なドライブが達成できるでしょう。

一方、このカプラの難点は、発射時に機体を支える腕が片腕だけになってしまい、安定しないこと。装置が大型大重量化するに伴って、キャノンを片腕で支えざるを得ない本手法には、無理が出てきます。

バランスバルブ

操作時に両手でホールドできないエアカプラの問題点を解消し、安定した大流量の排気を実現するのが「バランスバルブ」です。このバルブは、シリンダーと連結された2つのピストンで構成。図【14】のオレンジで示している空間を圧縮空気、青で示している空間を大気圧とします。2つのピストンの面積は等しいため、ピストンに作用する力は「バランス」し、動き出すことも、空気が漏れ出ることもありません。このピストンを右へ押し込むことで、圧縮空気を急速に大気開放することができます。シリンダーの内径を大きくすれば、大流量を制御できるため、エグゾーストキャノンのトリガーには最適というわけです。

側面に取り付けるとちょうど銃の引き金のようになり、機体を両手でホールドしたままの射撃が可能になります。

米式バルブ

最後に変わり種を紹介しましょう。「米式バルブ」は、主にクルマのタイヤに用いられる逆止弁で、中央部のピンを押すことで内部の圧縮空気を排気できます。この仕組みをエグゾーストキャノンのトリガーに応用しようというわけです。ピンの押し込みによって形成される流路の断面積は非常に小さいものの、充填容量の小さいキャノンのトリガーにおいては十分使えます。また、後述する「AEV」と呼ばれるシステムを組み合わせれば、大型のエグゾーストキャノンをドライブすることも可能です。

バランスバルブ

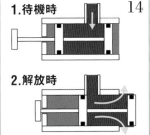

12：真鍮削り出しのバランスバルブ。シリンダーと連結された2つのピストンで構成されている　13：セミオートエグゾーストキャノンに取り付けた様子　14：バランスバルブの構造。2つのピストンの面積が同じというのがポイントだ

米式バルブ

15：コンパクトキャノンに取り付けた米式バルブ。中央にバルブコアという部品があり、これにより内部の圧縮空気を排気できる　16：米式バルブなら理論上、ペンシルサイズにまで小型化可能だ

2段式トリガーバルブ：進化・発展期

エグゾーストキャノンのさらなる高速駆動・大型化を考えた時、トリガーバルブに要求される排気性能はさらに高まり、トリガーバルブ単体の大容量化では対応が難しくなります。そこで考案されたのが、「2段式トリガーバルブ」。先述のトリガーバルブを1段目とし、これによって駆動される2段目のメカニカルバルブで高速大容量の排気を行うというコンセプトです。構造は複雑化しますが、飛躍的な性能向上をもたらします。この2段式トリガーバルブは「AEV」と「REV」の2種類です。

AEVの構造

「Augmented Exhaust Valve」の略で、日本語に訳すと「拡張型排気弁」。従来のように、トリガーバルブの大容量化に頼らず、エグゾーストキャノンの排気速度を大幅に向上させるバルブシステムを意図しています。AEVの構造は図【20】の通り。メインピストンの尾栓側に新たなピストンが追加された形となっており、これを便宜上「AEVピストン」と呼びます。

AEVの動作シーケンス

①圧縮空気導入

インテークバルブを開いて圧縮空気を導入。バックチャンバーは圧縮空気で満たされ、メインピストンとAEVピストンにはそれぞれ左向きの力、右向きの力が作用します。この時、メインピストンの面積の方が大き

いため、ピストンユニットには左向きの力が作用しますが、ノズルに接触しているため、動くことはありません。

②圧縮空気充填

圧縮空気はメインピストンとシリンダーの隙間を介して、チャンバー全域に行き渡ります。この状態でノズルシールピストンとAEVピストンに力が生じますが、ここでもノズルシールピストンの面積が大きく、ピストンユニットには左向きの力が作用し、動くことはありません。圧縮空気の充填完了後にインテークバルブを閉めれば、発射待機状態となります。

③トリガーバルブ開放

トリガーバルブを開放することで、発射シーケンスがスター

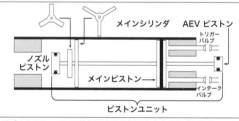

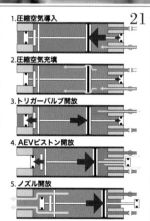

17：エグゾーストキャノンの排気速度を大幅に向上させる「AEV」　18：「エグゾーストキャノンMk.13」に搭載した、大型AEVピストン　19：米式バルブのピンを押すだけで、メインピストンが高速ドライブされる　20：AEVの構造。尾栓側にピストンを追加している　21：AEVの動作シーケンス。猛烈な加速度を受けたピストンユニットは高速で右側へ加速し、ノズルが高速で解放される。これにより、圧縮空気がノズルから発射される

トします。トリガーバルブから流出する圧縮空気流量は小さいですが、バックチャンバーの圧力がわずかに低下することでメインピストンの左右で圧力差が生じ、ピストンユニット全体は右へ駆動力を受けることに。この駆動力によって、ピストンユニットは右へ加速を開始します。

④バックチャンバー開放

メインピストンが右へ移動することで、バックチャンバーをシールしていたAEVピストンが開放されます。これによりバックチャンバーは瞬間的に大気開放され、メインピストンに作用する駆動力は瞬間的に増大。その結果、1段のトリガーバルブ単体の時とは比較にならないほどの猛烈な右向きの加速度が、ピストンユニット全体に生じるのです。

⑤ノズル開放

猛烈な加速度を受けたピストンユニットは右方向へ急加速し、ノズルが極めて高速に開放されます。これによって、立ち上がりの鋭い圧縮空気がノズルから発射されるわけです。

AEVの特徴

AEV最大の特徴は、バックチャンバーの減圧速度にあります。AEVピストンの開放によって形成される排気ポートの断面積は、従来のエアダスターやエアカプラなどと比べて圧倒的に大きく、瞬間的にバックチャンバーを減圧できます。それゆえメインピストンの駆動速度は大幅に高速化され、キレのある排気が実現できるのです。

また、従来のエグゾーストキャノンはトリガーに用いるバルブがバックチャンバー減圧の役割を担っていたため、ピストンユニットを高速駆動させるには高速大容量のバルブを選定する必要がありました。一方でAEVのシステムではバックチャンバー圧をわずかに下げるだけでAEVピストンが開放され、瞬時にバックチャンバーが大気圧になります。そのため、発射のトリガーに小容量のバルブを用いてもメインピストンを高速駆動できるのです。

その最たる例が、AEVを採用した「エグゾーストキャノンMk.17」です。この機体では、1段目のトリガーバルブに米式バルブを用いています。通常このサイズのキャノンのトリガーに、米式バルブのような極小流量のバルブを採用すると、ピストンユニットはほとんど加速しない

REV (Radial Exhaust Valve)

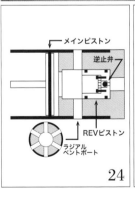

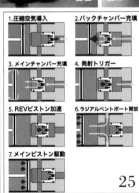

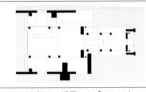

22：REVを初めて採用した「Mk.14」 23：POM製のREVピストン 24：REVの構造(メインピストンの左部は省略)。尾栓内部に小さなピストンを追加している。ピストン内部には逆止弁が取り付けられており、圧縮空気は右から左へしか流れないようになっている 25：REVの動作シーケンス。REVピストンのバックチャンバーが排気されることで、発射トリガーが作動する 26：過去に設計したが計画が凍結された、3段式エグゾーストキャノンの概念図

でしょう。しかしAEVピストンがあることで、わずかなバックチャンバーの減圧を呼び水としてピストンユニットは強力にドライブされ、キレのある排気が実現可能なのです。

ただし、欠点もあります。それは、AEVピストンがピストンユニットに追加されるため、質量増大による加速度低下を考慮する必要があるということ。単純な運動方程式より、質量は加速度に1乗、獲得速度に1/2乗で影響します。例えば単管式を採用したキャノンでは、元々ピストンユニットが長く重いため、AEVピストンの追設による加速度低下は小さいのですが、二重筒式の小型軽量のピストンユニットにAEVピストンを追設しても、狙った効果が得られない可能性が高くなります。

REVの構造

排気速度を最重視したエグゾーストキャノンを設計する際、ピストンユニットを軽量に保ちつつ高速でバックチャンバーを減圧するシステムが求められます。その要求に答えるために、筆者が開発したのが「REV」です。「Radial Exhaust Valve」の略で、日本語では「半径方向排気バルブ」とでもしておきましょう。このシステムをエグゾーストキャノンに組み込むことで、メインピストン形状は従来のまま、バックチャンバーを超高速で減圧することが可能に。特に、元々ピストンが軽量な二重筒式の機体に応用することで、飛躍的な性能向上が見込めます。[※1]

REVの構造は、図【24】をご覧下さい。バックチャンバー背後にシリンダーと小型ピストン（REVピストン）を追加した構造で、シリンダーは放射状（Radial）に伸びるポート（ラジアルベントポート）によって大気と接続されています。

REVの動作シーケンス

①REVピストン駆動

右のポートから圧縮空気を導入することで、REVピストンには左向きの力が作用し、左へ移動を開始します。[※2]

②バックチャンバー充填

REVピストンが左端に到達し、今度は逆止弁を通って圧縮空気がバックチャンバーへ充填されます。バックチャンバー圧の増大に伴い、メインピストンには左向きの駆動力が生じ、メインピストンは左へ移動を開始。

③メインチャンバー充填

左に移動しきったメインピストンは停止し、圧縮空気はメインピストンとシリンダーの隙間を介してメインチャンバーへ充填されます。

④発射トリガー

REVピストンのバックチャンバーを排気することで、発射トリガーとなります。REVピストンには圧力差による駆動力が生じ、右へ移動を開始。

⑤REVピストン加速

圧力差による駆動力を受け、REVピストンは加速していきます。ここで着目すべきは、ラジアルベントポートが依然としてREVピストンによって閉状態にあるということです。

⑥ラジアルベントポート開放

加速を続けてきたREVピス

トンは、瞬間的にラジアルベントポートを全開し、これによってバックチャンバーと大気が瞬間的に接続されます。ベントポートの合計断面積はAEVと同様、極めて大きく、バックチャンバー圧は急激に低下。その結果、メインピストンには瞬間的に大きな右向きの加速度が作用します。

⑦メインピストン駆動

メインピストンは非常に高速でドライブされ、ノズルが瞬間的に開放。圧縮空気が発射されます。

REVの特徴

REV最大の特徴は、AEVをも上回るシステム全体の駆動速度です。バックチャンバー減圧の高速化のために大口径のベントポートを設けるという考え方は、AEVとREVで共通しており、実際、REVのベントポートの断面積はAEVピストンのそれと同程度です。AEVと違うのは、ピストンの質量。REVはメインピストンとREVピストンが独立しており、AEVで問題だったメインピストンの質量増大がありません。

またREVピストンもポリアセタールなどの軽量な樹脂を使用し、中空で仕上げるなど極力軽く製作することで、駆動時の加速度を大幅に稼げます。これにより、AEV以上の高速排気が可能になるのです。とりわけ二重筒式など、小型軽量のメインピストンを使う機構との相性は抜群で、排気速度高速化の極地を目指すなら、本機構を採用するのがベストと考えます。

Memo: ※1　余談だが、REVは「圧縮空気の圧力で駆動されるバルブによって圧縮空気を高速排気する」という、エグゾーストキャノンの基本構造そのものに他ならない。つまり上述のREVを搭載したエグゾーストキャノンは「2段式エグゾーストキャノン」といえるだろう。その上、さらに2段3段…とREVを直列接続してやれば、非常に大型のメインピストンも高速駆動可能な多段式を構築することになる。

Chapter3 「ピストンユニット」の最新技術

「ピストンユニット」はエグゾーストキャノンのコアユニットでありながら、長らく構造の変化がなく、寸切ボルトとピストンを組み合わせて作られてきました。そこで、超高速排気＆超高速連射の達成を目的とした次世代型の開発にあたり、改めて真に望ましい構造を考えました。そして辿り着いたのが「SEVシステム」です。「Sleeve Exhaust Valve」の略で、二重筒式を改良した、エグゾーストキャノンの新たな排気メカニズムです。内筒とその内部を摺動するピストンユニットで構成されています。

SEVの動作シーケンス

①充填操作：空気導入→バックチャンバー昇圧→ピストン前進＆停止→メインチャンバー昇圧

圧縮空気の充填操作は、従来のエグゾーストキャノンと大差はありません。

②ノズル開放操作：バックチャンバー減圧→ピストン加速→ノズル開放

SEVの真価が発揮されるのはこのフェーズです。トリガーによってバックチャンバーが減圧されると、ピストンユニットは右向きの駆動力を受けて加速。この間、常に内筒はピストンユニットのOリングによってシールされているため、ノズルから圧縮空気が漏れることはなく、ピストンユニットは圧縮空気によって加速され続けます。

これによりノズル開放直前、ピストンユニットの獲得速度は30[m/s]を超え[※3]、内筒とメインチャンバーはわずか1ms以内に完全に接続されます。まさに「瞬間的」であり、圧縮空気が大気開放されたのと等しい性能です。こうしてノズルから生成される音響は従来のエグゾーストキャノンとは全く異なり、極めて鋭い破裂音になります。

SEVの特徴

SEVを搭載したキャノンでは、軽量性に起因する高加速度と助走区間が合わさり、驚異的なノズルの開放速度が得られるのです。単管式の同サイズの機体と射撃音を比べてみると、音の立ち上がりが全く異なり、直近で爆薬が爆発したかのような鋭い音が発生します。しかも驚くことに、SEV採用機のメインチャンバー容量は、単管式機体の60％しかありません。圧縮空気が作り出す音響において重要なのは、容積ではなく立ち上がりなのです。

ピストンユニットの軽量化により加速度は向上しますが、同時にピストン停止時には相応の激しい衝撃が生じることになります。実際に一部の単管式ではピストン停止時の変形が課題となっていました。より大きな衝撃が生じるSEVピストンでは、すべてをジュラルミンの薄肉円筒で構成するモノコック構造とすることで、強度と軽量性を両立します。

27

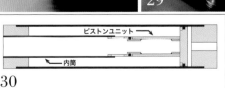

28

29

30　ピストンユニット　内筒

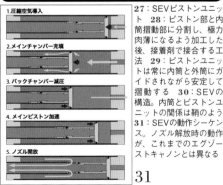

SEV（Sleeve Exhaust Valve）

1.圧縮空気導入
2.メインチャンバー充填
3.バックチャンバー減圧
4.メインピストン加速
5.ノズル開放

27：SEVピストンユニット　**28**：ピストン部と内筒摺動部に分割し、極力肉薄になるよう加工した後、接着剤で接合する工法　**29**：ピストンユニットは常に内筒と外筒にガイドされながら安定して摺動する　**30**：SEVの構造。内筒とピストンユニットの関係は鞘のよう　**31**：SEVの動作シーケンス。ノズル解放時の動作が、これまでのエグゾーストキャノンとは異なる

31

※2　逆止弁の説明で、圧縮空気は右から左へ流れると述べたが、実際には圧縮空気の通過圧損があるため、REVピストンを駆動するに十分な圧力差が生じている。

※3　外筒内径48.6mm／内筒直径23.4mm／加速長50mm／ピストン質量0.05kg／充填圧0.7MPa条件時

【完全版】コードネーム「アサルト」!
超高速自動連射エグゾーストキャノン

● text by yasu

工作レベル ★★★★★

2段式トリガーバルブとSEV機構がもたらす超高速排気が、エグゾーストキャノン新時代の幕を開ける。新技術を詰め込みまくって開発した、フラッグシップマシンを紹介しよう。

01：設計コンセプト

2段式トリガーバルブの発明により、大型エグゾーストキャノンをドライブする方法が確立されました。それは、小型のエグゾーストキャノンであれば超高速での排気が可能になるということと同義であり、新時代の幕開けを予感させるものでした。そこでこれまでの新技術すべてを投入し、さらに新機構を追加して、過去最高性能のフラッグシップ機「エグゾーストキャノン アサルト」を開発します。設計コンセプトは、次の3点です。

・超高速充填
・超高速排気
・超高速連射

02：SEVとREVで超高速排気

「超高速排気」実現のために、機構はもちろん二重筒式を改良したSEV（Sleeve Exhaust Valve）を採用。トリガーバルブには、高速なバックチャンバー減圧が可能となる二段式のREV（Radial Exhaust Valve）を組み合わせ、ノズルのオープニングタイム（全閉〜全開に要する時間）を最小化します※1。

03：ARREVで高速充填&連射

また、「超高速充填」と「超高

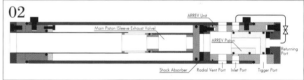

01：新技術をすべて詰め込み、キレキレの衝撃波を撃ち放題となったエグゾーストキャノン アサルト　02：アサルトの構造図

速連射」を実現するため、先述のREVにセミオートマチック機能を追加した、新たな機構「ARREV」を開発しました。

ARREVとは「Automatic Returning Radial Exhaust Valve」の略で、「自動復帰型放射排気バルブ」と訳せます。従来のREVと同じくピストンとシリンダーから構成されますが、異なるのは圧縮空気の導入経路。A

RREVはトリガーバルブの開閉だけで大流量の圧縮空気を高速で給排気できる、セミオートマチックのシステムとなります。この高速大容量セミオートマチックARREVと、オープニングタイムを最小化するSEVを組み合わせることにより、超高速の充填と排気、そして連射を実現するというのが今回の作戦です【02】。

Memo：※1　今回の体系ぴは1ms（1/1000秒）以下と計算。このわずかな時間内に直径23.4mmのポートが瞬間的に形成され、圧縮空気は強烈な衝撃波を伴いノズルから排気される。

080

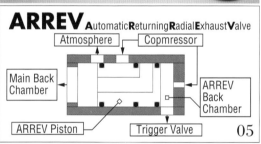

ARREV **A**utomatic**R**eturning**R**adial**E**xhaust**V**alve

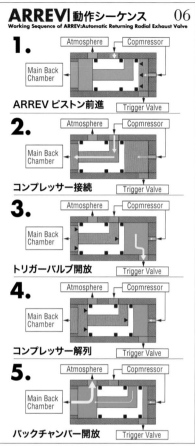

ARREV 動作シーケンス 06
Working Sequence of ARREV:Automatic Returning Radial Exhaust Valve

1. ARREV ピストン前進

2. コンプレッサー接続

3. トリガーバルブ開放

4. コンプレッサー解列

5. バックチャンバー開放

03：ARREV外観　04：部品ごとに分解。ピストン以外はジュラルミン製だ　05：複雑なARREVの構造図　06：セミオートマチックARREVの動作機構。トリガーバルブ流量を、圧縮空気の導入流量よりも大きく設定するのがポイント

04：各ユニットの紹介

●ARREVユニット

　今回のセミオートマチック動作の肝が、このARREVユニット。ラジアルベントバルブや種々のポートが設けられており、複雑な形状をしています。構成部品のシリンダーやフランジなどはすべてジュラルミンを使用。ARREVピストンは、ポ

リアセタール樹脂を採用しています。「POM」「ジュラコン」とも呼ばれ、軽量かつ強度があり、金属と摺動した際の摩擦係数が極めて小さいという自己潤滑性を持つのが特徴。高速で往復するピストンには、もってこいの素材です。ピストンは往復時何度もシリンダー端部に衝突するため、緩衝ゴムを挟んで破損を防止しています【03～06】。

●SEVユニット

　高速排気動作のコアとなるのが、このSEVユニット。メインピストンは常に内筒及び外筒と摺動状態にあり、高サイクルのストロークでも姿勢が安定するのが特徴です。射撃時にはメインピストン先端に設けた3つの窓を通り、圧縮空気がノズルより排出されます。メインピストンは当初ポリアセタール樹脂

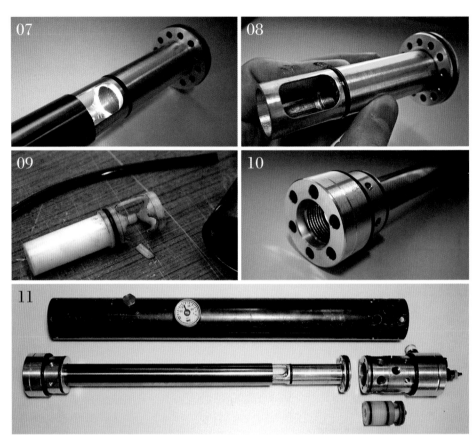

07：高速排気動作の要となるSEVユニット　08：SEVユニットのメインピストン。先端に設けた3つの窓を通して、圧縮空気がノズルへ排出される。POM素材では破損したため、ジュラルミンで作り直した　09：発射の衝撃に耐えられなかったPOM樹脂製のメインピストン　10：雌ネジを組み込んだノズル。ラバルノズルや直管を取り付けることも可能　11：ノズル-SEV-ARREVと、すべてのユニットが同軸上に美しく配置されている

で製作していましたが、射撃時に発生する衝撃によって自壊してしまったため、総ジュラルミンで再度製作。金属材料の採用により軽量性は犠牲になるものの、肉薄中空構造とすることで強度と軽量性を両立したため、総重量は50g程度に抑えられています【07〜09】。

●ノズルユニット

ノズル部には拡張性を持たせ

るために雌ネジが組み込まれており、ラバルノズルや直管を取り付けることで超音速風洞や衝撃波管としての応用が可能です。雌ネジ部だけは強度の高い炭素鋼を使用し、それ以外はジュラルミンで構成しています【10】。

●全体構成

以上の各ユニットと外筒を、組み立て時の位置に並べました【11】。すべての部品は同軸上

に配列され、無駄なスペースも一切なく、機能美を感じます。

05：いざ射撃実験

トリガーバルブとして、バランスバルブを取り付けて動かしてみます【12】。コンプレッサーをつないだ瞬間に充填は完了。バランスバルブのトリガーを引くと、その瞬間ラジアルベントポートから6本の白煙が吹

Memo:

き出し、ノズルからは今までに
聞いたことのないキレのある破
裂音が放たれました【01】。音
圧の立ち上がりがあまりに急激
なため、衝撃波と形容した方が
適切でしょう。そして驚くべき
はその連射速度。充填時の圧力
損失を極力抑えた流路設計のお
かげで、射撃完了後すぐさま再
充填が完了。トリガーを引けば、
引いただけ撃ちまくれます。
　どうやらアサルトの連射性能
は、人間の能力を超えているよ
うです。となると、その限界性
能を引き出したくなるのが、開
発者の性でしょう…。

06：連射、その先へ

　ということでさらにフルオー
トマチック機構を実装し、連射
新時代を切り開きます！　フル
オートマチックを達成するのに
必要な機能は唯一つ、「充填が
完了したタイミングで、自動的
にトリガーをかける」ことです。
　ここでの充填完了とは、「メ
インチャンバー圧がコンプレッ
サー圧と等しくなった」タイミ
ング。トリガーとは、ARREV
のバックチャンバーを「排気」
することといえます。すなわち、
「メインチャンバーとコンプレ
ッサーの圧力が等しくなった時
に開くバルブ」を追設すればよ
いのです。そうして開発したの
が、「Comparator Valve Unit」
です。
　本ユニットには、「Reference
Pressure（基準圧力）Port」「Input
Pressure（入力圧力）Port」「Out
put Port」と3つのポートが存
在【13・14】。またユニットは、
トリガーにつながった「Input

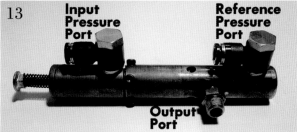

12：1段目のトリガーバルブとしてバランスバルブを実装。コンプレッサーで充填し、実際に発射したのが80ページの写真だ【01】　13：3種類の継ぎ手（ポート）が設けられた、Comparator Valve Unitの外観　14：ユニットには、Inlet ValveとComparator Valveが収められている

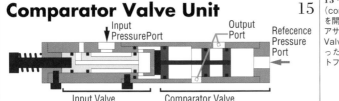

Comparator Valve Unit

15

Input PressurePort
Output Port
Refecence Pressure Port
Input Valve
Comparator Valve

15・16：基準圧力と入力圧力を比較（compare）し、同等なら出力ポートを開ける　17：エグゾーストキャノンアサルトの完成形　18：Comparator Valveの実装によりさらに禍々しくなったARREVユニット　19：アサルトフローチャート図

Comparator Valve Unit｜動作原理

16

1　基準圧力導入
2　メインチャンバー圧力上昇
3　メインチャンバー圧力導入
4　コンパレータバルブ駆動
5　メインチャンバー圧力低下
6　コンパレータバルブ復帰

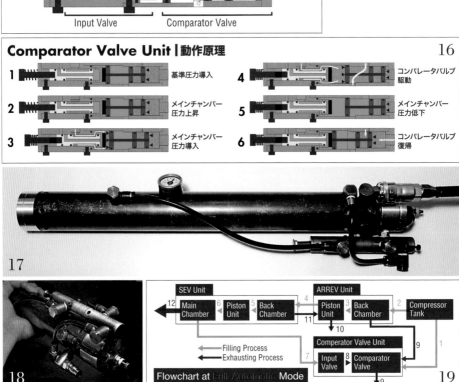

17

18

SEV Unit

ARREV Unit

12　Main Chamber　6　Piston Unit　5　Back Chamber
4　Piston Unit　3　Back Chamber　2　Compressor Tank
11　10
Comparator Valve Unit
7　Input Valve　8　Comparator Valve
9　1
9

Filling Process
Exhausting Process
Flowchart at Full Automatic Mode

19

Valve」と独立したピストンの「Comparator Valve」からなります【15】。このユニットの役割は、入力圧力と基準圧力を比較し、両者が等しくなった時にOutput Portを開くこと。動作の要は、Comparator Valveのピストン断面積にあります。入力側の面積が基準側よりも大きくなっているため、両者の圧力が等しくなった時、ピストンは

入力側から基準側へ力を受け駆動されるのです【16】。

あとはもうお分かりの通り、入力側にメインチャンバーを、基準側にコンプレッサーをつなぎ、出力ポートにARREVのバックチャンバーをつなげばOK。Input Valveを操作してメインチャンバー圧をComparator Valveに印加すれば、圧力の比較が行われ、自動的にARREV

のトリガリングが行われます。

07：アサルトの力を解き放て

フルオート化が完了したエグゾーストキャノン アサルトを駆動してみます。Comparator Valveのトリガーを引いた瞬間、まさしくアサルトライフルを連射しているかのような超高速サイクルのリコイルショックと鋭い破裂音が射手に襲いかか

Memo

20：アサルトライフルを連射しているかのような、リコイルショックと鋭い破裂音に感動！

手に伝わる衝撃が"リアル"そのもの！

21：アサルトの応用として、ノズルに水を供給できるように改造。トリガーを引けば、某イカのゲームで見たあのブキが完全再現できる。背中に色水タンクとエアタンクを背負えば…
22：最新技術を詰め込んだ、アサルトの各ユニット

りました【20】。何だこれは…超楽しいぞ!! 屋外で撃つと、その爆音とサイクルに起因したあまりの"リアル"さから、その地帯が一瞬で紛争地域と化します。射撃音の連射周波数を計測してみると、何とその値は16Hz。あの複雑な射撃シーケンスが1秒に16回も繰り返されているとは、設計者本人も驚く性能です。まさに「アサルト」の

名を冠するにふさわしい、排気・充填・連射のすべての速度が従来の常識を超えた次世代エグゾーストキャノンでしょう。

08：終わりに

　最新技術を詰め込みまくり、完成したエグゾーストキャノンアサルト【17〜19】。その性能は、設計者の予想をはるかに上回るものです。今回は充填速度

を重視し小型設計としましたが、これを大型・高圧化した時、どのような現象が眼前に展開されるかは全く未知数であり、考えただけでワクワクします。製作難易度はア理科シリーズでもトップクラスとなってしまった気がしますが、ぜひ気合いでチャレンジして、エグゾーストキャノン新時代のアクションを体感してみて下さい。

切削難易度の高い素材の加工技術を解説
ステンレス製キャノンの開発

● text by POKA

工作レベル ★★★★★

本稿ではエグゾーストキャノンの"素材"にフォーカス。サビにくく強度もあり、ガソリンなども燃料にできる、ステンレスをベースにしたキャノンの製作方法をレクチャーしよう。

ステンレスは金属として理想的な素材で、カトラリーやキッチンのシンクなど、身の回りのありとあらゆる製品に使われています。最大の特徴は、「Stain Less」という名前の通り、サビないこと。主成分の鉄にクロムを添加することでサビの進行を防げるのです。さらに耐食性・耐熱性・強度も備わっており、メンテナンスも簡単。…となれば、「エグゾーストキャノン」の素材としても理想的といえます。水浸しにしてもOKですし、多少乱暴に扱っても問題ナシ。ガソリンを注入するファイア化も可能です。

ただし問題が1つ。ズバリ加工難易度の高さです。強度が高いということは、それだけ加工

も大変ということ。特に穴あけや切断などの切削作業は多大な労力が必要となります。一方で、溶接には適していて、熱が入りやすく酸化にも強いので、美しい外観が得られやすいのです。

ということで、ここではステンレスの加工テクニックを交えて、ステンレス製エグゾーストキャノン製作のポイントをまとめました。

ステンレス加工のポイント

切断時のポイント❶
切れる刃物で一気に仕上げる

ステンレスを切断するには、ハンドツールでの加工は困難を極めるので、馬力のある電動工具を使う必要があります。

厄介なのは、ステンレス特有

の「加工硬化」という現象です。ステンレスは加工時に強いストレスを与えると金属が固くなってしまい、後の加工に支障をきたします。この加工硬化を防ぐには、切れ味の良い工具で一気に仕上げるのがポイントなのです。切れ味の悪い工具で強引にやると、金属に負荷がかかり過ぎて加工硬化を招きます。

特に気を付けたいのは、ドリル加工の後にタップ加工を行う場合。切断するだけであれば、たとえ硬化してもディスクグラインダーの砥石のようなさらに硬いツールで対応できます。しかし、ネジ切りのタップ加工は硬化していると中で折れてしまうため、特に慎重に作業を進めなければなりません。

ステンレスの特徴
メリット
サビにくい
強度が高い
耐熱性がある
溶接性に優れている
メンテナンスしやすい
デメリット
切断・切削加工が難しい

ステンレスの加工は、ハンドツールではなく電動工具で行う。グラインダー・旋盤・ボール盤・溶接機などが必要となる

Memo:

ステンレス製エグゾーストキャノン

エグゾーストキャノンの構造や開発史については、yasu氏の解説を参照されたし(72~79ページなど)。ここではステンレスの加工方法に絞って説明していく。パーツのほぼすべてをステンレスで作ったため、見た目の通りなかなかの重量。そしてタフである

仕上げは粗研磨

グリップはアルミ製

排気トリガー

禁断のファイア化も!

雨の中や水がかかるような場所でも確実に動作する。耐食性もあるため、ガソリンを燃料にしてファイア————!!!!!!!!!!も可能だ。ファイア化の応用加工は、また改めて解説しよう(写真はイメージ:エグゾーストキャノン ファイア・ガゼット)

切削時のポイント❷
刃物と切削剤選びが大事

切断された材料を目的の形状にするには、旋盤などで加工していきます。効率的に切削するために、以下2点を押さえておきましょう。

1つ目は刃物選び。ステンレスの旋盤加工では、ハイスか超硬のツールを使うことになります。基本的には、ハイスの刃物で事足りるのですが…。ハイスは主軸の回転速度を上げられないというデメリットがあります。長物を加工する場合や、大量に削り取る必要があり、回転速度を上げたい時は、超硬ベースのツールの出番です。一般的には切れ味がハイスより劣るため、超硬ツールの使用には工作機械の馬力と剛性を必要とします。

2つ目は切削用のケミカル剤です。ステンレスを加工する場合、一般的な鉱物油だけではトラブルが起きる可能性が高くなるため、専用の切削剤を使いましょう。塩素系や硫黄系などの極圧添加剤と呼ばれる成分が含まれていて、切削など強い負荷が掛かる作業では必需品です。

特にネジ切りのタップ加工は作業がシビアなので、高性能の切削専用の薬剤を、薄めず原液のまま使うのが定番テクです。最悪、失敗してもM8くらいのタップであれば破壊して抜くことができますが、小径のタップは破壊による除去が困難なので、加工途中の材料がゴミとなる可能性もあります。ネジ切りに関しては、ケチらずに高品質な切削剤を使いましょう。

接合ポイント❸
接合方法は3パターン

上述した通り、ステンレスの接続は比較的容易なので、あまり神経質にならなくて大丈夫です。溶接・ロウ付け・ハンダ付けが一般的な手法として知られますが、強度が必要な場合は溶接とロウ付け、簡単に施工するならハンダ付けも可能です。

ステンレス加工の要点を押さえたところで、88ページからは、ステンレスを加工してキャノンに仕上げるまでの各種製作テクニックをより具体的に解説していきましょう。なお、使用するステンレスは、一般的な「SUS304」。クロムとニッケルを含むオーステナイト系で、特に高い防錆性・耐熱性を備えているのが特徴です。

ステンレス製エグゾーストキャノンの製作ポイント

Oリングの溝加工

エグゾーストキャノンは高圧の空気を扱うので、シール技術はとても重要。ここでは一般的なOリングを採用しました。70mm程度のステンレス鋼の内側に、溝入れ用のバイトを使って低速で切り込んでいきます。この手の加工は切れ味を求められるので、超硬よりもハイスの方が向いています。Oリング溝の深さは、Oリングの太さより0.1〜0.3mm程度残すといいでしょう。

➡空気漏れを防ぐためOリングでシール。突切りバイトを使って旋盤で溝を作る

内側引張による密封構造

キャノンの組み立てはパイプ外周のネジで固定するのではなく、内面から引っ張り合うような構造で組立てます。内面に4つの長ナットを取り付けて引っ張る構造としました。長ナットには空気圧による大きな力がかかるため、全面を溶接して完全に内筒に固定します。

ちなみに、「割り出し盤」と呼ばれるアタッチメントを使うと、精度良く円周上に穴をあけられます。フランジのような構造には必須のアイテムです。

大きな負荷がかかる部分は、溶接かロウ付けで接合する。ハンダ付けは強度不足なので適さない。危険だ

パイプ内部に、4本のナットを溶接で取り付けた。ネジとナットの位置は正確に。さもないとフタが閉まらなくなってしまう

これが割り出し盤。ロータリーテーブルに取り付けて、円形の等分割を行えるツールだ

グリップ加工

グリップはステンレスではなく、アルミで製作しました。波打つような形状なので、私は「ウネウネグリップ」と呼んでいます（笑）。生産性が高く短時間で作れるのが特徴です。通常、アルミの丸棒は「姿バイト」というバイトで削るのですが、刃の幅が2cm近いため、びびり（振動によるたわみ）が発生しやすくなります。そこで、「ヘールバイト」というR形状の特殊なバイトを用いて、超低速で加工していきます。油を切らさず、一気に仕上げるのがコツです。

グリップ性に優れている、ウネウネグリップ。ヘールバイトで加工すると、びびりを抑えることができ美しい仕上がりになる

Memo:

各種ネジ加工

ステンレスへのネジ加工は高負荷となるため、専用の切削剤を原液のまま使います。オススメは液状ではなくペースト状。塗布時は切削剤が流れ落ちず、切削時は熱で液状化して高負荷部に垂れ流されるので、使い勝手が良いのです。

グリップ部などは一部皿ネジ加工にしました。固定はシールテープが便利で簡単。Oリングで気密するのが理想的ではありますが、取り外す予定のない部分はシールテープやロック剤で永久固定でもいいでしょう。

ピストンへのゴム板の固定は、ネジとボルトに穴をあけて細い針金でくくりました。ネジで締め込むのも考えましたが、空気の流路になるのでピストンは軽く仕上げた方がベター。ということで、今回は避けました。

ステンレスのネジ加工は、とにかく切削剤を切らさないことが需要。常に切削剤で潤わせておきたい

バリ取り用のツールで深めに三角穴をあけることで、皿ネジを沈められる。頭が出っ張らずフラットなので美しい上に、洋服などに引っかかることもない

ゴム板を交換する場合は針金を除去して取り外す。そのため、針金は使い捨てとなる

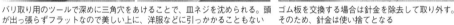

排気トリガーの構造

シンプルな構造にするため、排気トリガーは空気注入部分と一体構造にしました。注入バルブは真鍮素材の米式バルブを採用したので、開放機構も同じ真鍮素材にし、シリンダーを切り出して作っています。

クルマやマウンテンバイクのタイヤなどに用いられる米式バルブを、トリガーに採用した

ワイヤーカップでボディを研磨

ボディのステンレスパイプの仕上げ方法は、旋盤で一皮剥いて光沢仕上げにするバフ研磨、サンドブラストなどいろいろ考えましたが、ワイヤーカップで粗研磨しました。ワイヤーカップ仕上げは、使う材料の処理によって見た目が変わります。今回使った酸洗いの一般的なステンレスパイプの場合、マットで独特な質感に仕上がりました。完全な鏡面研磨も可能ですが、キズが目立ちやすくなるというデメリットがあります。粗研磨ならそれほどキズが目立たないので、ラフに使うにはこちらが好都合なのです。

研磨前　研磨後

ディスクグラインダーとワイヤーカップで磨いた。左が研磨前、右が研磨後。粗研磨でもソレっぽく仕上がった

浄水器のハウジングと自転車用空気入れで作る
実戦向き超強力水鉄砲

● text by Pylora Nyarogi

工作レベル ★★★☆☆

2020年夏、突如として開催された「水鉄砲自作コンテスト」。Makerの血が騒ぎ、スタンドアローン型の超強力水鉄砲を作ってみた。飛距離は十分。実戦向きに仕上がった！

2020年夏にTwitter上で行われた「水鉄砲自作コンテスト」。この祭りに私も参加したので紹介しましょう。製作したのは、浄水器のハウジングを本体とした、空気ポンプビルトイン型の水鉄砲です。浄水器のハウジングはフタとタンクがネジ1本で分離できる構造になっており、水の再充填が容易です。そして、10気圧以上で耐圧試験が行われており十分な強度を持っている上に、ステンレス製なので耐食性も抜群。水鉄砲に改造するには最適な素材といえます。スタンドアローンで動作するため、実戦での使用もバッチリでしょう。

超強力水鉄砲の作り方

まずは、空気ポンプのシリンダーと、水を吸い上げるホースをハウジングのフタに接続するためのネジを切ります。今回使用した浄水器のハウジングのフタの内側には、15mmほどの穴が2つあいていました。これは、3/8の管用テーパーネジを切る下穴として最適なので、そのまま管用タップでネジを切ってしまいましょう。素材がステンレスなので少し大変ですが、切削液をたっぷり塗って慎重に作業を進めます。また、このフタと

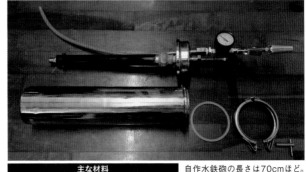

主な材料
●浄水器のハウジング	●継手類
●自転車用空気入れ	●エアダスター
●逆止弁	●ホース

自作水鉄砲の長さは70cmほど。ステンレス製の浄水器のハウジングを本体とし、内部には自転車用の空気入れをイン

同じ形状の部品を旋盤加工で削り出すなどすれば、さらなる拡張性を持たせることも可能です。

次に、ハウジングの中に仕込む、空気ポンプの加工に入ります。今回は自転車用空気入れを加工したものを使うことにしました。シリンダーをハウジングに収まる長さに切り詰めるのですが、この時、短くし過ぎると空気を充填するのが大変なので、切り過ぎないようにして下さい。そして、同時にピストンとハンドルが取り付けられているシャフトの長さも調節しておきましょう。このシャフトは、あらかじめフタにあいている穴に通すというわけです。長さを調節したシリンダーの片方には、旋盤

で内径を調節した水道管の異径継手をハンダ付けします。ピストンが通るシリンダーと継手が同軸上になるようにするのです。これで、フタに切った3/8のネジ穴にシリンダーの固定が可能になります。

続いての作業です。シリンダーのもう一方に、逆止弁を取り付けます。逆止弁は市販のものを利用しました。旋盤で材料からシリンダーの径に対応したキャップを削り出し、シール用のOリングをはめ込む溝を掘ります。逆止弁を取り付けるための管用ネジと、キャップを固定するネジを切ればOKです。

そして、フタに切ったもう1つのネジ穴には、タンクの底か

01：フタのネジ切りには、ハイス製のタップを使おう　02：ネジ山を穴ぐりバイトで削っていく　03：ハンダ付けの際にはシリンダーの塗装を落とし、脱脂も徹底すると仕上がりが良くなる。また、鉄同士のハンダ付けにはフラックスを使う　04：タンク内の水がシリンダー内に入らないように慎重に作業を進めよう　05：芯押し台でタップを押しながら材料を回すと、楽にネジが切れる　06：この形状のフタは、パイプの端をシールし、拡張性を持たせることができるため、さまざまな場面で使用される　07：管用ネジ＋シールテープの組み合わせで、十分な気密を保てるようになる

ら水を吸い上げるためのホースを取り付けます。フタの外側には、パイプと接続するためのG1/2（管用平行ネジ）の雄ネジが溶接されています。空気入れを取り付けた方のネジには、シャフトのブレによる空気漏れを防ぐために、中心にシャフトが通る径の穴をあけたキャップを取り付けて下さい。また、銃口となる方のネジには、管用平行ネジと管用テーパーネジの変換ソケットを取り付ければ、エアダスターなどをトリガーとして使えるようになります。これで作業は完了です。

水と空気を充填して実射！

完成したら早速実射です。水をタンクの半分ほどまで入れ、10気圧未満を目安に空気を充填していきましょう。人力での空気入れとなるため、基本的には安全ですが、中に仕込むポンプを、エアライフル用の200気圧以上入るハンドポンプにしたりすると爆裂します。ムチャな改造は絶対にやめて下さい。

充填する液体は、一部の腐食性の高いもの以外は、水と同じようにまき散らすことができます。某シューティングゲームのように塗料を発射するウェポンにしたり、シリコンオイルをそこら中にぶちまけるイタズラ装置にしたり…。まあ、とにかく、空気圧で液体を発射する装置の活用法は無限大です。まさにアナタ次第（笑）。身近にある素材の組み合わせで割と容易に自作できるので、皆さんもぜひ作ってみて下さい。

空気圧で水が押し出され、一気に10mほど噴射！見た目もイカツイ。これが大人の水鉄砲だ!!

発射イメージ

水塊射出水鉄砲の設計と試作

● text by デゴチ

工作レベル ★★★☆☆

2020年夏、Twitter上で「水鉄砲自作コンテスト」の開催を勝手に宣言。多くの方に参加していただいた。私も製作者として参加したので、その設計と試作した結果をまとめよう。

目指したのは、圧縮空気で水を「塊」の状態で射出し、対象物に衝撃を与えて水浸しにするというもの。これを実現するために、圧縮空気を発射する「エグゾーストキャノン」と水の給水機構を組み合わせます。

水の塊を射出するには?

圧縮空気を用いて水を射出する場合に、考慮しなければならないポイントが2つあります。

1つは、圧縮空気で水を射出する場合、銃身を傾けても水がこぼれないようにすること。水を飛ばせるほどの強い圧縮空気ですから、銃口から水が漏れ出さないように機械式の弁を付けてしまうと、故障して弁が外れた時に圧縮空気とともに弁が飛んでしまい危険です。切り込みの入ったゴム膜を銃口にフタとして取り付ければ水の表面張力により、ある程度、水漏れを防ぐことは可能です【01】。消火活動で利用されるインパルス放水銃も、同様の銃口の水漏れ防止機構を採用しています。ただし、この方式では射出時にゴム膜に水が干渉して、射出エネルギー損失となってしまいます。なので、弁を付けなくても水が漏れないような工夫が必要です。

2つ目のポイントは、射出する圧縮空気の流速が速過ぎると射出される水が霧状になってしまうということ。圧縮空気の流れが水面をかき乱して水を拡散し、空気と水が混ざり合った状態となってしまっては、水の塊を発射することはできません。そのため、圧縮空気で水を徐々に加速させるように押し出す必要があります。

これらの解決方法として、射出する水を一時的に溜めておく射出水タンクを備え、サイフォンの原理を利用した給水機構を検討しました【02・03】。給水タンクに水を入れると、サイフォンの原理で一定量の水が射出水タンクに貯まります。

射出水タンク内に配置した射出管は、水鉄砲を傾けるとタンク内の水が届かない位置になるため、傾けても射出管から銃口に水が流出することはありません。また、発射時に注入される圧縮空気も射出水タンク内にあるスペースが緩衝領域になり、

01

主な材料
- 塩ビ管(VP13、VP40):200~500円程度
- 接着剤(セメダイン塩ビパイプ用):160円
- 接着剤(セメダインEP001N):700円

主な工具
- ノコギリ　● 木工用ホールソー

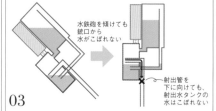

射出口からの水漏れを防ぐ工夫

通気管口を給水タンクの端に配置する

水

圧縮空気

02　射出水タンクの水位を決定する通気管口を傾けた際、射出管口よりも下になるように配置する

水鉄砲を傾けても銃口から水がこぼれない

射出管を下に向けても、射出水タンクの水はこぼれない

03

01:銃口にシリコンゴム膜を取り付けてテスト。ある程度の量の水は表面張力で保持されるが、100mL以上になると水の重さが勝って漏れ始める

02:給水タンクに溜められている水は、通気管口に水面が接するまで射出水タンクに流れ込む　03:水鉄砲が傾いても通気管の口は水面から離れないため、給水タンクから水は流れ出ない。射出水タンクの射出管の口も水面から離れるのでこぼれない

Memo:

04　05　06 07

またタンク内の射出水の水面が均一に圧力を受けて射出管に水が流れ込むため、水は層流を保ちながら射出管（銃身）内で加速され、水の塊として射出されるというわけです。

材料の選定と試作

　この水鉄砲は圧縮空気を用いるため、安全を考慮して耐圧の高い金属などを材料として使うのがベストです。しかし今回は少しパワーを落として動作確認をするのが目的なので、塩化ビニル樹脂（PVC）製のパイプを使うことにしました。これなら水でサビる心配もありません。

　検討した構造案の通り、射出水タンクは太い塩ビ管に穴をあけ、細いパイプを挿し込んで組み立てます。射出水タンク底面に給水管の口が来るように配置して、塩ビ管用接着剤で固定。接合部は気密性を保つため、エポキシ樹脂で固めます【04-06】。圧縮空気を送り出すエグゾーストキャノンは、少し短めのパイプを使ってコンパクトに改造し

08

04-06：塩ビ管を組み合わせて、射出水タンクを製作。塩ビ管用接着剤でパーツを固定した後、エポキシ樹脂の接着剤で継ぎ目を埋めて、水密と気密を保つ　07：エグゾーストキャノンは水鉄砲として組み込むので、少し短めのパイプに変更した　08：エグゾーストキャノンに射出水タンクを組み合わせて、水塊射出水鉄砲の完成

ました【07】。給水タンクは不格好ですが、ペットボトルを流用。給水タンクは接合部にビニールチューブを挿し込んで、一定量の水が射出水タンクに貯まるとビニールチューブが水でふさがり空気穴が無くなるので給水が止まる仕組み。水鉄砲の機構としてはこれで完成です【08】。

塊で発射されるか!?

　まずは水鉄砲を傾けても水がこぼれないことを確認します。多少、給水管の端にかかってい

た水が滴り落ちますが、ドボドボ漏れないのでヨシとします。

　実際に撃ってみると、一定量のまとまった水がジョバッと射出！　ただ銃身が短いと、空気圧が水を押し出す時間が短く威力が出ません。そこで空気の力を水にしっかり伝搬できるように、銃身を長いパイプに変更しました。試射した感じだと、単純な空気圧の供給だけでも十分水鉄砲として使えそうです。より手軽に使えるよう、今後も改良を進めます。

09

10

09：威力を上げるため、銃身を長くした
10：発射テストで分かったことは「エグゾーストキャノンじゃなくてもいい…？」ということ。市販のエアーソフトガンのような、バネでピストンを押し出す構造が適しているかも

高校物理の真のチカラをお見せしよう!
携行型超高圧ウォータージェットガン

● text by yasu

工作レベル ★★★★★

高校物理でおなじみ「パスカルの原理」。実はこれ、とんでもない力を秘めている。式を応用した圧力変換機構を組み込めば…。水鉄砲の常識を超えた、その先をお見せしよう。

2020年7月末のこと。Twitterで「夏休みのない社会人だけど、夏休みの工作はしたい…!!」とつぶやいたら、どういうわけかみんなで「水鉄砲」を作る企画が始まってしまいました（詳しくは、ラジオライフ2021年1月号参照）。発起人になってしまったからには気合を入れないわけにはいきません。あえてエグゾーストキャノンのメカは封印し、全く新しい本気の「携行型超高圧ウォータージェットガン」を自作することにしました。

この水鉄砲のコンセプトは、「高圧」と「圧力変換」です。エグゾーストキャノンで水を発射する水鉄砲の特徴が「大流量」ならば、今回目指すのは「高圧」の水鉄砲。超高圧のウォータージェットでキュウリくらいスパッと切断したいものです。

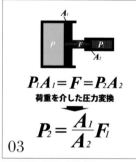

01

携行型超高圧ウォータージェットガンは非常にコンパクトで、エアホースをつなぐだけで完璧に動作する

今回の開発の肝となるのが、この高圧のウォータージェットを生み出すメカニズムです。ということで、まずは学生時代に戻ってその原理をおさらいしましょう。

パスカルの原理と荷重変換

それでは、高校物理でおなじみ、パスカルの原理を説明する図にご登場いただきます【02】。面積比の異なるピストン/シリンダーが流体的に接続されたこの模式図。当時としたらナンノコッチャといった感じですが、実は高エネルギー工作をするにあたり、大いなる可能性を秘めた構造なのです。

授業で習う内容は「面積A1のピストンに荷重F1を与えると、面積A2のピストンにはA2/A1×F1という圧力が生じる」というそっけないものでしたが、例えばA1に対してA2を大きく設計すれば、A2にはA1に入力した荷重よりもずっと大きな荷重を生み出すことが可能。そう、この模式図、実は立派な荷重増幅機構に他なりません。この原理を応用したものが油圧装置です。人力でクルマを持ち上げることができる油圧ジャッキも、小さなピストンを押して大きなピストンを動かしているだけなのです。

ではここで、ちょっと式の形

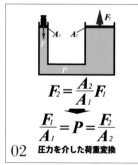

$$F_2 = \frac{A_2}{A_1} F_1$$

$$\frac{F_1}{A_1} = P = \frac{F_2}{A_2}$$

02 圧力を介した荷重変換

パスカルの原理で出てくる模式図

$$P_1 A_1 = F = P_2 A_2$$

荷重を介した圧力変換

$$P_2 = \frac{A_1}{A_2} F_1$$

03

圧力変換に着目した模式図

Memo:

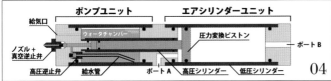

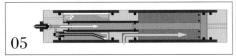
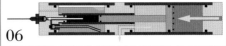

04:携行型超高圧ウォータージェットガンの設計図　05:水充填時の動作。黄色の矢印が空気の動き、白が水の動きを表している　06:ポートAを開放し、ポートBから圧縮空気を導入すると超高圧が高圧シリンダー内に発生。水が加圧されてウォータージェットとして発射される

を変えてみましょう。すると圧力を介した荷重変換機構と捉えることもできます。もっと具体的に説明するなら、「A1側に入力された荷重は圧力に変換され、流体を介してA2側に伝達され、荷重に再変換される。この時に発生する荷重はA1とA2の比率に応じて変化する」となります。

荷重を介した圧力変換？

　では、今度は面積の異なるピストン同士が連結された装置に着目してみます。先ほどと同様、A、F、Pについて式を立てると図【03】のようになります。もうお分かりですね。先ほどの構造が「圧力を介した荷重変換機構」なら、この構造は「荷重を介した圧力変換機構」なのです。あるP1の圧力源があった時、図のような機構を用いることで、A1/A2の面積比に応じた任意の圧力P2を作り出すことが可能になります。

　例えば、大ピストンの直径を5cm、小ピストンの直径を1cmとしてみると、その面積比は25：1。仮に大ピストンに、ママチャリタイヤの圧力程度の4気圧を入力するとどうでしょう…。恐ろしい計算結果ですが、小ピストンで生じる圧力はなん

と100気圧となります！　高校1年レベルで構築できるこの圧力変換機構がいかに強力かが理解できましたでしょうか？

　あとはお察しの通り。この圧力変換機構を応用し、超高圧強力水鉄砲を作り上げるのです。

自作水鉄砲の構造

　ということで、諸々の設計検討はすっ飛ばし、早速構造図をチェックしていきましょう。

　装置は主にポンプユニットとエアシリンダーユニットで構成され、種々のポートや逆止弁、そして中心部には先ほどの圧力変換機構を内蔵します。つまり、エアコンプレッサーで生成した圧縮空気で大ピストンを押し込み、小ピストンに充填した水を超加圧しようという目論見です。両者の面積比は16：1としているため、圧縮空気の圧力がMaxの1MPaの時、得られる水圧力は最大で16MPa（約160気圧！）にも達します。こうして生成した高圧水を極細のノズルに導くことで、超強力なウォータージェットを携行可能な機械で発生させられるはずです。

　その原理は以下の通り。

❶水充填

ポートAからエアシリンダーへ

圧縮空気を導入すると、圧力変換ピストンは右へ力を受けて後退します。これに伴い、高圧シリンダーは減圧されますが、ノズルには真空逆止弁が設けてあるため、外気はシリンダー内に取り込まれず、代わりにウォータチャンバ中の水が給水管、高圧逆止弁を経て、高圧シリンダー内に導入されていくのです。なお、同時にウォーターチャンバーへは給気口から自動的に外気が吸入され、大気圧が常に保たれます。

❷水加圧＆ウォータージェット生成

ポートAを開放し、代わりにポートBより圧縮空気を導入すれば、圧力変換ピストンの面積比に応じた超高圧が高圧シリンダー内に発生。この圧力を受けて高圧逆止弁は閉じられるため、水の行き場は狭まったノズルのみとなり、結果として超高速のウォータージェットとなって装置から射出される仕組みです。

　以上の通り、給水アクションはすべてセミオートマチック！あとはエアーの制御バルブさえあれば、ガンガン撃ちまくれるわけです！

水鉄砲の加工工程

　今回はいつにも増してガチな

07:エアシリンダー周りの部品は、耐圧3Dプリント設定を活用して出力。仕上がり寸法に1mm程度の余肉を持たせている　08:3Dプリントで出力した部品は、表面を旋盤で仕上げる。一見ただの樹脂加工品だが、内部にはエア用の配管が走る。3Dプリンターならではのもの

マシンです。今まで身につけてきたあらゆる知識とツールを総動員して、製作に取りかかりましょう。

　圧力が1MPa以下のエアシリンダー部については、3Dプリンターをフル活用します。耐圧3Dプリント設定で実寸サイズよりやや大きめに出力し、部品の表面を旋盤で仕上げていきます。これにより、取り合い寸法

は完璧に出しつつ、部品内部にエア用の配管を組み込む高度な設計が可能になるのです。丁寧に潤滑と冷却を施しつつ表面を仕上げることで、3Dプリント製とは思えない極めて美しく滑らかな切削部品が得られます。

　そして、16MPaという超高圧が作用するポンプユニットにはアルミ合金を採用し、必要な強度を確保。電動弓ノコで丸棒

をカットした後、旋盤で外径を仕上げ、諸々の穴あけやタップ立てなどによって、部品を仕上げていきます。

　特にノズル周りは細かい加工が多く、神経を使う作業です。圧力変換ピストンの高圧側には、加工性が高く強度にも優れる真鍮を採用しました。先端にはOリングとバックアップリングの溝を設けます。これはOリングが100気圧を超える高圧を受けた際、溝からはみ出してシール性が喪失するのを防ぐためです。目安として、7MPa以上ではバックアップリングの使用が推奨されます。給水管は銅パイプを適切に曲げて製作し、本体と圧入にて固定しました。

　部品が揃ったら組み立てです。肝となるアルミ合金製の部品に

09:ノズル部品の作成。電動弓ノコを使い、丸棒から必要な長さを切り出す　10:A5052丸棒は、卓上旋盤でも加工しやすい　11:パイプとの取り合い寸法やOリング溝を設けたら、仕上げに面取り加工　12:旋盤加工が完了したらボール盤でサイドへの穴あけ、タッピングを行う。直角を意識して慎重に作業しよう　13:完成したノズル部品。センターはノズル用のネジ穴、残りのうち1つは給気口、もう1つは給水口となる　14:ジェットが吐出するノズル孔径はφ0.4。3Dプリンター用ノズルを流用して製作した　15:高圧ピストンは真鍮を加工して作る。切削性に優れているので、高精度な部品を作るのに向いている　16:黒がゴムのOリング、白がテフロンのバックアップリング。併せて使うことで耐圧性がぐんと向上する

17：ウォータージェットガンの部品一式。加工期間2週間でなんとか仕上げた　18：組み立てが完了した各ユニット。完成間近　19：肝となるのが、こちらのノズル部品　20：内部に組み込んだスプリングと合わせたステンレスボールが、逆止弁の役割を果たす　21：高圧逆止弁の加工後、不要になった穴を、イモネジとエポキシ接着剤で埋める

は、逆止弁を構築するバネやステンレス球、Oリングや継手などが組み付くため、結構複雑です。部品の隙間には適切にシール材を巻いたり塗布するなどして、リーク対策を施します。

実射で性能を検証

　ということで、「携行型超高圧ウォータージェットガン」が完成です。実際に水をチャンバーに入れ、コンプレッサーをつないで動かしてみます。トリガーを押すと「キュイィィーン!!」という独特な唸る動作音とともに、ウォータージェットが炸裂。水は細い線として吹き出

し、何かに当たると勢いよく飛び散ります。おお…怖っ。トリガーから指を戻すと自動的にシリンダーは復帰し、給水作業が行われます。1度のサイクルは3秒程度です。

　この威力を検証するため、近所で売っていたキュウリを検体として用意。こいつをカットできるか実験してみます。入力圧力0.9MPaでジェットを打ち込むと、キュウリに当たった瞬間に一瞬で貫通!　これは素晴らしい結果です。数回表面をトレースすることで、キュウリを真っ二つに切断できました。カット後のキュウリは大変みずみず

しく美味。ウォータージェットキュウリ、酒のアテに激しくオススメです（笑）。

　ということで、無事に強力な水鉄砲が完成しました。当初の目論見も達成できましたが、真に恐ろしいのは、まだまだ面積比の増大の余地が残っているということです。次は25倍増圧？あるいは50倍増圧？　どんな世界が開けるのかワクワクです。高校物理のF・A・Pの3変数だけでここまでヤレたのが、まさに工学の醍醐味ってもんです。あの時の授業がこんなヤバい機械に結び付くなんて、面白いと思いませんか？

22：ついに完成!　すべての機構を同一軸上にまとめ、シンプルな仕上りに!　23：威力検証として、キュウリを用意。超強力なウォータージェットによって、キュウリを見事に両断した!

超強力ブルーレーザーでハンダ付け

イタズラ以外の使い道を考えてみよう!

● text by POKA

国内で販売されるレーザーポインターは消費生活用製品安全法で、最大出力は1mW以下と定められている。しかし、所持自体が違法でないため、AliExpressなどの海外通販で1Wを超えるようなハイパワーな製品を入手することは可能である。

そんなこんなで、「DANGER」マーク付きの中華製レーザーポインターを調達した。パワー表記は4,000mW…つまり4Wの高出力だ。当たり前だが、間違っても直視してはいけないレベル。コイツの使い道で、イタズラ以外で何かできないかを考えてみたところ、ハンダぐらいヨユーで溶かせるのでは?と思いついたので、検証してみることにする。

その前に、消費電力を測定してみよう。この手のハイパワータイプは、例によって超強力な18650というリチウムイオン電池×2本で動く製品が多いので、18650の電圧3.6Vの倍、7.2Vを安定化電源で作り出すことに。電流量を測定したところ1.76Aだったので、つまり約13Wの消費電力があることが分かる。アルカリ乾電池なら、4本以上のパワーだ。

では、ハンダ付けが可能か試してみよう。万能基板に2mmほどに切ったハンダ線を置いて、レーザーを当ててみると…、数秒で溶けた。ハンダ付けは「可能」という結論だ。

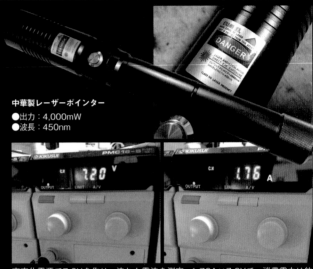

中華製レーザーポインター
●出力:4,000mW
●波長:450nm

安定化電源で7.2Vを作り、流れた電流を測定。1.76A×7.2Vで、消費電力は約13Wということになる

万能基板に2mmに切ったハンダを置き、ハンダ断面のフラックス部分を狙ってレーザーを照射。数秒で溶けた…。レーザーポインターでハンダ付けは可能である

Memo

Chapter.03

凶電工作の
すゝめ

パワみ…エネルギーとは何か
凶電のための力学

● text by シラノ

レールガンやテスラコイルといった大きなエネルギーを扱う"凶電工作"の際に、その運動量を可視化する「力学」は必修科目。うっかり大事故を起こさないためにも履修しておこう。

扱う電気量が少なく、感電死の危険性がない通信技術の電子回路設計などを「弱電工作」と言います。対して、うっかり触れば即感電死の可能性もある高電圧を扱う分野を、世間一般的に「強電工作」などと呼んだりしますが、強電など生ぬるい。凶電ですよ、凶電！ 凶電こそパワみの境地。パワみこそエネルギーなのです。

この時点でポカーンとしている人もいるかと思いますが、そういう人にこそ読んでほしいお話です。凶電を扱うにあたり、エネルギーは超重要。死なないための基礎知識といえます。

例えば、自分でレールガンを設計して作ったとします。その自作レールガンは、弾を発射した際にどのくらいの反動を受けるかなど、事前に計算して把握しておかなければなりません。そこで必要になってくるのが、エネルギーに関する知識。そしてエネルギーに深く関係してくるのが力学なのです。

そもそも力とは？

本題に入る前に、力学について解説していきましょう。一定の速度で動いている物体は、力を受けない限り、一定の速度で動き続けます。つまりは状態を維持するわけです。物体を加速させるという、状態を変化させる行為には力（Force）が必要になります。

物体の状態を示すために、運動量pを用いてみましょう。運動量は我々から見た物体の運動がどのようであるかを表す量、つまり運動の激しさを表したような量で、質量と速度の積で表され、「p=mv」となります。物体が重ければ重いほど、動きが速ければ速いほど運動量は大きくなるのです。ちなみにこの運動量は方向を成分に持ち、後ろの方向に動いていると負の値、前の方向に動いていると正の値を取るようになっています。

力をかけた時の物体の動きは、かの有名なニュートンの運動方程式によって表されます。それが数式【1】。これは微分を習っていないと分かりにくい式ですが、要は、ある力をかけるとそれと同じ量だけ、時間あたりに運動量は変化するという意味です。

例えば、マンションの屋上からモノが落下している様子を想像して下さい。重力は常に物体に力を与えるので、物体の運動はどんどん激しくなっていく、つまり運動量はどんどん大きくなります。1階から落ちた時と高層マンションの屋上から落ちた時では、後者の方が力を長く受けるため、激しく地面に衝突。パワみが段違いです。

この法則は、加速度を持つ物体に働く力を"定義している"わけでありません。ニュートンの法則とは関係なく存在する、複数の力のベクトルが合成されたものが運動量の変化量に等し

図1

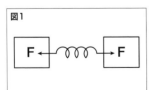

ニュートンの第三法則は、作用・反作用の法則とも呼ばれている

数式【1】 運動方程式

$$\sum F_i = \frac{d}{dt}p$$

Memo:

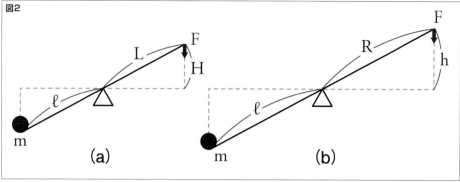

仕事量は「何をしたか」という結果を表すものなので、長さが異なる(a)と(b)だが、仕事量という点では同じになる

い、と考えておきましょう。

そもそも、自然界に存在する力は「重力」「電磁気力」「強い力」「弱い力」の4つであり、これらの力が存在した場合に成り立つ…というのがこの法則なのです。手で力をかけるという行為も、実は手の平の陽子や電子が押しているものと電磁気力によって反発し合うことでかけることができるもの。普段の日常で感じる力は、大体すべて電磁気力です。

ちなみに上述した方程式は、ニュートンの第二法則。ニュートンの法則は全部で3つあって、第一法則は、「物体に力をかけない限りは運動量は変化しないようにする」というもの。走行中のクルマの中など、観測者自体が加速したりする物理世界を排除するものです。観測者自体が加速すると、静止している物体も加速して見えてしまい、謎の力がかかっていることになってしまいます。

例えば、マンションの屋上から自分が落下してる時、地面がすごい加速度で近づいて、あた

かも地球の運動が激しくなっているように見えるでしょうが、地球に何か力がかかっているわけではないですよね。このように、力を受けて運動量が変化している人から見た物理世界は、ちょっと変わったものになってしまいます。力を受けず、運動量が変化していない人から世界を見て、方程式を立てるようにしましょう。

そして、ニュートンの第三法則は、作用反作用の法則です。「物体Aが物体Bに力を与える時、物体Bも物体Aから逆方向に力を受ける」というもの。床が油だらけのところで相撲をしたとしましょう。相手を思いっきり強く押すと、自分も強く力を受けて後ろに押されますよね。このことを数式【1】から考えてみると、運動量の変化量が力と等しかったのだから、「力をかける」という行為は「運動量を交換する」というような感じで見ることができるわけです。つまり、力を及ぼし合っている物体同士の運動量は足し合わせると常に同じ、つまり保存しま

す。ですから、相撲では、同じ量の運動量しか交換できないので、体重が重い方が、与えられる速度が少なくなります。$p=mv$という式では、pが一定でmを大きくすると、vは小さくなりますよね。

エネルギーと仕事とは?

前置きが長くなりましたが、ここからが本題。「エネルギー」について解説していきます。エネルギーという単語は日常的に耳にするものの、これが物理学においてどういう存在なのかはあまり知られていません。

それを説明するために、まず仕事量Wという、力と力をかけていた距離の積で定義された物理量を導入します。そのような物理量がどういう意味を持つのか、ここではてこについて考えてみましょう。図2の (a) のような時には、てこの原理を使って、重さmの物体をhだけ上げるには、$F=mgl/L$だけの力が必要です。次に (b) のように長さをそれぞれ変えると、$F=mgl/R$だけの力が必要になります。こ

数式【2】 運動エネルギー

$$U = \frac{1}{2}mv^2$$

数式【3】 熱エネルギー

$$\triangle U = C\triangle Q$$

数式【4】 コンデンサの蓄えるエネルギー

$$U = \frac{1}{2}CV^2 = \frac{1}{2}QV$$

数式【5】 インダクタの蓄えるエネルギー

$$U = \frac{1}{2}LI^2$$

数式【6】 ジュール熱

$$W = I^2R = VI$$

数式【7】 電荷の持つエネルギー

$$U = QV$$

数式【8】 バネの弾性エネルギー

$$U = \frac{1}{2}kx^2$$

の時、それぞれの力が担う仕事は、W=mglH/LとW=mglh/R。物体を持ち上げるのに、それぞれの力がかけていた距離は三角形の相似から考えて、H・R=h・L。つまり、H/L=h/Rという関係があり、それを仕事量に代入してやると、それぞれの力が果たした仕事は同じになります。両者が残した結果（物体をどれだけ持ち上げられたか）は同じなので、まさしくこの仕事量というのは、どれだけの「仕事」をしたかに関する量であるといえるのです。10tの鉄塊を1mm持ち上げるのと、10kgの石を1m持ち上げるのは同じ「仕事」ということになります。滑車などはこの仕事量が釣り合っているから、軽い力で重いモノを持ち上げたりすることができるわけですが、実際の仕事量は同じ。なんとなくイメージできたでしょうか？

実は、この仕事量Wというのがまさに「エネルギー」なのです。力を及ぼし合ってエネルギーを交換することで、物体を加速させたり、熱したりします。そして、仕事が単位時間内にどれだけされているかを「仕事率（power）」として表すのですが、

これこそがパワみの本質。レールガンなんていうのは一瞬のうちに弾にアリエナイくらいの仕事をするので、激しいパワみがあります。

4種類のエネルギー

エネルギーにはさまざまな形があります。今回は凶電でよく用いる、「電気エネルギー」「熱エネルギー」「運動エネルギー」「位置エネルギー」について紹介します。

まず「運動エネルギー」。これは質量mで速さvの物体が持つエネルギーであり、数式【2】で与えられます。レールガンやコイルガンの弾の持っているエネルギーを測るために使用可能。速ければ速いほど、重ければ重いほどパワみがあるといえます。

そして「熱エネルギー」は、いわゆる温度に依存するものです。熱容量Cの物体にエネルギーをQだけ与えると、数式【3】で与えられるTだけの温度が上昇。この数式は、誘導加熱装置がどれだけのエネルギーを加熱対象物に与えたかを測るのに使えます。

「電気エネルギー」の代表といえば、コンデンサの持つエネルギー。電気容量C電位をVとすると、数式【4】だけのエネルギーを溜められます。また、インダクタンスLで、電流Iが流れているコイルは、数式【5】だけのエネルギーを溜められることに。抵抗の単位時間に消費するエネルギーは、流れている電流をI、抵抗値をRとすると、数式【6】のように書けます（オームの法則を用いた）。また、電位Vにいる電荷Qの持つエネルギーは、数式【7】のように示せます。

「位置エネルギー」は、意識しにくいエネルギーの一つです。質量mの物体を高さhだけ持ち上げる時に必要な仕事は、重力加速度をgとしてmghとなり、この時に物体が持つエネルギーもmghとなります。同じ高さから落としても、重いものの方がパワみがあるのは、ハンマーが落ちてくるか、紙コップが落ちてくるか、どちらが痛いかを考えればよく分かりますよね。

最後にバネのエネルギーです。

凶電検定

問1　反動力を求めよ

長さがLで質量がmの弾を打つと、速度vで飛ばせるレールガンがあるとする。投入元のエネルギーは、電気容量Cのコンデンサを電圧Vまで貯めたものであった時、レールガンを撃った時の反動力、そしてそのエネルギー効率を求めよ。なお、レールガンが弾にかけていた力は、弾が飛び出るまで常に一定であったと仮定する。

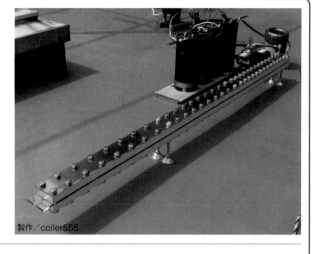
製作／coiler555

[解答] レールガンが受ける反動力は、レールガンが弾にかけていた力の反作用によるもの。仕事の定義は「仕事W＝力F×距離L」なので、レールガンが力をかけていた距離はその筒身の長さLで既に分かっているため、とりあえずレールガンのした仕事を求めれば力Fが導き出せそうです。まずレールガンが弾にした仕事Wは、弾が与えられた運動エネルギーと一致するので、

数式【9】となります。力が常に一定と仮定されているので、この時仕事の式に諸々を代入してやることで、レールガンが弾にかけていた力は、数式【10】になります。ゆえに反動力はそれと同じで、かつ逆方向となります。また、

投入したエネルギーのうち、どれだけのエネルギーが弾のエネルギーに変わったかを考えると、効率は数式【11】となるわけです。レールガンを作った際は、例題の式に実際の値を代入し、そのエネルギー効率を求めてみましょう。

数式【9】
$$W = \frac{1}{2}mv^2$$

数式【10】
$$FL = \frac{1}{2}mv^2 \rightarrow F = \frac{1}{2}\frac{mv^2}{L}$$

数式【11】
$$効率 = 100 \times \frac{弾のエネルギー}{投入エネルギー} = 100 \times \frac{\frac{1}{2}mv^2}{\frac{1}{2}CV^2} = 100 \times \frac{mv^2}{CV^2}$$

伸びをx、バネ係数をkとすると、そのバネの持つエネルギーは数式【8】のように示せます。バネを思いっきり伸ばした後に手を放した時のパワみは凄まじいですよね。

このように、物理現象をすべて「エネルギー」として見ることで、予測を立てたり、パワみを数値として置き換えることができるわけです。実際の数値を見て、「あーこれは死ぬかも」

と先に知っておくことは、凶電工作において非常に重要な必須の知識といえます。

ということで、最後に1問出題したので、理解できたかどうか力試ししてみましょう！

コンデンサの基本のキ

● text by シラノ

「コンデンサ」といえば、電気を溜めて一気に放出する電子パーツという理解が一般的。だが、危険な高エネ工作を実践するには、その一歩先の概念を押さえておく必要があるだろう。

高エネルギー工作をするにあたって、必須なのが「コンデンサ」です。「レールガン」「コイルガン」「テスラコイル」…魅惑的なこれらの高電圧装置を作るなら、その目的に合った高性能なコンデンサを探さなければなりません。高エネ工作を始めたいなら、最初にマスターしておくべき概念だろうと思います。

高校物理などで基本を修めず高エネ工作に入った野生のエンジニアの方の場合、"電気をたくさん蓄えて一気に放出してくれる便利パーツ"と認識していることが多いようです。とりあえずそれで問題ありません。が、もう少し正確にいうと、コンデンサとは"電荷を幾許か蓄えられるもの"といえます。

そして、どのようなものでもコンデンサになりえます。2つの導体が存在する時点で、その2つの導体間には電荷を蓄えられるからです。この電荷を蓄える時の容量を「キャパシティ」「電気容量」などといい、単位は「ファラッド:F」で表します。これがコンデンサが持つ物理的

性質です。ゆえに、コンデンサとは部品や装置というよりは、そういう物理的な性質が存在するというイメージが適しているかもしれません。

こういった仕組みをより理解するのに役立つのが、6つのキーワード。①**クーロンの法則** ②**電界** ③**電位** ④**電流** ⑤**電気力線** ⑥**ガウスの法則**…です。これら電磁気学の基本を順に確認していきましょう。

①クーロンの法則

「電荷」が何かを説明するためには、「クーロンの法則」の理解が必須です。簡単に解説するとこうなります。

2つの電荷が双方に及ぼし合う力は双方の電荷の積に比例し、その距離に反比例し、異なる電荷同士なら引き合い、同じ電荷同士なら反発する。

そして数式では【1】となります。kは比例定数で、Q1とQ2は荷電粒子の電荷、rは粒子間の距離です。難しく感じた方は、

2つの電荷があったらこんな式で表される力がかかるんだ…程度の認識でいいでしょう。

②電界

「電界（electric field）」とは、ある空間の点が持っている能力のようなもので、この能力は電荷を動かす力があります。その能力をEとすると、【2】という数式が成り立ちます。これと【1】の式を比べてみると、電荷Q1がそこから距離rのところにE＝k・Q1/（r^2）という電界を作っていることが分かるでしょう。

この電界は実在するもので、勝手に用意したものではありません。電荷からこの電界がゆっくりと広がっていく（光速と同じ速さだが）おかげで、電磁波は遠くに飛ぶわけです。実在しているのだから、電界はエネルギーを持っていて（空間がエネ

数式【1】クーロンの法則

$$F = k\frac{Q_1 Q_2}{|r|^2}$$

数式【2】電界と力の関係

$$F = QE$$

数式【3】エネルギー密度

$$u = \frac{1}{2}\varepsilon E^2$$

Memo:

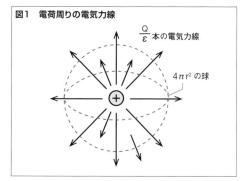

図1　電荷周りの電気力線

$\frac{Q}{\varepsilon}$ 本の電気力線

$4\pi r^2$ の球

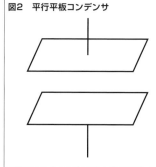

図2　平行平板コンデンサ

金属板（＝電極）を平行に向かい合わせたものを、平行平板コンデンサという。この静電容量は、平行板の面積に比例し、板間の距離に反比例する

ルギーを持っている感じ）、そのエネルギー密度は数式【3】で表せます。

また、電界には"重ね合わせの理"が成り立ちます。たくさんの電荷が作る電界は、個々の電荷が作る電界の合計になっているという話なのですが、これがとても重要です。しっかりと覚えておきましょう（図5も合わせてチェック！）。

❸電位

いわゆる電圧です。「電位」とは正電荷の居心地の悪さのようなもので、正電荷は電位の低い所に行きたがります。逆に負電荷には居心地の良いことになり、電位の高いところに行きたがるのです。これは、大体のものはエネルギーの低い方へ行きたがるという物理的な概念によるものによります。まあ、この辺は完全に物理学の話になるので、詳しくはまたの機会に…。

力学を勉強した方には、"電磁気学における位置エネルギー

のようなもの"と説明すると分かりやすいかもしれませんね。定義は全く同じで、ある点からある点まで動かした際に必要な仕事量から定義されています。例えば、Q［C］の電荷がA［V］の電位差のある点間を動いた場合、QA［J］だけの仕事が必要になる…というわけです。

❹電流

「電流」とは電子の流れです。電流に関する法則で有名なのは、V＝IRという「オームの法則」です。日本語ではこんな説明がされます。

・I［A］の電流が抵抗R［Ω］に流れると、その抵抗の両端にはIR［V］だけの電位差が現れる。

・V［V］だけの電圧を抵抗R［Ω］にかけると、V/R［A］の電流が流れる。

この2つの言い方の違いは、電流主体で考えるか、電圧主体で考えるかという差です。

❺電気力線

ここから少し難しくなるかもしれません。「電気力線」とは、イギリスの物理・化学者であるファラデーによって考案された概念で、②で説明した電界を目視的に理解しやすくしたものです。こう定義されています。

1.電気力線は＋電荷から湧き出し、－電荷へと吸い込まれる。
2.電気力線の接線が、その点での電界の方向になる。
3.単位面積あたりを通過する電気力線の本数が、その場所の電界に等しい。例えば、5［V/m］の電界のあるところなら、1［m²］あたり5本の電気力線がある。

ここで、k＝1/4πεというεを持ってくると、数式【1】は

数式【4】電気力線

$$F = \frac{1}{4\pi\varepsilon}\frac{Q_1 Q_2}{|r|^2}$$

数式【5】電気力線の密度

$$E = \frac{Q}{2S\varepsilon}$$

数式【6】コンデンサ間の電界

$$E = \frac{Q}{\varepsilon S}$$

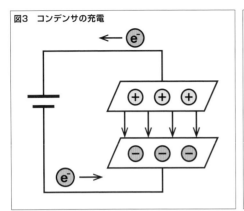

図3　コンデンサの充電

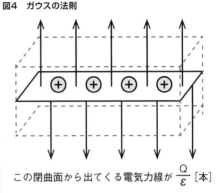

図4　ガウスの法則

この閉曲面から出てくる電気力線が $\dfrac{Q}{\varepsilon}$ [本]

【4】と変形されます。4πr²は球の表面積なので、電荷QからはQ/ε本の電気力線が出ていることが分かるのです。図1もご確認下さい。

⑥ガウスの法則

電荷と電場の関係を表す方程式です。具体的には、電気力線の項で説明した電荷QからQ/ε本の電気力線が出ているということを一般化。ある多数の電荷を覆った閉曲面から出てくる電気力線の本数は、その閉曲面内の電荷を ε という定数で割ったものと同じという法則です。

コンデンサの仕組み

コンデンサを理解するために必要な電磁気に関する基礎知識を、簡単に見てきました。誌面の都合上ギュッとかいつまんで説明しているので、これだけで完璧に理解するのは難しいと思

います。というわけで、ここからは具体的な例を挙げながら上述した知識をおさらいしていきましょう。

そもそも物理学とは、経験則を天才が抽象的に一般化してまとめあげた学問なので、そのままとめ上げられた理屈だけを眺めるより、実際にどのような現象が起こっているかを確認して、どういう感じで適応されていくのかを見ていった方が理解しやすいのです。

ということで、コンデンサの中でも最も単純な「平行平板コンデンサ」（図2）について考えてみましょう。電圧をかけた時に蓄えられる電荷を、コンデンサの形状から求めてみます。

コンデンサは電気を溜めるものなので、充電してみると…。その過程では、下の極板から上の極板に電子が移動し、その2枚の極板の電位差は電池と同じ

電位差になります。ここまではイメージ通りですね（図3）。

さて、充電が終わった後のコンデンサではどんなことが起こっているのでしょうか。まず、電荷Qの溜まった1枚の極板がどのような電界を作るのかを考えてみます。対称性のある上下の極板では、その板の上下に一様な電界を作ります。

ここで、⑥のガウスの法則を思い出して下さい。極板をすべて覆った直方体の閉曲面を考えてみると（図4）、この閉曲面から出てくる電気力線の本数は、内部にある電荷がQなので、Q/ε本となります。そして極板の面積はS、上下の電気力線の数は等しいことを考えると、このコンデンサ周りにできる電界は、数式【5】となるわけです。電気力線が出ていく部分の閉曲面の面積が2Sであることに気を付けつつ、電気力線の密度を

数式【7】コンデンサの両端電圧

$$V = \frac{Qd}{\varepsilon S}\,[V]$$

数式【8】コンデンサの電圧

$$Q = \frac{\varepsilon S}{d}V\,\{C\}$$

数式【9】コンデンサの電圧

$$Q = CV$$

Memo:

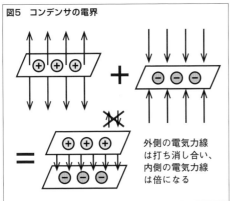

図5　コンデンサの電界

外側の電気力線は打ち消し合い、内側の電気力線は倍になる

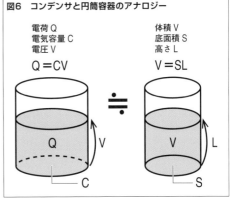

図6　コンデンサと円筒容器のアナロジー

電荷 Q
電気容量 C
電圧 V

$Q = CV$

$\doteqdot$

体積 V
底面積 S
高さ L

$V = SL$

求めています。

さらに、もう1枚の極板も考えると、重ね合わせの理から、コンデンサ間の電界は数式【6】（図4・5）となるのです。また、この電界はコンデンサ間に一様にできていて、その電界の中で正電荷（q）を下の極板から上の極板に移すのに必要な仕事は、その電荷にかかっている力がF＝qEとなることから、qEd［J］となります。

Q［C］の電荷がA［V］の電位差のある点間を動いた場合、QA［J］だけの仕事が必要になるんでしたね。ゆえに、この場合の極板間の電位差は、仕事量から分かるようにEd［V］ですからコンデンサの両端電圧Vは、数式【7】と表されます。変形すると数式【8】、εS/d＝Cとしてやると、【9】になるのですが…。この式の意味していることは何でしょうか？

よく似た式について考えてみます。円筒容器に入った水の量（V）、高さ（L）、底面積（S）の関係式であるV＝SL。また、熱力学の熱容量に関する式であるQ＝CΔT（Cは比熱、ΔTは上昇する温度、Qは温度を上昇させるために必要な熱量）などがあります。

これらの類似点から、Q＝CVという式は、電荷Qを水のようなもの、Cを電荷を溜める円筒容器のようなものの底面積、Vをその溜まった時の高さと考えてやることができそうです（図6）。こういったアナロジーから推察すると、数式【8】の意味することが分かりやすいのではないでしょうか。

これで、コンデンサの基本的な原理は大体つかめたハズ。ある電圧をかけた時に蓄えられる電荷を、コンデンサの形状からきちんと求められましたね。

補講：エネルギーの求め方

コンデンサに蓄えられるエネルギーの求め方を解説します。電界の持つエネルギーは数式【3】から、体積×エネルギー密度を考えると、数式【10】が導き出せます。これがコンデンサの持つエネルギーです。

【10】の式を用いて、dの値とSの値を直列・並列して変化させることで、コンデンサを直列並列した時の、その合成された容量を計算可能。例えば、同じコンデンサを直列にした時には、dが変化するので各dをd1、d2とすると、C＝εS/d1＋d2となり、この時の合成容量はC＝1/C1＋1/C2。また、並列時には底面積が変化するため、C＝C1＋C2となるのです。

コンデンサの基礎知識はこれくらいで。電磁気に関しては、今後も使うので要復習ですよ。

数式【10】コンデンサのエネルギー

$$U = \frac{1}{2}\varepsilon E^2 \cdot Sd = \frac{1}{2}\varepsilon \frac{Q^2}{\varepsilon^2 S^2}Sd = \frac{1}{2}\frac{d}{\varepsilon S}Q^2 = \frac{1}{2}\frac{Q^2}{C} = \frac{1}{2}QV = \frac{1}{2}CV^2 \left(\because E = \frac{Q}{\varepsilon S}, C = \frac{\varepsilon S}{d}, Q = CV \right)$$

コッククロフト・ウォルトン回路の理論

● text by シラノ

簡単に高電圧を得られるコッククロフト・ウォルトン回路は、レールガンやスタンガンなどでも使われる凶電工作の必須回路。そんな身近な回路を理解すれば、東大入試対策にもなる!?

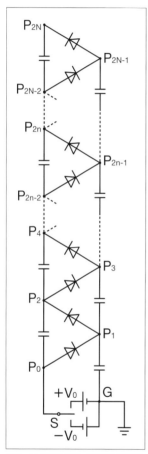

図1　コッククロフト・ウォルトン回路
コンデンサとダイオードを組み合わせることで、高電圧を発生させられる昇圧回路。交流の電圧×段数の2倍の電圧を出力できるため、さまざまな凶電工作では必修となっている

　高電圧発生回路として有名な、「コッククロフト・ウォルトン回路」（以下CW回路）。シンプルな回路ながら、容易に高電圧を得られるため、スタンガンの製作からレールガンの電界歪みスイッチ、オゾン発生器といった用途で幅広く用いられています。凶電系工作では必須の回路といえるでしょう。

　我々にも身近なこのCW回路は、ノーベル賞につながる功績を遺すほど、歴史のあるスゴイ回路なのです。CW回路は、ジョン・コッククロフトとアーネスト・ウォルトンという2人の物理学者によって考案されました。容易に作れる上にきわめて高い電圧を得られるという特性から、当時は粒子加速器の電源として利用。CW回路による粒子加速器は、1932年にリチウムに衝突させる電子を加速させるために用いられ、その結果、原子核の変換に成功し、世界で初めて人工的に元素を変換する実験となりました。その功績から、1951年に2人はノーベル物理学賞を受賞したわけです。

　CW回路の原理は割と簡単です。コンデンサとダイオードの性質を分かっていれば、難なく理解できます。ダイオードは、電圧を順方向にかけた時には電流を流し、逆方向にかけた時には流さないという素子です。コンデンサは電気容量がCなら、電荷Qを溜めてやるとその両端に$V = Q/C$だけの電位差を作る素子でした。この知識だけで、東大の入試問題を例にしながらCW回路の原理を見ていきましょう。

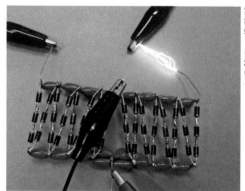

実際のCW回路の製作例。ここでは特性を考慮して、ダイオードを本来は1本のところ、3本直列で使っている（写真／レナード三世）

Memo:

東京大学2011年前期物理 問2

電気製品によく使われているダイオードを用いた回路を考えよう。簡単化のため、ダイオードは図2-1のようなスイッチSdと抵抗とが直列につながれた回路と等価であると考え、Pの電位がQよりも高いか等しいときにはSdが閉じ、低いときにはSdが開くものとする。なお以下では、電池の内部抵抗、回路の配線に用いる導線の抵抗、回路の自己インダクタンスは考えなくてよい。

Ⅰ 図2-2のように、容量Cのコンデンサー2個、ダイオードD₁, D₂, スイッチS, および起電力Vの電池2個を接続した。最初、スイッチSは＋V側も−V側にも接続されておらず、コンデンサーには電荷は蓄えられていないものとする。点Gを電位の基準点（電位0）としたときの点P₁, P₂それぞれの電位をV₁, V₂として、以下の設問に答えよ。

（1）まず、スイッチSを＋V側に接続した。この直後のV₁, V₂を求めよ。

（2）（1）の後、回路中の電荷移動がなくなるまで待った。このときのV₁, V₂, およびコンデンサー1に蓄えられた静電エネルギーUを求めよ。また、電池がした仕事

Wを求めよ。

（3）（2）の後、スイッチSを−V側に切り換えた。この直後のV₁, V₂を求めよ。

（4）（3）の後、回路中の電荷移動がなくなったときのV₁, V₂を求めよ。

Ⅱ 図2-2の回路に多数のコンデンサーとダイオードを付け加えた図2-3の回路は、コッククロフト・ウォルトン回路と呼ばれ、高電圧を得る目的で使われる。いま、コンデンサーの容量は全てCとし、最初、スイッチSは＋V側にも−V側にも接続されておらず、コンデンサーには電荷は蓄えられていないとする。

スイッチSを＋V側、−V側と何度も繰り返し切り換えた結果、切り換えても回路中での電荷移動が起こらなくなった。この状況において、スイッチSを＋V側に接続したとき、点P2n-2と点P2n-1の電位は等しくなっていた（n=1,2,3…N）。また、スイッチSを−V側に接続したとき、点P2n-2と点P2nの電位は等しくなっていた（n=1,2,3,…N）。スイッチSを＋V側に接続したときの点P2n-2, の電位V2n-2, V2nをNとVで表せ。なお、点Gを電位の基準点（電位0）とせよ。

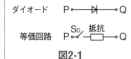

ダイオード P ――▷|―― Q

等価回路 P ――SD 抵抗―― Q

図2-1

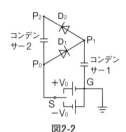

図2-2

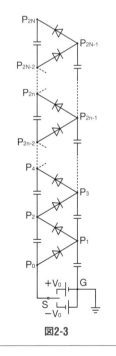

図2-3

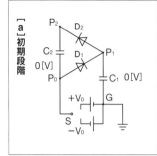

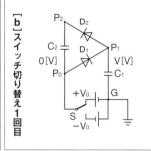

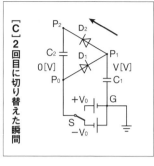

表	CW回路の電圧遷移表				
	C₁	C₂	P₀	P₁	P₂
[a]	0	0	0	0	0
[b]	V	0	V	V	V
[c]	V	0	−V	V	−V
[d]	0	V	−V	0	0
[e]	V	V	V	V	2V
[f]	V/2	3V/2	−V	V/2	V/2

東大の過去問から

CW回路に関する問題が、日本の最高学府である東大の入学試験で出題されたことがあります（2011年前期物理）。その問は109ページのようなものなのですが、問題の説明と誘導手順がやはり上手です。

それでは早速、この問題を解く準備をしましょう。人間はたくさんのことを、同時に考えるのが苦手です。お手玉やジャグリングでも、扱う量が増えれば増えるほど難しくなりますよね。けれど、作業を1つだけに絞れば簡単になります。物理現象も同じ。たくさんの要素があって複雑に見えているものでも、一部だけにフォーカスすることで考えやすくなるのです。それが「要素分解」という手法です。

また、人間は抽象的な概念を考えることが苦手。中学の数学で方程式や関数が難しく感じる

のは、「x」という数字の抽象的な概念に起因するのだと思います。そういう時は、xに具体的な数字を入れて考えてみたらいいのです。y=2xがどういう意味かを考えるとしましょう。xが2ならyはどうなるかな？　x＝1なら？　x＝0なら？…と考えていけばだんだんと理解できていくはずです。こんな風に「具体的に考える」という思考手順を取ると、さまざまな分野で応用が効きやすくなります。

今回のターゲットであるCW回路は、コンデンサとダイオードが段になっている単純なものですが、どう動いているか考えると少し難しく感じてしまう方も多いようです。というのも、図1の回路図を見ると分かる通り、コンデンサやダイオードの個数がnという抽象的に書かれている上、そのnが10とか20とか大きな数字になることが多いからでしょう。そして、交流電源

が取り付けられて長い時間動いている様子を想像すると…うわあああああああああぁぁぁ…と、そういった理由で、理解しにくくなっていると思われます。

そこで、上述したように具体的にnが1の時を考えていきましょう。交流電源はスイッチの切り替えと考えて、スイッチを切り替えていくたびにどのように変わっていくかを要素ごとに分解して見ていくのです。

n＝1として考える

n＝1とした時、コンデンサの容量はCとして、最初はコンデンサに何も電荷が溜まっていない状況（図の[a]）を考えます。ダイオードの性質から、スイッチを倒した瞬間に、P_0の電位がP_1の電位より高ければD_1が導通し、P_1の電位がP_2より高ければD_2が導通して、それぞれの点の電位が同じになるまで電流が流れるのです。説明の簡略化のために、P_nの電位をV（P_n）と表現することにしましょう。

まず、＋になっている電池にスイッチをつないでみます。すると、まずコンデンサには電荷が溜まっておらず両端の電位差が0で、V（P_1）が0となってい

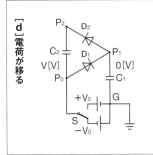

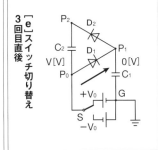

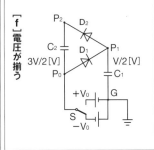

るところに電池がつながるので、V（P₀）＞V（P₁）となり、D1に電流が流れ出して、V（P₁）＝V（P₀）になるまで電流が流れるため、最終的にコンデンサ1の両端にVだけの電位差ができます（図の［b］参照）。

次に、スイッチを一側につないでみます。倒した瞬間（まだ電荷の移動が始まっていない時）は、図の［C］のようになって、V（P₁）＞V（P₂）となりダイオード2には順方向に電圧がかかって、電流が流れ出すのです。C₁に電荷が溜まっている限りは、ダイオードに順方向の電圧がかかり続け、C₁に溜まっている電荷がC₂に移って、表の［d］のようになります。

ここでもう1度、＋側にスイッチをつないでみましょう。今度はD₁が導通して、C₁が充電されますね。図の［e］で、さらに一側につなぎます。すると今回はD₂だけが導通して、電源電圧とコンデンサの両端電圧の合計がうまく釣り合うまで電流が流れ、図の［f］のような状態になるわけです。

何となく法則性が見えてきましたね。スイッチを＋側にした時はC₁に充電され、一側に切り

替えた時はC₂にその電荷を分け与えていくようです。そしてこれを何度も繰り返していくと、最終的にC₂がC₁に電荷を分け与えなくなる時が来ます。それは＋側に倒した瞬間にC₂にかかる電圧と、C₂が電荷を溜めることによって発生している電圧とが釣り合う時、つまり、C₂に2Vだけの電圧がかかる時です。

この結果、電源電圧以上の電圧が取り出せて、きちんと昇圧できることに。まだよく分からないという方は、電圧の遷移表や図を吟味して、1つ1つの動きを丁寧に見てみて下さい。目には見えない電気の動きが、徐々につかめるようになるはずです。

一般化と抽象化

このCW回路は、各コンデンサ同士でスイッチを＋と一の交互に倒した時は、電荷の交換が起きなくなるまで各コンデンサが昇圧されていき、いつか電荷の交換が起きなくなると考えてよさそうです。それがどの様な状態かは、各コンデンサにVだけの電圧がかかってると仮定して、＋側と一側にそれぞれ倒した時にどうなるかを考えて、変化しないようなVを求めてやれば

OK。今回はn＝1で実験して、C₂に2Vかかるまで昇圧が繰り返されることが分かったので、n段の時も同じようにC₂〜Cnにすべて2Vだけの電圧がかかっている時を考えてみます。すると、＋側・一側にそれぞれスイッチを倒した時も、C₂〜Cnまでのコンデンサで電荷の交換は起きません。つまり、これで昇圧が完了したということ。

本回路は、ダイオードで交互にコンデンサに電荷を溜めて昇圧していることが分かり、最終的にC₂〜Cnまでが2Vの電位差で溜まっていることが分かりました。この結果から、CW回路の昇圧電圧も判明しますね。

問題を解いてみよう

以上の理論を踏まえれば、109ページの東大の問題が解けるはずです。Ⅰがn＝1の時の電圧の遷移、Ⅱが一般化と抽象化の部分に相当しているのが分かるでしょう。興味があればぜひチャレンジしてみて下さい。解答もここで論じてきた結果と同じなので、きっと解けるはずです。

ということで、かの有名なCW回路を知ることで東大の問題も解けてしまうお話でした。

はじめてのCW回路の製作

● text by シラノ

工作レベル ★ ★ ☆ ☆ ☆

スタンガンや爆音トラップなど、高電圧を用いる工作に必須なのがCW回路だ。ここでは実践編として、部品の選び方から組み立てのコツ、さらには応用=強化方法まで手ほどきしていくぞ。

前項までで、コンデンサの基礎や「コッククロフト・ウォルトン回路」（以下CW回路）の原理などを解説してきました。ここまで勉強したら、あとは実践あるのみ。というわけで、自作してみましょう。

ジョン・コッククロフトとアーネスト・ウォルトンという2人の物理学者がノーベル賞を受賞した時に作った回路は超大規模なので、到底マネできるサイズではありません。しかし、スタンガンに使う程度の回路なら、ハードルは低め。割とガチで小学生でも作れます。今回はド定番の電子工作ショップ・秋月電子で購入できる部品で、できるだけ安価かつ簡単にCW回路を作ってみましょう。

何を作るにしても、その仕様を決定することがスタートです。今回は10kV程度出力する設計とします。そして、まず用意するのが交流電源です。秋月電子の「冷陰極管インバータ（K-G00-500-A11）」をチョイスしました。CW回路は、コンデン

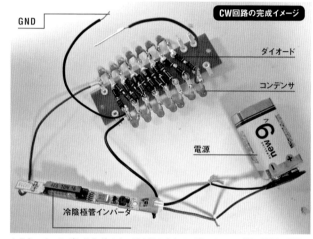

CW回路の完成イメージ

GND

ダイオード

コンデンサ

電源

冷陰極管インバータ

セラミックコンデンサとダイオードを組み合わせて段にし、ラグ板に設置。電源は006P型電池とした。さまざまな凶電工作に利用できる。簡易スタンガンも自作可能だ!

サとダイオードを組み合わせて作る昇圧回路なので、これらが特に重要です。それぞれ選定方法を見ていきましょう。

コンデンサの選定

① 耐電圧

CW回路は、各コンデンサに交流電源のVp-p（正弦波交流の最大値と最小値との差）だけの

電圧を溜めることで昇圧しているので、コンデンサの耐電圧は電源出力のVp-pと同じだけあれば大丈夫です。今回のケースではインバータの出力が1,100Vなので、それ以上の耐圧があるものを選びます。

② 種類

多くの種類があって、ビギナーだと困惑するでしょう。セラ

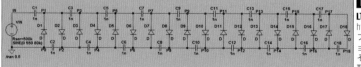

図1 CW回路図

LTspice
https://www.analog.com/jp/
フリーで使えるシミュレーションソフト。回路図を入力し、そこから電流や電圧などを波形でシミュレートできる

Memo:

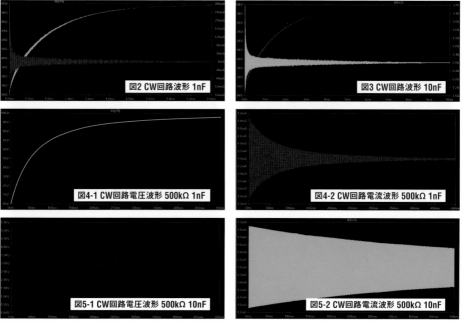

図2 CW回路波形 1nF

図3 CW回路波形 10nF

図4-1 CW回路電圧波形 500kΩ 1nF

図4-2 CW回路電流波形 500kΩ 1nF

図5-1 CW回路電圧波形 500kΩ 10nF

図5-2 CW回路電流波形 500kΩ 10nF

CW回路を作るにあたり、重要なのがコンデンサの静電容量を決めること。1nFと10nFを比べるなど、適切な容量をLTspiceを使ってシミュレーションした。結果、1nFの容量とする

ミックコンデンサだとか電解コンデンサとかフィルムコンデンサとか…まあ、とにかくいろいろありますよね。これらの名前は、材質の違いからきています。

セラミックコンデンサならセラミックを使っている、オイルコンデンサならオイルを使用しているとかそんな感じですね。各々特性は異なりますが、この話をしていると長くなるので割愛します。CW回路を作るなら以下の2種類の違いを押さえておけばOKでしょう。

それは極性のある・無しです。極性のあるコンデンサとして有名なのは、電解コンデンサになります。極性があるとはつまり、＋端子には＋の電荷、一側には

ーの電荷しか溜められない性質があるということ。そして今回のように、交流の電圧をかける場合は不適になります。

一方、その他のコンデンサなら大体どれでも使えるといって過言ではありません。ただ、コストパフォーマンスや入手性などによって高耐圧なセラミックコンデンサを使うことが多いようです。なのでここでもその慣習に従い、高耐圧のセラミックコンデンサを使用します。もし、もっと安くて高性能なフィルムコンデンサなどがあるなら、そちらでもOKなわけです。

❸静電容量の決定

次に、コンデンサの静電容量を決めます。CW回路を作ろう

とした時に、特に悩むのはこれでしょう。本来は電源の電流容量や周波数などから決定するのですが、結構面倒なので、とりあえず1〜100nF辺りのコンデンサを使っておけば大丈夫です。ただ、どういう感じで決めていくのかは知っておきたいところ。理論計算などを自力でやるのはまあまあ大変なので、フリーのシミュレートソフト「LTspice」を使います。

LTspiceで部品を図1のように並べて下さい。左上のRunを押して、測定したい部分をクリックすると、電圧が確認できます。今回は図2のような形になり、大体10kV得られているのが分かるでしょう。青が電圧、

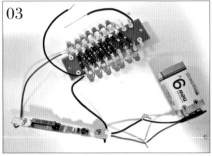

01：ダイオードを直列につなぐ。高耐圧のものを用意すること　**02**：図1の回路図を参考に、ダイオードとコンデンサを並べてハンダ付けしてつなぐ　**03**：冷陰極管インバータと006P型電池を、ラグ板に接続する　**04**：冷陰極管インバータのバラストコンデンサを除去して短絡させる。これでひとまず完成

緑が電流の波形です。

　このように、CW出力電圧は徐々に増えていって最終的に10kVに近づいていきます。コンデンサに溜まる容量は少ないので、10kVに近づいて放電が起こると、一気に電圧が下がり、そこからまた電圧を上げるのを繰り返す動作になるわけです。なので、CW回路は連続して放電しているように見えますが、実際には放電→消える→放電→消えるという間欠放電が起こっていることに。ゆえに、この波形の立ち上がりの速さが放電のバチバチ音の周波数に影響したりします。

　コンデンサの容量が大きいと1度に放出できるエネルギーは大きくなり、小さいと少なくなるのはご存じの通り。ならば、コンデンサの容量は大きければ大きいほど有利なのでは…？と思われるかもしれませんが、さにあらず。実際にはそううまくいきません。

　図2はコンデンサを1nFとしていますが、容量を変えて比べ

てみましょう。図3では10nFとしました。図2と図3を見比べると、電圧波形が全く同じ！CW回路の動作を知っていれば、コンデンサの容量に関係なく交流電源の正負に変わった回数（切り替えた回数）だけ電圧が変えられていたのが分かっているので、当然といえば当然の結果なのですが…。

　ただし、よく見てみると10nFのコンデンサの方では2A程度も電流が流れてしまっています。今回使う電源は2Aも流す能力はありません。この制限によって、1度の正負の切り替わりの間に本当なら充電できるよりも少ししかコンデンサの電圧を上げられなくなってしまいます。ではその影響は、どのように出てくるのか…。続いてはその影響を見るために、電源に直列に500kΩ程度の抵抗を入れてシミュレーションしてみます。これで流れる電流に制限をかけられるのです。

　1nFと10nFでシミュレーションしたのが図4と図5。時間軸を

見ると、電圧が10kVに達する時間が圧倒的に遅くなっていることが分かります。特に10nFではその結果が顕著で、なんとシミュレーションした時間内では10kVまで達せていません。

　これらの結果から、コンデンサの容量を大きくし過ぎると放電の間隔が遅くなり過ぎたり、また図5-2から分かるように電流がたくさん流れ、電源に負担がかかるという事態に…。ゆえに、電源の容量を考慮しつつ設計する必要があるということになりますね。

　以上のシミュレーションにより、今回は立ち上がりが遅過ぎず電流が流れ過ぎもしない1nFの容量にしておきましょう。秋月電子に2kV1nFの商品「中高圧セラミックコンデンサー　2kV1000pF」が売っているので、それをチョイスしました。

ダイオードの選定

　図2のシミュレーションからダイオードにかかる電圧と電流を把握できますが、そもそも電

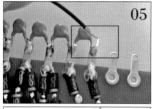

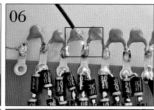

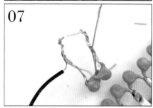

主な材料		
部品名	型番/スペック	個数
●冷陰極管インバータ	K-G00-500-A11	1
●中高圧セラミックコンデンサ	2kV/1000pF	10以上
●高耐圧整流用ダイオード	UF2010/1000V2A	20以上
●電池ボックス	006P用/9V	1
●ラグ板	10列〜	1
●電池	006P型/9V	1

05：GNDと出力端子を近づけると放電を確認できる　06：前の段にGNDを近づけると、放電は小さくなる。電圧が小さいことが分かる　07・08：GNDと出力端子部の間に、コンデンサを並列につないでみた。エネルギーが大きくなり、放電が強力に！

圧はVp-p程度しかかからないことと電流も電源の容量からして多くても数十mA程度ということが分かっています。なので、秋月電子で対応するダイオードを探すと、「高耐圧整流用ダイオードUF2010」が良さそうです。これを直列にして使います。

CW回路で使う場合、汎用整流用などの50/60Hz用に作られた遅いダイオードはNGです。80kHzの高周波電源を用いているので、「高速」と銘打ったものを選びましょう。

組み立てのコツ

適した材料が揃ったところで、いよいよ組み立てです。ユニバーサル基板に配置するとランド間で放電が起こってしまうので、空中配線するなどのひと工夫が必要になります。より手間なく作るために、ここではラグ板を使いました。【01】のように、ダイオードをまず直列につないでいきます。

次に、ダイオードとコンデンサを回路図通りに並べてハンダ付け【02】。写真では最後の2段分スペースがかつかつになったので、ラグ板の裏側にダイオードを設置しました。あとは交流電源とラグ板をつなげば完成です【03】。

ここで覚えてきおきたいポイントがあります。冷陰極管インバータには、冷陰極管を使った時に電流が際限なく流れたりしないようにバラストコンデンサ（基板上のC2）が付いているのですが、これは冷陰極管以外の使用時には不要です。なので、外して短絡します【04】。

また、交流電源の電源は12Vとなっているものの、9Vで動くので006P型電池を使いましょう。これで持ち運びが可能になるため、いろいろと応用が利きます。なお、GND（図1の回路図のP0部分）と出力端子（回路図のP18部分）を近づけると放電を確認できます【05】。

応用実験

このCW回路は、そうそう壊れるものではないので大胆に実験しても大丈夫です。例えば、もっと前の段の端子にGNDを近づけてみると…。本来の【05】より小さい放電になるはずです【06】。この単純なテストから、CW回路の段数が上がるにつれて電圧がアップすることが、理論からだけでなく実際に見て理解できますね。

また、オリジナルスタンガンとして利用したい場合、これでは威力が物足りないと思うかもしれません。ならば、出力にコンデンサを追加して1回の放電に使えるエネルギーを増やしてやればいいわけで…。試しにコンデンサを、出力端子部分に並列に取り付けてみます。

このコンデンサでは耐圧が足りないのですぐ壊れるでしょうが、テストなのでヨシとして…。実際に、先ほどよりも強い閃光の放電に変わりました【08】。

…と、こんな感じでCW回路を応用すれば、それなりの威力のスタンガンを自作できます。なので、お決まりのフレーズで締めておきます。悪用厳禁！

凶電工作の基礎…高電圧発生装置を学ぶ
テスラコイル再入門［前編］

● text by Liar K

工作レベル ★★★★☆

凶電工作の基本ともいえるテスラコイル（STCC）の、製作方法や設計のポイントをおさらい。激しい音とともに紫のイナズマを放つ、ロマンあふれる魅惑の装置を自らの手で組み上げよう。

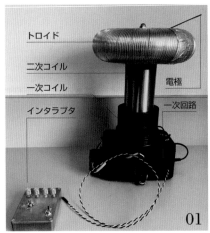

トロイド
二次コイル
一次コイル
インタラプタ
電極
一次回路

01

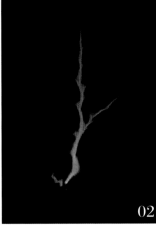

02

必要な機材
●オシロスコープ
●ハンダゴテ
●信号発生器（ファンクションジェネレーターなど）
●テスター
●LCRメータ　…など

主な材料
●MOSFETやIGBT
●ゲートドライバIC
●エナメル線
●導線
●アルミダクト

01：テスラコイルの全体像。トロイドはアルミダクトでなく、ステンレスのボウルでも作れる　02：放電の様子。激しい音が鳴り響き、紫色のイナズマが発生する

　放電…それは漢のロマン。ア理科では、これまでさまざまな「テスラコイル」が生み出されてきました。そこで基本に立ち返って、その作り方や設計のポイントを、前編と後編の2回に分けて解説していきます。

　作るのは、半導体制御のテスラコイル「SSTC（Solid State Tesla Coil）」。激しい音とともに稲妻がスパークするSSTCは、主に一次コイルと二次コイルで構成されています。エナメル線をパイプなどに数百～数千回巻き付け、空芯コイルを作ります。これが二次コイルです。そのコイルを共振させる周波数の電流を、MOSFETやIGBTの

スイッチングで発生させて、二次コイルの周りに数回巻いた一次コイルに流し、二次コイルを共振変圧器として駆動することで高電圧を得ています。

二次コイルの設計

　SSTCを作る場合、一次回路から作る方法と、二次コイルから作る方法がありますが、二次コイルから作った方が簡単だと思います。

　とはいえ、いきなり回路図を書いて…というのはある程度の知識が無いと難しいでしょう。初めて作る場合は、ネット検索して先人たちの発明を参考にするのが賢明です。「Tesla coil」

「SSTC」などの単語で画像検索をすると、回路図が見つかります。回路図には二次コイルの巻数などのデータが載っているはずなので、それに従って作ってみましょう。

　もし二次コイルを一から作る場合、まず作りたいコイルの大きさを想像して、トロイドの大きさを決定。それを元に、キャパシタンスを計算します。トロイドは、ステンレスボウルやアルミダクトで作製。そして放電の出口として、画鋲など尖ったものを外向きに取り付けておきます。こうすることで、尖っているブレイクアウトポイントから電子注入が起こり、空気中に

Memo:

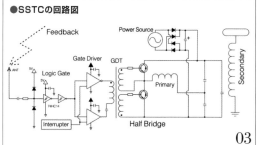

●SSTCの回路図

Feedback
Power Source
Gate Driver GDT
Logic Gate
74HC14
Interrupter
Primary
Half Bridge
Secondary
ANT
03

論理回路&ゲートドライバ　電源回路
GDT
ハーフブリッジ
04

稲妻が飛び出すので、二次コイル内での予期せぬ放電を防ぐのです。

　次にコイルの巻取り長（全長）、ワイヤーの太さ、直径を決めていきます。巻数は500〜2,000回になるようにエナメル線の太さを算出。太いワイヤーで巻くとQ値が上がって放電長が伸びますが、巻数が少なくなり、共振周波数が高くなります。試しながら適当な値を見つけて下さい。直径は大きいほどQ値を上げることができます。

　それぞれの数値が決まったら、そこからインダクタンスを計算しておきましょう。そして最後に、トロイドのキャパシタンスとコイルのインダクタンスから、共振周波数を算出します。これで設計は完了。あとは設計した通りにコイルを巻いて、共振周波数を測定し、計算した数値になっていればOKです[1]。

　完成したコイルはワイヤーが解けないように、ウレタンニスや、エポキシ接着剤などを塗って固定しておきます。また、二次コイルは回路図にある通り、GND側をアースに接続。地中に銅棒や銅板を埋めてそこに接続するのが理想ですが、家電のコンセントに付いているアース

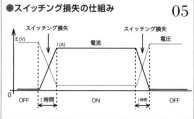

●スイッチング損失の仕組み　05

スイッチング損失　スイッチング損失
E(V)　I(A)　電流　電圧
OFF　ON　OFF
t時間　t時間

でも代用できます。

共振周波数の測定

　二次コイルが巻けたら、共振周波数を測定。一次コイルを適当に数回巻いて、信号発生器につなぎます。一次コイルに矩形波（正弦波でも可）を入力し、オシロスコープが信号を拾うように、二次コイルのトロイドにプローブを近づけます。オシロスコープに波形が映ったら、信号発生器の周波数を調整して波形の振幅が最大になる周波数を見つけて下さい。これが共振周波数です。

　この時、トロイドに人間が極力近づけずに作業することと、プローブをトロイドに近づけ過ぎないようにしましょう[2]。

トランジスタの選定

　SSTCにはMOSFETやIGBTといった、バイポーラトランジ

03：SSTCの回路は大まかに描くとこんな感じ。詳しい回路図は「Steve's High Voltage」（https://www.stevehv.4hv.org/）などで手に入る　04：一次回路を組み上げたところ。小型のSSTCは、一次回路もコンパクトに収まる　05：電力は電圧×電流なので、どちらかが0じゃないと電力が発生する。逃げ場を失った電力は熱として消費されてしまう

スタを使用します。これらのトランジスタは、ゲート－ソース（IGBTの場合は、ゲート－エミッタ）間に電圧をかけると、ドレイン－ソース間（コレクタ－エミッタ間）が導通します（以下ゲート＝G、ドレイン＝D、ソース＝Sとして表記）。この仕様によって、ゲートに電圧をかけることでON状態になるスイッチという使い方ができます。それゆえ、MOSFETやIGBTは、スイッチング素子とも呼ばれているのです。

　SSTCは、このスイッチング素子を高速でON/OFF（高速スイッチング）して、二次コイルの共振周波数の交流電流を発生させます。この共振周波数が高ければ高いほど、スイッチング速度の速いトランジスタを使わなければなりません。もしスイッチング速度の遅いトランジスタで半導体スイッチを高周波で

※1 「JAVATC」（http://www.classictesla.com/java/javatc/javatc.html）作ったコイルのデータを入力すると、自動でシミュレーションしてくれるので活用しよう。
※2　共振周波数は環境によって変わるほどシビア。また、プローブをトロイドに近づけ過ぎて放電してしまうと、オシロスコープの故障の原因になる。プローブは信号を拾う位置で動かないように固定するのがベストだ。

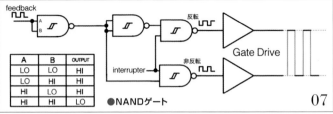

A	B	OUTPUT
LO	LO	HI
LO	HI	HI
HI	LO	HI
HI	HI	LO

●NANDゲート

06：CTはコア周りの磁界の変化を介して信号を伝達する。アンテナ法よりも安定しているが、正しく信号を拾うために良質なコアを使わなければならない。テスラコイルが動かなかった場合、GND線を通す向きや、1次コイルの向きを変更してみよう　07：シュミットトリガNAND回路を用いた、NANDゲートの例。左下はNANDの真理値表

行った場合、スイッチング損失が大きくなってしまいます。

さて、「スイッチング損失」とは何かについて少し補足しておきましょう。前述したように、MOSFETのゲートに電圧がかかると、D-S間が導通して電流が流れます。これがON状態です。この時、D-S間にかかる電圧は導通しているので0Vになります。そして、ゲートに電圧がかかっていない場合は、D-S間が導通していないので、電流は流れません（0A）。これがOFF状態です。このONからOFFに移行、もくはOFFからONに移行する際には、多少の時間がかかります。例えばOFFからONに移行する際、t時間かかるとしましょう。電流はt時間かけて0AからIAまで上昇していきます。その間、電圧はEVから0Vに下降していき…。t時間の間は電流も電圧も0ではないので、電力損失が発生します。これが、スイッチング損失です。大きなノイズや熱の発生につながるため、スイッチング損失はできるだけ小さくする必要があるのです。

スイッチング損失は次の式によって求められます。

$$P_{sw} = \frac{1}{6} I_{DMAX} V_{DSMAX} \times (T_R + T_F) \times f_{sw}$$

●**I DMAX**：ドレイン電流iDの最大値　●**V DSMAX**：ドレインソース間電圧VDSの最大値　●**TR**：MOSFETオン時の立ち上がり時間　●**TF**：MOSFETオフ時の立ち下がり時間　●**fsw**：スイッチング周波数

一般に、耐電圧・耐電流の高いスイッチング素子は、スイッチングが遅いです。強いスイッチング素子を使いたいなら、コイルの共振周波数を下げる必要があります。初めてテスラコイルを作るなら、大きい二次コイルを作って、共振周波数を極力低くして、強いIGBTモジュールを使うのが無難です。ちなみに私が作ったSSTCには、「HGTG30N60A」や「FGH40N60」を採用しました。

スイッチング素子の死亡

恐らく、初めてSSTCを製作するとなると、スイッチング素子の死は避けられません。素子が死亡する理由として、2つの理由が考えられます。

1つは回路のサージ電圧が、素子のD-Sの耐圧を超えてしまい、破壊されるパターン。この

場合、素子のモールドが爆ぜたり亀裂が入ったりするので、目視で確認できるほか、すべてのピンが導通します。テスターを使って導通してしまっていないか確認しましょう。この時、正しく素子の状態を測定するため、素子は必ず基板から外して下さい。対策方法は、ハーフブリッジのサージ電圧を抑えることです。詳しくは、後編のハーフブリッジの項で解説します。

2つ目は、ドレイン電流超過により、D-S間が導通してしまうというもの。テスターで測定して、D-S間のみ導通していたら、こちらのパターンだと思います。対策としては、素子の耐電流値が高いものを使う、もしくは素子を並列に接続するといったことが考えられます。並列に接続する際には、ゲート抵抗を1つにまとめてしまわないことや、素子の発熱、配線パターンによる浮遊インダクタンスに気を付けて下さい。

フィードバック信号

SSTCは、スイッチング素子をコイルの共振周波数で動作させなければなりません。それには、制御回路に直接共振周波数

Memo:	参考にしたサイト	●「ブログ｜上智大学エレクトロニクスラボ」https://selelab.hatenablog.com/entry/2018/09/22/015653
		●「DRYROOM」http://dry-room.net/doku.php?id=other:fet:fet_burned
		●「leneoceans Laboratories」https://www.loneoceans.com/labs/sstc2/

の信号を入力して素子を動かす方法もあります（他励式）。ですが、現在は二次コイルからの信号を拾って制御回路へ入力する自励式が主流です。自励式は、共振周波数を合わせる必要がなく、常に適切な信号が制御回路に入力されます。この信号を「フィードバック信号」と呼びます。

フィードバック信号を得るためには、主に2つの方式がとられています。1つはアンテナを使った方法。二次コイルから数cm離れた場所に、長さ15cm程度の垂直な金属のワイヤーを置きます。このワイヤーはアンテナとして機能し、二次コイルから発せられる電磁波を拾うわけです。使うのはワイヤーだけなので簡単ですが、アンテナの配置がやや難しく、動作が不安定というデメリットもあります。

もう1つは、二次コイルに流れる電流から、カレントトランス（電流を検知するトランス）を使用してフィードバックを取得する方法。小さなフェライトコアに30〜50回電線を巻き付け、2次コイルのGND線を1回通せばOKです。この方法はア

ンテナより信頼性が高く、ドライバー回路から壊れやすいワイヤーを突き出す必要がなくなるというメリットがあります。

フィードバック信号は「1N4148」などのダイオードによるクランプ回路によって、入力端子の電圧をGND（0V）〜5Vに制限した後、論理回路部に供給されます。

論理回路部

アンテナやCT（カレントトランス）で検知したフィードバック信号は、「74HC14」などのシュミットトリガNOT回路に入力され、きれいな信号になって出力されます。安定した動作を求めるのなら付けるべきですが、無くても一応動作するはずです。

また、「74LS132」などのシュミットトリガNAND回路を使えば、ゲートドライブICにイネーブルピンが無い場合でも、フィードバック信号をインタラプタ信号で変調できます。さらに、ゲートドライバに入力する信号の位相をここで反転と非反転に分けることで、ゲートドライブICが反転型ドライバ同士、非反

転型ドライバ同士でも、使えるようになります。

インタラプタ

インタラプタは、フィードバック信号を変調するために用いられる遮断機です。フィードバックされた信号は、絶えずゲートドライバに入力され続け、結果的にスイッチング素子を駆動し続けることになります。それでは素子に負担がかかり過ぎるので、インタラプタでフィードバック信号を定期的に遮断することで負担を抑えるのです。加えて、インタラプタの周波数は放電のON/OFFの制御でもあります。インタラプタ信号の周波数でON/OFFを繰り返すことで、放電は空気を振動させて、その周波数の音を発生させられます。

インタラプタをテスラコイルにつなぐ時は、出力が適切なパルス幅とパルス周波数になっているか確認して下さい。SSTCの場合、最初はパルス周期が0μ〜1,000μs程度で、デューティ比（＝パルス幅÷パルス周期）は10％以下でテストするのが適切です。

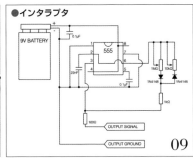
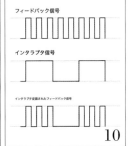

08:テスラコイルからのノイズによってインタラプタがバグる可能性があるので、アルミケースに入れたり、信号を光ファイバーでやり取りするとベターだ　09:タイマーIC「555」を1つだけ使ったインタラプタ。故障を防ぐために付けておこう　10:フィードバック信号とインタラプタ信号の関係。インタラプタから出力がある時だけ、フィードバック信号が出力されている

● 「TeslaCoilRu」 http://teslacoil.ru/
● 「電気カモメ.net」 https://kamomesan.hatenablog.jp/entry/2018/06/18/124156 …など

ゲートドライバ・GDT・ハーフブリッジ・一次コイル…
テスラコイル再入門[後編]

● text by Liar K

工作レベル ★★★★★

二次コイルや論理回路、インタラプタといった前編の製作ポイントを踏まえ、いよいよ仕上げ。電源回路や一次コイルを組み上げて、鮮やかな "ファーストライト" を観測しよう。

前編に引き続き、テスラコイル「SSTC（Solid State Tesla Coil）」を製作する上での基本を解説していきます。二次コイル、トランジスタ、共振周波数の測定、フィードバック、論理回路部、インタラプタの設計のポイントについては、116〜119ページをご確認下さい。

ゲートドライバ回路

論理回路部から出力された信号は、ゲートドライブICに入力されます。その信号を増幅し、スイッチング素子を駆動できるような信号に変換するのが、ゲートドライバの役割です。「UCC27425」を例に解説していきましょう。

UCC27425は、反転及び非反転型ドライバを1つの8ピンチップに組み合わせたゲートドライブICです。SSTCの回路では反転型と非反転型ICを1つずつ使ったものをよく見かけますが、ICを2つ使うと若干複雑な回路になります。そのため、小型のSSTCを作る場合は、反転型と非反転型が一緒に入ったICを使うのがベストです。ただし、供給電流が小さくなってしまう点は覚えておきましょう。

【03】の回路図にある通り、UCC27425は、6番ピンのVDD

01・02：二次コイルを共振させる周波数の電流をMOSFETやIGBTのスイッチングで発生させて、二次コイルの周りに数回巻いた一次コイルに流す。そして、二次コイルを共振変圧器として駆動することで、高電圧を得る仕組みだ

が電源入力ピンであり、その入力電圧がそのまま出力される電圧になります。そして、2と4にフィードバック信号が入力され、1と8にインタラプタ信号を入力。2番のピンにはNOT回路がつながっていて、フィードバック信号がLOの時、7番のピンから出力があります。HIの時は出力されません。5番ピンはその逆で、4番ピンがバッファにつながっているので、HIの時に出力し、LOの時は出力されません。【03】の左下のようなフィードバック信号が入力された場合、その信号のHIとLOに合わせて、7番ピンと5番ピンが交互に出力するので、フィー

ドバック信号と同じ周波数で、それより高い電圧・電流の信号が出力できるわけです。

そして、SSTCで用いるゲートドライブICは、大電流（1〜9A）が供給できるものでなくてはなりません。前編のトランジスタ選定の項で解説した通り、スイッチング素子はOFF-ON、ON-OFF時にある程度時間がかかります。これは、スイッチング素子のG-S間が絶縁されていることで、そこにコンデンサができてしまうためです。そのコンデンサが充放電されると、素子はOFF-ON、ON-OFFすることができますが、その充放電に時間がかかると、スイッチング

Memo: ※1 　例えば、Ferroxcube社の「3F35」「3F4」「3F45」や、Epcos社の「N30」「N45」「T57」「T38」あたりが利用できる。

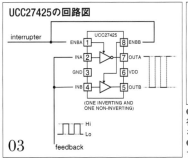

UCC27425の回路図

interrupter

ENBA	1		8	ENBB
INA	2		7	OUTA
GND	3		6	VDD
INB	4		5	OUTB

UCC27425

(ONE INVERTING AND ONE NON-INVERTING)

Hi
Lo

feedback

`03`

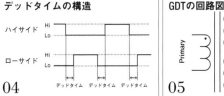

デッドタイムの構造

ハイサイド Hi / Lo

ローサイド Hi / Lo

デッドタイム　デッドタイム　デッドタイム

`04`

GDTの回路図

Primary　Secondary

`05`

03：「UCC27425」が1つあれば、ゲートドライバを作り上げることができる。初めてのSSTCには最適だ。その他、「MCP1407」「UCC27322」「IR4427」なども使える　04：素子の焼損を防ぐため、デッドタイムは3μs以上にする　05：二次側の片方の巻き始めを逆にすることで、信号を反転と非反転に分けハイサイドとローサイドの素子を交互に駆動できる

損失となります。そのため、電流をたくさん供給して、そのコンデンサを早く充電する必要があるのです。

デッドタイムとは？

「デッドタイム」は、ハイサイド（電源側）とローサイド（GND側）の素子がどちらともOFFの状態であることを指します。デッドタイムが短いとハイサイドとローサイドの素子がショートし（アーム短絡）、過電流で素子を焼損する可能性があります。従って、スイッチング素子のデッドタイムは、3μs以上にするよう推奨されているのです。

そしてデッドタイムは、論理回路部のNAND回路や、後述するGDTによって生成することができます。

GDTの設計

SSTCを動作させるためには、「GDT」を正しく設計しなければなりません。GDTはいわゆるパルストランスで、ゲートドライブICで増幅された信号を電気的に絶縁しつつ、スイッチング素子に伝達する役割があります。その他にも、GDTがトランスであることを利用し

入力された電圧を変圧し、ゲートを安全に駆動できる電圧に昇圧・降圧することも可能。さらには、フルブリッジまたはハーフブリッジ回路では、隣接するスイッチング素子を制御するために、逆位相の信号が必要になることがよくあるので、GDTを使用することで、信号の位相を簡単に反転できる。デッドタイムも勝手に確保してくれるのです。

GDTは回路図では【05】のように記され、コイルの間の二重線はコアを意味し、コイルに打ってあるドットが巻き始めを意味します。GDTの製作には、一般に被覆線とフェライトコアを使用し、そしてそのフェライトコアは良質なものを選ぶのがポイントです※1。

材料が揃ったら、コアに数回被覆線を巻いてテストしましょう。GDTに信号発生機で二次コイルの共振周波数と同じ周波数の矩形波を入力し、出力波形を観測。観測した波形に多少の乱れがあるにせよ、矩形波として出力されていればOKです。キレイな波形が出るように調節していきます。この時、結合係数を高くするため、コアに巻き付け

る電線はより合わせるのがコツ。結合係数を高くすることで、GDTの出力波形を乱す要因でもある漏れインダクタンスを低減できる。巻数を減らすことでも、漏れインダクタンスを防ぐことは可能ですが、巻数を減らし過ぎるとコアが飽和し、一次側から二次側へエネルギーが転送されなくなってしまうので、やり過ぎには気を付けて下さい。

なお、下記で示す数式を使うことで理想的な巻数を求められるので、試しに算出してみましょう（巻数の少数点以下は切り上げる）※2。

$$N \geq \frac{E \times T_{on}}{A_e \times \Delta B} \times 10^3$$

$$T_{on} = \frac{1}{2 \times \frac{f_r}{10}}$$

- **N**：巻数
- **E**：パルス電圧 [V]
- **Ton**：ON時間 [μs]
- **Ae**：コア断面積 [mm²]
- **ΔB**：飽和磁束密度 [mT]
- **fr**：共振周波数 [Hz]

ハーフブリッジの製作※3

123ページの写真【10】を見て

※2　パルス電圧とは、入力の一次側はゲートドライブICから出力される電圧、出力の二次側はスイッチング素子を駆動するためのゲート電圧だ。ゲート電圧は、大体±15V程度くらいが適当だ。また、飽和磁束密度は使用するコアのデータシートの「Fluxdensity」の項を参照しよう。フェライトコアの場合、300mT位の値になっているはずだ。　※3 ハーフブリッジは、スイッチング電源の方式の1つ。2個のTRを交互にONさせる。

06

06：筆者の作ったGDT。出力の巻数を増やしてゲート電圧を上げていく　07：GDTが用意できたらオシロスコープで出力波形を測定する　08：GDTに波形を入力した様子。上が入力、下が出力された波形となる　09：試しに、品質の悪いフェライトコアに波形を入力してみた。出力波形がキレイな矩形波にならず、こういったものは使用できない

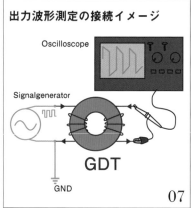

出力波形測定の接続イメージ

Oscilloscope

Signalgenerator

GDT

GND

07

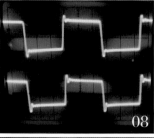

08

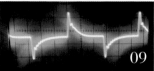

09

下さい。これは、私が最初に作ったハーフブリッジです。一見キレイですが、これでは浮遊インダクタンスが大きくなり、スイッチング素子OFF時にサージ電圧が発生してしまいます。サージ電圧の発生は、スイッチング素子の破壊に至らなくてもノイズ源になり、動作に悪影響を及ぼすのです。

浮遊インダクタンスは、回路図に現れないインダクタンスのことで、主に配線のインダクタンスを意味します。配線に使う電線も、巻数1のコイルなので、磁束が発生しインダクタンスを持っていることになります。なので、ハーフブリッジ部の浮遊インダクタンスを抑えるために配線パターンは最小にしなければなりません。可能なら、ユニバーサル基板よりも低インダクタンスの積層基板を使いましょう。空中配線や、両面ユニバーサル基板を使うのも手です。

また、サージ電圧から素子を保護する方法として2つ考えられます。1つ目は、スナバ回路を付けること。スナバ回路にはいろいろな種類があり、オススメはコンデンサのみを使った「Cスナバ回路」です。「RCスナバ回路」と「RCDスナバ回路」は、的確に設計しないとかえって素子を破壊しやすくしてしまうので避けましょう。Cスナバ回路の付け方は簡単で、ハイサイド側のドレイン（コレクタ）とローサイド側のソース（エミッタ）にコンデンサをつなぐだけ。テスラコイルの回路図には書かれていないことが多いのですが、付けておいた方が無難です。

2つ目の方法が、スイッチング素子のゲートにつなぐ抵抗を大きくすることで、サージ電圧を抑えるというもの。ゲート抵抗を大きくするとスイッチングスピードが遅くなり、スイッチング損失が増加してしまうので、サージ電圧を抑えつつも、スイッチング速度が低下し過ぎない適度な値を見つけて下さい。

一次コイル

一次コイルは、3〜10回巻かれたコイルを使用します。巻数が多いほど磁化電流が小さくなり、カップリングが高くなります。カップリングが高過ぎると、一次コイルと二次コイルの間や、二次コイルの内部でスパークしてしまうので、適当な巻数を見つけましょう。

また、スパークは一次コイルと二次コイルが近過ぎることでも発生するため、コイルとコイルの間には少なくとも1cmの隙間を空けたり、絶縁物を挟むなどの工夫が必要です。

コイルの素材にはQ値を上げるため、なるべく太くて電導性の良いものを選びます（14AWG以上）。必須ではありませんが、一次コイルと直列にDCブロッキングコンデンサを付けると、ブリッジ部の故障を防げるのでベターです。良質なメタライズドポリプロピレンコンデンサで、1〜6.8μFを利用できます。

整流回路を考慮

電源から供給された電流は、全波整流回路で直流電流に変換

Memo:

され、ハーフブリッジに入力されます。ハーフブリッジに供給する電圧が高ければ強い放電になるので、倍電圧整流してもいいでしょう。

電源部の設計

　安全のため電源部には、ヒューズ・ブレーカー・ポリスイッチなどを用いて、過電流が回路に流れ込まないようにします。中でもノイズフィルターは重要です。これが無いとノイズがコンセントに回り込んで、コンセントにつないでいる家電が故障する可能性があります。

　動作テストの際には、スライダックや降圧トランスなどでハーフブリッジへの入力電圧を下げたりして、電流が流れ過ぎないようにすること。また、ハーフブリッジに供給する電源とは別に、ロジックICやゲートドライバICなどに供給する電源が必要です。AC100Vをトランスで降圧した後、三端子レギュレータで安定化させて、欲しい電圧の電源を作りましょう。

動作テスト

　回路を組み終わったら、動作テストを行います。ハーフブリッジの入力電圧をスライダックで0Vにして、徐々に上げていきます。この時、スライダックが唸るなどの異常が起きたら、すぐに電源を切って、回路に不具合がないか確認して下さい。

　コイルから放電が起きれば、回路が正しく機能している指標となります。これを、テスラコイラーの間では「ファーストライト」と呼ぶようです。

応用編：DRSSTC化

　「DRSSTC（Double Resonant Solid State Tesla Coil）」は、二重共振半導体駆動テスラコイルという意味です。二次コイルと一次コイルの両方を共振させることで、一次コイルに供給される電圧が上がり、一次回路と二次コイルのインピーダンス整合が向上。一次コイルに流れる電流も数百～数千Aまで増加した結果、より激しい放電が発生するのです。

　SSTCからDRSSTCにグレードアップする方法はシンプルで、一次コイルと直列にコンデンサを付けるだけ。ただし共振させる必要があるので、一次コイルのインダクタンスを測定し、そのインダクタンスと二次コイルの共振周波数から共振コンデンサの容量を決定します。

共振コンデンサの耐圧は少なくとも5kVは必要らしいので、フィルムコンデンサを直列につなぎつつ耐圧を確保し、それを並列につないで共振に必要な容量を得ます。このコンデンサはESR（電極やリード線などによる電気抵抗）の値が低く、電流のよく流れる良質なものを使用する必要があります。CDE社の白コンなどがいいでしょう。

　共振周波数は環境によって変動する不安定なものなので、一次コイルと二次コイルの共振合わせを行う必要があります。そのために、一次コイルにつなぐ導線の位置を変えられるようにしておいて、その位置を変更することで一次コイルのインダクタンスを調整して共振周波数を合わせます。一次コイルになまし銅管を使用した場合、ヒューズホルダーを使うと便利です。

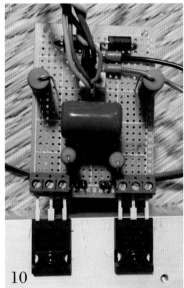

10：ハーフブリッジは、部品と部品をつなぐリード線をできるだけ短くするのがポイントだ　11：今回製作したSSTCで観測したファーストライト。うん、悪くない

参考にしたサイト　● 「Steve's High Voltage」 https://www.stevehv.4hv.org/
　　　　　　　　● 「Страничка эмбеддера」 https://bsvi.ru/raschet-i-primenenie-gdt
　　　　　　　　● 「Electrical Information」 https://detail-infomation.com/mosfet-switching-loss/

ブラックライトでブキミに光る…!
蛍光ガラスを簡易的に作る方法

● text by POKA

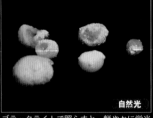

自然光

蛍光時

主な材料
● 無鉛フリット(500円程度)
● 耐火レンガ
● ウラン鉱石
● ユーロピウム試薬

ブラックライトで照らすと、鮮やかに蛍光する。ウラン入りの方は黄緑色、ユーロピウム入りの方はオレンジ色に!

フリットにウラン鉱石などの賦活物質を入れて混合する。少量からはじめるのがコツだ

試験管の底を使い耐火レンガに凹みをつけて、原料粉を入れる。穴からはみ出ない量にする

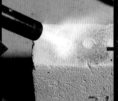

ガスバーナーで泡立たなくなるまで加熱。カセットガスタイプでOKだ

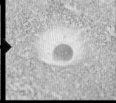

ガラス玉は耐火レンガに貼り付いている場合が多いので、冷めるまで放置しよう

　ガラスに極微量の賦活イオンを加えると、ブラックライトで光らせることができる。ウランとユーロピウムを例にして、蛍光ガラス玉を作ってみよう。

　ガラスを原料から調整すると大変なので、「フリット」という低融点の素材を使う。フリットはガラスを粉にしたようなもので、釉薬として用いられるため、陶芸用品店に行けば大体置いてあるはずだ。鉛入りとそうでない製品があるが、基本的に鉛は蛍光を阻害する場合が多いので鉛フリータイプを選ぼう。

　そして、高温を扱うので、熱に耐えられる耐火レンガが必要

になる。こちらも陶芸用品店で入手できる。その中から、柔らかい多孔質のものをチョイス。というのも、試験管の底などを押し付けて凹みを作るので、加工しやすいものがベターなのだ。

　続いて原料を用意しよう。今回は賦活物質として、ピッチブレンド(ウラン鉱石)とユーロピウム試薬を使う。ガラスフリットに入れ、よく混合したものを原料粉とする。賦活物質は、全量の1%以下の少量でも蛍光を確認できる。多過ぎると蛍光が弱くなる場合があるので、少なめからテストしていこう。

　耐火レンガの凹みに原料粉を

盛るのだが、その際に凹み穴からはみ出ない程度の量にすること。盛り過ぎるとキレイな玉状にならない。

　これをガスバーナーで加熱していく。強熱するとガラスフリットの成分が発泡して泡立つので、この泡が発生しなくなり、小さな玉状になってきたら加熱をストップする。

　小さな玉状態を確認したら触れるくらいになるまで、このまま自然に冷却する。あとはこれをブラックライトで照らしてみよう。ウラン特有の黄緑色と、ユーロピウム特有のオレンジ色に蛍光するはずだ。

Memo

Chapter.04
3Dプリンター実践学

家庭用機も今じゃこんなに進化した!
最新3Dプリンターの基礎知識

● text by yasu

工作レベル ★★☆☆☆

家庭用の3Dプリンターは性能が大幅に向上し、ものづくりに革命をもたらす、まさしく魔法の機械となった。魅力と活用法を存分に本章で紹介していくが、その前に基本を押さえておこう。

3Dプリンターの家庭用機がリリースされ始めたのは、2010年頃。当時の製品は革命をもたらせるほどのクオリティではありませんでしたが、それは過去の話です。今では3万円以下の3Dプリンターでさえ、30分で組み立てられて、10分で調整し、フィラメントを装填すれば誰でも失敗せずにプリントできます。ソフトも充実していて、モデリングのための3D CADやCAMは無償で手に入り、世界中にいるユーザーがアップロードするチュートリアルをググればトラブルは即解消! 時代は完全に変わったのです。

除去加工と付加加工

まずは、3Dプリンターの加工技術について簡単に説明しましょう。従来の工作機械が、ドリルなどの切削工具で素材を除去して目的形状を得る「除去加工」なのに対して、3Dプリンターはフィラメントやパウダーなどの素材を結合させて立体構造物を得る「付加加工」に分類されます。近年では、さまざまな方式の3Dプリンティングを総括して

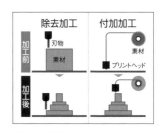

AM（AdditiveManufacturing）とも呼称されています。この特徴に起因して、今までの除去加工ではなし得なかった、あらゆる製造上のメリットが生まれ、3Dプリント技術は産業界から熱烈な注目を浴びているのです。

基本編 プリント方式は主に3種類

プリント方式❶ 熱溶解積層方式 (FDM：Fused Deposition Modeling)

3Dプリントの方式はいくつかあり、家庭用機として最も普及しているのがこちら。素材となる樹脂フィラメントがプリントヘッドに送り込まれ、ヘッド内部のヒーターで昇温。溶けたフィラメントはノズルから押し出され、あとはケーキにホイップクリームを乗せていく要領で、任意の形状を積層によって出力します。

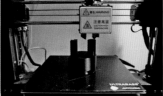

愛用の「Anycubic i3 Mega」。Amazonでは30,000円程度で購入可能。出力サイズは210W×205H×210Dmm

利点

造形サイズが大きく取れること。そして、プリントスピードを高速に設定できるのが特徴です。フィラメント素材も豊富で、基本のPLA（ポリ乳酸）から、ABS、PETGまたポリカなどが選べます。機能性フィラメントもいろいろあり、炭素粉を混入した高強度フィラメントや金属粉を80%混入したものな

ど多種多様です。出力後の後処理が特に不要で、プリント完了後は造形物をプリントヘッドから剥がすだけでOK。造形スピードと相まって、高速で試作サイクルを回したい時に大活躍します。

欠点

ラフで高速な造形を得意とする反面、積層跡が表面に残ってしまい、精密な造形は不得意です。

プリント方式❷　　　光造形方式　　　（DLP：Digital Light Processing）

底部に紫外線を発する液晶ディスプレイを持つバットがあり、そこにリキッド状の紫外線硬化樹脂を注ぎ、底部近傍までプラットフォームを降ろします。そして、液晶ディスプレイに任意形状の図形を

光造形方式を採用した「Anycubic Photon」。実勢価格は30,000円程度。造形サイズは65W×165H×115Dmm

出力し、樹脂に対して紫外線を照射すると、その形状で樹脂が硬化してプラットフォームに定着。あとはプラットフォームを引き上げつつ、一層一層樹脂が硬化されて任意の形状を積層によって出力できるという仕組みです。

利点

液晶ディスプレイと同等の高解像度で造形できるため、非常に微細で滑らかな高精度プリントが可能。層同士は完全に密着するため、構造に異方性がなく、気密性のある部品も出力できます。精密な機械部品を作ったり、フィギュアの造形にはもってこいの造形方法です。

欠点

最大の難点は造形の煩雑さ。バットから引き上げた造形物はリキッドが付着しているので、そのままでは使用できません。アルコール洗浄を行ったり、二次硬化処理として適切に紫外線を照射する必要があります。また、造形スピードは遅く、FDMと比べると強度も劣ります。

プリント方式❸　　　レーザー溶融方式　　　（SLM：Selective Lase Melting）

金属の造形物が出力できる最強の3Dプリンター。原理は光造形方式と近く、金属粉末を薄く敷き詰めたベッドに高出力レーザーを照射して部分溶解させ、このレーザーを走査することで任意断面を溶融・結合させます。そして、その層の上に再び金属粉末を敷き詰めてレーザー走査を繰り返すことで、任意形状の金属部品を出力できるのです。

利点

従来の製造技術の常識を根底から覆すポテンシャルを持っています。使用できる金属は多種にわたり、アルミやステンレスはもちろん、通常の除去加工が難しいチタンやインコネルも容易に複雑形状を作り出せます。高い強度と耐熱性から、航空宇宙用の流体部品などとの相性は抜群。実際に3Dプリンターの技術を先導するのは航空宇宙企業で、ロケットエンジン部品やガスタービンエンジンのブレードなどに、3Dプリント品が適用されつつあります。

欠点

夢のような3Dプリンターですが、現在は到底手の届かない超高価格かつ大型な企業用工作機械の段階にあり、家庭用は存在しません。しかし今後、

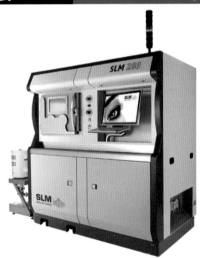

最も知名度が高い機種が、ドイツSLM Solution社の「SLM」シリーズ。数千万〜数億円オーダーの、完全な業務用だ

爆発的に普及することが約束された装置なので、そう遠くない未来に手に入れられるかも…?

　ここからはより具体的に理解を深めてもらうべく、実例をお見せしたいと思います。

　3Dプリントの工程は、右のフローにもある通り。アイデアスケッチに基づいて3D CADでモデルを作り、「スライサー」と呼ばれるソフトウエアを用いて3Dモデルを元にプリンターを駆動するためのプログラムを作成。こうして作ったプログラムを3Dプリンターで出力し、最終的に必要な機械加工を施して完成！という流れです。

　ポイントは、出力結果を踏まえたフィードバックが必要だということ。3Dプリンターの技術が進歩したとはいえ、CADの寸法通りの形状が一発で出力できることはまずありません。どんな機械にも特性があり、それを理解した上で目的の形状を得るための設定が必要です。出力品の寸法・強度・機能を確認し、必要ならスライサー設定やモデリングに立ち返って、適切な出力結果が得られるよう微修正をしていきます。

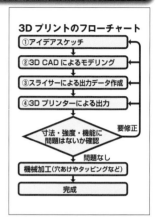

3D プリントのフローチャート

① アイデアスケッチ
↓
② 3D CAD によるモデリング
↓
③ スライサーによる出力データ作成
↓
④ 3D プリンターによる出力
↓
寸法・強度・機能に　　要修正
問題はないか確認
↓ 問題なし
機械加工(穴あけやタッピングなど)
↓
完成

STEP❶　アイデアスケッチ

　ここからは、「パイプ曲げ治具」の製作を例に、3Dプリンターの基本的な作業工程を追っていきます。蒸気冷却用チラーを製作する場合、なまし銅管を巻いてコイルを作るのですが、手作業できれいに曲げるのは至難の業。そこで、3Dプリンターで専用の治具を作り、高精度な曲げ加工を目指します。まずはアイデアスケッチから。最終的なコイル形状を得るために必要な構造を、作業性を考えつつ絵に描き起こします。

アイデアをスケッチにするのが1番楽しいかも

STEP❷　3D CADによるモデリング

　CADソフトウエアはいろいろありますが、最もメジャーなのは、Autodesk社の「Fusion360」。なんと、個人利用及びスタートアップ企業であれば無償で利用できるのです。無償といえど、その機能は設計業で使用される数百万円クラスの3D CADに匹敵します！　そしてユーザーが多いため、ネット上には数多くの解説記事や動画が日々アップされており、ググれば大体のトラブルは解決可能。これぞまさに時代の変化ですね。

FUSION360
https://www.autodesk.co.jp/products/fusion-360/

左の画像が全体像(使い方は後述)。部品の一部には、右図のようにサポート材をモデリングすることもある。これは、FDM方式のプリンタの機能上、浮いた箇所に樹脂を積層することができないためだ。基本的にはSTEP③のスライサーが自動でサポート材のレイアウトをしてくれるが、狙った通りにならない場合は自分でモデリングしよう

Memo:

STEP❸ スライサーによる出力データ作成

　モデルができたら「STLファイル」というポリゴン形式でデータを出力し、スライサーに読み込ませます。3Dプリントの品質と速度は、このスライサー設定がすべて。例えばInfill Densityという値を調整することで内部のプリント密度を調整でき、20％程度まで落とすことで必要な強度は残しつつ、出力時間と素材使用量の削減が可能になります。他にも、積層の厚さ、ノズルの温度、ヘッドの移動速度、外周部の厚み、造形サポートの付与など、事細かにパラメータが用意されており、これらをいかに調整するかが3Dプリンティングの肝なのです。

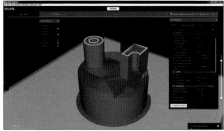

Cura　https://ultimaker.com/software/ultimaker-cura
スライサーも基本的には無償で利用可能で、ここではUltimaker社の「Cura」を使っている

STEP❹ 3Dプリンターによる出力

　スライサーで作った出力プログラムをUSBメモリやSDカードにコピーし、3Dプリンターに入力して出力します。基本的にプリンター側で設定をいじる余地はなく、スライサーの設定ですべてが決まります。今回のモデルの場合、プリントは1時間程度で完了しました。頭に描いた形がそのまま眼前に立体として出力される様子は見ていて飽きません。

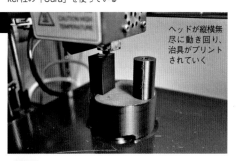

ヘッドが縦横無尽に動き回り、治具がプリントされていく

3Dプリンター製のパイプ曲げ治具が完成

治具の使い方。まず、なまし銅管を1m程度に切断し、治具内部に挿入。反対側に向け、ガイドに沿って丁寧にパイプを曲げていく。この見事な曲率変化は治具なしでは実現不可能なもの。巻き終わったらコイルを引き抜くと、美麗なチラーの完成だ。量産も可能

世界に1つしかないコイル曲げ治具が完成！

　1時間のプリントの末に完成したパイプ曲げ治具の表面は、非常に滑らかで強度も十分です。この形状を切削で作ろうとなると途方も無い工数がかかることは想像に難くなく、まさに3Dプリントが為せる技といえます。

　しかし当然、この形状に至るまではいくつものトライ・アンド・エラーがありました。例えば穴径が小さ過ぎて銅管が入らない、曲率がきつ過ぎて管がきれいに曲がらないなど、その都度モデルやスライサー設定を調整し、ようやくこの形に辿り着いたのです。

　完成したパイプ曲げ治具を実際に使ってみると、ガイドに沿って見事に湾曲し、美麗なチラーが完成！　この高精度な三次元形状を個人で作る術はそうそう無く、まさに3Dプリントがもたらしたものづくり革命の一端といえるでしょう。

家庭用3Dプリンターで3MPaに耐えられる部品を作る!
耐圧3Dプリントの極意

● text by yasu

工作レベル ★★★☆☆

家庭用3Dプリンターの定番である熱融解層方式(FDM方式)。この方式を極めると、高圧にも耐えうるパーツを出力できることが分かった。このノウハウを応用すれば…!?

126〜129ページでは3Dプリンターを用いた出力の基本として、パイプ曲げ治具の製作工程を紹介しましたが、ここからはいよいよ禁断のエリアへ突入。耐圧パーツを作ります。

正直なところ、私が3Dプリンターを購入した当初は、「せいぜい治具やエグゾーストキャノンのグリップや外装に使えればいいな」程度に考えていて、圧縮空気や水などの高圧流体を扱う耐圧部品の出力は不可能だと思っていました。というのも、家庭用3Dプリンターの定番方式である熱溶解層方式(FDM方式)の最大のデメリットに、強度異方性(力がかかる方向によって強度にバラツキがある)があるとされていたからです。これは積層間の完璧な密着を得るのが難しいといった特性に基づくもの。通常の設定で出力した部品の内部に高圧流体を導入すると、積層のわずかな隙間から流体が漏れてしまい、耐圧部品として使い物になりません。

しかしこの常識は、とある記事に出会ったことで完全に覆されました。「FennecLabs」というサイトに掲載されていたのは、「FDM方式の3Dプリンターで光学レンズを出力しよう」というプロジェクトです。通常の

溶けたフィラメントがノズルから押し出されて、任意の形状を積層によって出力する、熱溶解積層法。3万円程度の家庭用機でも、設定次第では耐圧仕様で出力できる

設定では透明なフィラメントを使用しても積層間に細かな空隙ができてしまい、その空隙によって光が乱反射。出力されたレンズは白く濁ってしまうのだそうです。そのため、透明なレンズを出力するには、出力される樹脂の層同士を完璧に密着させる必要があるとのこと。この「層間の完璧な密着」という条件は、耐圧部品のプリントに必要な条件と一致しています。つまり、このレンズ出力のためのノウハウは、耐圧部品の出力にそのまま流用できるのです!

その記事によると、ポイントは以下の4点。

● 出力スピードは極力遅くする
● 積層厚は極力薄くする
● ノズル温度は極力高くする

● 樹脂の吐出量は標準より多くする

ノズル温度を高め、一方でノズルの移動速度を小さく設定。さらに、下層とノズルの距離を近づけることで、既にプリントした下層の樹脂を強く加熱し、再溶融させることができます。その上に同じく溶融した新しい樹脂を積み重ねていくことで、層と層は完全に一体となり、また樹脂の吐出量も標準よりも増やすことで、発生しうる細かな空隙もしっかり埋めることができます。通常のプリント設定が各層の表面同士を張り合わせる「ハンダ付け」だとしたら、この改良設定は強力な「溶接」と形容でき、そうして得られた出力品は射出成形された緻密な樹脂部

Memo:

品と何ら差はありません。強度異方性は大幅に改善され、何よりリークが生じない耐圧部品が出力できるというわけなのです。

耐圧3Dプリント設定法

「FennecLabs」の記事を参考にし、筆者が普段使用しているPLA（ポリ乳酸）フィラメントに特化して3Dプリントのパラメータを調整していきました。試行錯誤の末、得られたパラメータは下記の通りです。ちなみに、各パラメータの名称は、筆者の使用しているスライサー「CURA」に準拠しています。異なるスライサーにも相応のパラメータが用意されているはずなので、手持ちのスライサーに合わせて各自読み替えて設定してみて下さい。

　この技術の応用により、誰でもFDM式3Dプリンターで複雑な流体部品を簡単に、そして安価に作れるようになります。従

FennecLabs：3D Printing Transparent Parts Using FDM/FFF Printer
http://fenneclabs.net/index.php/2018/12/09/3d-printing-transparent-parts-using-fdm-fff-printer/
3Dプリンターによる光学レンズの出力方法が、耐圧プリントのヒントになった

来、耐圧部品が作れる3Dプリンターは金属3Dプリンターくらいであって、民生品は存在しないといっても過言ではありませんでした。まさに革命の到来です。エグゾーストキャノンも3Dプリンターで作れますし、その上、3Dプリンターならで

はの付加加工を活かして、全く新しい複雑なバルブ機構も構築可能になります。

　ということで、132ページからは、「3万円の3Dプリンターで3MPa耐圧」という、恐ろしくも素晴らしい実績をお見せしましょう。

■PLAに特化した耐圧3Dプリントの設定

Layer Height：0.05〜0.15mm
経験上、0.15mmでも問題ないが、高圧を想定するなら薄い方がベターだろう。

Wall Line Count：5 mm程度のシェルが得られるレイヤー数
このシェルが緻密な耐圧部となるため、十分な肉厚が得られるよう、適切にシェル数を設定する。ここさえ適切に設定してしまえば、Infillの充填率は下げてもよく、効率的なプリントが達成できる。

Printing Temperature：220〜230℃
下層の再溶融を達成するため、PLAの推奨温度レンジの中でも高めを設定する。

Flow：108%
緻密な耐圧層を形成するため、通常よりも多くのフィラメントを吐出する。

Print Speed：30 mm/s
ノズルから下層へ熱を伝えて再溶融を達成するために、極力遅い速度を選ぶ。ただし、経験上60mm/s程度の比較的高速でも問題なく耐圧プリントは達成できている。慎重にいきたい時は、さらに低速を選択する方がよいだろう。

無料のスライサーソフト「CURA」
https://ultimaker.com/ja/software/ultimaker-cura

実践編　耐圧仕様の管用継手の製作

STEP① モデリング

　耐圧プリントの実力を測るために最もシンプルな耐圧部品である、管用雌ネジを設けた継手を3Dプリンターで作ってみます。

　まずは、3DCADソフトの「Fusion360」を使い、一片13mmの長方形を用意。内部に穴を設けた上で、「ねじツール」でネジ山を作っておきます。

01：「Fusion360」を使い、5分程度でモデリング　02：設定の「モデル化」を選択することで、簡単に規格ネジのモデリングができる

STEP② スライス

　モデル完成後に出力したSTLファイルを元に、スライスを行います。131ページの「耐圧3Dプリント設定」にある通り、Layer Height、Wall Line Count、Printing Temperature、Flow、Print Speedの5項目を設定。低速かつ積層ピッチが薄いため、出力に要する時間は遅くなります。

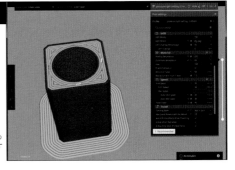

「CURA」を用いてスライス。各層がしっかりと溶接されるよう設定する。これがすべての肝となるので間違いがないように

STEP③ 3Dプリント

　作成したデータを3Dプリンターに読み込ませて印刷します。プリンターは家庭用のAnyCubic「i3 Mega」、フィラメントはPLAを使用しました。

　出力完了後の表面を観察すると、樹脂同士がしっかり溶け合っている様子がよく分かるでしょう。このような「溶接」がすべての層同士に対して行われるため、流体的にタイトであるのはもちろんのこと、強度異方性も大幅に改善していると考えられます。

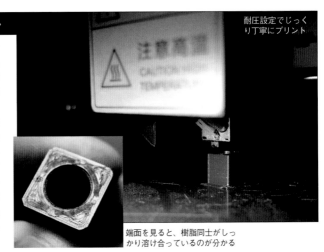

耐圧設定でじっくり丁寧にプリント

端面を見ると、樹脂同士がしっかり溶け合っているのが分かる

Memo:

STEP❹ 後加工（タッピング）

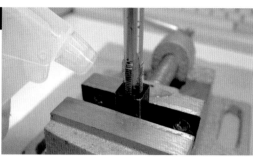

1/8管用ネジのPTタップ（右）と、PSタップ（左）を用意

PLAは熱が加わるとすぐに軟化するため、切削液で潤滑冷却しながら切り込んでいくのがコツ。ここではエタノール水溶液を切削液として使用することで、きれいな加工面が得られた

出力後の後加工として、タップで1/8の管用雌ネジを立てていきます。モデリングでも雌ネジを形成しましたが、雌ネジはプリント後に縮小する傾向があり、基本的にそのままでは使えません。ではなぜモデリングを行うのかというと、タップ立てのガイドにするためです。3Dプリントした雌ネジをガイドにしてタップを立てていくと、タップは自然と垂直になり、簡単に完璧な雌ネジが作れるのです。

タッピングはPT（テーパ）タップと、PS（ストレート）タップの両方を持っておくと便利。PTタップは先端径が細いので、ラフにプリントした雌ネジの入り口を整えるのに使い、最後にPSタップで最終形状を得るという役割分担です。

完成! そして驚異の耐圧試験の結果…

最後に耐圧試験を行います。今回は1MPa以下を使用圧力と想定し、その2倍の2MPaに耐えれば合格とします。爆発防止のために、継手本体と接続チューブ内部にはあらかじめ水を満たしておき、念のため、継手自体も水を満たした水筒内部に沈めておきます。

準備が整ったらチューブに多段高圧フロアポンプを接続し、慎重に加圧していきます。すると1MPaは容易に超え、目標の2MPaに到達! そのまましばらく放置しても圧力の低下はなく、耐圧試験は合格です。

ここから先はExtraステージ。さらに圧力を上げていくと、3MPaでも破損やリークが生じないことが確かめられました。

➡バリを除去して、シールテープを巻いたワンタッチ継手をねじ込めば完成。設計着手からここまで、かかった時間はわずか1.5時間程度だ

⬆➡耐圧試験のセットアップ。驚異の3MPa（30気圧）をマークした

さすがに常用するのははばかられますが、それでもパルス的ならば3MPaに耐えられるのは驚くべき性能です。これは「すべての樹脂レイヤーを溶接しながら積層する」ことで得られた、緻密かつ強固な組成がもたらしたものに他ならないでしょう。

オリジナルの器具を3Dプリントで生み出す!
水流式真空ポンプの製作

● text by yasu

工作レベル ★★★☆☆

高耐圧を実現した耐圧3Dプリントを活用して、流水式の真空ポンプを自作。機械工作では手間と時間のかかる複雑な形状のアスピレータも、3Dプリンターなら一発で出力できる。

130〜133ページでは、家庭用の3Dプリンターで耐圧性を有する機械部品を出力する禁断の術「耐圧3Dプリント」の極意を紹介しました。耐圧3Dプリントで製作した継手は、3MPaもの高圧に耐えることができましたが、ならばその逆もまた然り。耐圧3Dプリント品は真空に対しても耐リーク性能を有しています。そこで筆者が試作してみたのが、水流式真空ポンプ「アスピレータ」です。

アスピレータとは、「ベンチュリ効果」を利用して真空を生み出す最もシンプルな構造の真空ポンプです。特殊な形状をしたT字継手のようなもので、一切の駆動部が存在しないロバストな構造が特徴です。具体的な製作に入る前に、その原理を流体力学的な観点から押さえておきましょう。

3Dプリンターで印刷中の、アスピレータ部品。小さい部品だが密度が高いので、プリント時間は2時間ほどかかる

ベルヌーイの式とは?

アスピレータの原理を理解する上で必須となるのが、次に示す「ベルヌーイの式」です。

$$\frac{1}{2}\rho v^2 + P + \rho gz = \text{constant}$$

ρ [kg/m³]は流体の密度、v [m/s]は流速、P [Pa]は流体の圧力、g [m/s²]は重力加速度、z

[m]は基準位置からの高さを表しています。ベルヌーイの式は高校の物理で学習した、ある質点の運動エネルギーと位置エネルギーの和が一定であるという、エネルギー保存の式を流体に当てはめたものです。第1項は流体の運動エネルギー、第3項が位置エネルギーに相当し、第2項はそれらに加えて流体の持つ圧力エネルギーを表しています。これらの和が流体の持つエネルギーであり、それは同一流線上で常に一定（Constant）となることを、ベルヌーイの式は表しているのです。

$$\frac{1}{2}\rho v^2 + P = \text{constant}$$

第1項の運動エネルギーと第2項の圧力エネルギーに着目すると、流体の流速が遅くなれば、その代わりに流体の圧力は上昇し、一方で流速が速くなれば流体の圧力がその分下がることが分かります。そう、この関係はこそ冒頭で述べたベンチュリ効果と呼ばれるものです。

では、流速を変化させるにはどうすればよいか。方法はシンプルで、流路の断面積を変えればいいのです。例えば庭の草木にホースで水を撒く際、ホースの先端を指で押しつぶすと遠くまで水が飛んでいきますが、これと全く同じ原理です。

ここでベルヌーイの式から分かる通り、縮流部では流速が速

Memo:

いため流体の圧力は低下することになります。断面積を絞っていくと、やがて縮流部の圧力は大気圧をも下回ります。

では、この縮流部に側面から穴をあけたら一体どうなるでしょうか？　そう、縮流部は真空状態にあるため、穴を介してどんどん空気を吸い込んでいくのです…!!【02】

以上の、断面積縮小→流速増大→圧力効果→空気吸入という一連の現象こそ、先述の「アスピレータ」とう真空ポンプの原理というわけです。

アスピレータの構造と原理

アスピレータの図【02】を見てみると、前述の模式図そのままの構造であることが分かります。要するに、1.ノズルで高速の水の流れを作り、2.最高速部で生まれた真空に対し、3.チューブをつないで外部流体を吸引することで、真空ポンプを構成しているのです。

このアスピレータには、下記のようなメリットがあります。
- 構造が極めて単純でメンテナンスフリー
- 電源が不要で、水道の水さえあれば比較的高い真空度が得られる
- 空気でも水でも、さらには固体粒子も吸入できる

アスピレーターを一言でいうと、「水道さえあれば動作するシンプル剛健な真空ポンプ」です。しかし真空ポンプとしての性能は十分高く、作動流体として20℃の水を使用した場合は、理論上約0.02気圧までの減圧が可能！　これは、この圧力に

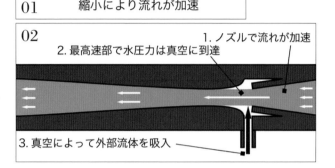

01：ベンチュリ効果の模式図。断面積を狭めると圧力差が生じる
02：アスピレータの模式図。ベンチュリ効果によって圧力が低下することで、外部流体を取り込む

01
2. 流速増大により流体圧力降下
1. 断面積の縮小により流れが加速

02
1. ノズルで流れが加速
2. 最高速部で水圧力は真空に到達
3. 真空によって外部流体を吸入

到達すると真空を生み出すために流している水自身が減圧沸騰を起こし、水蒸気が発生してしまうためです。とはいえ、例えばレジンの脱泡や減圧蒸留、吸引濾過などの用途においては十分過ぎるスペックで、1つ持っていると何かと重宝します。

アスピレータを製作

このアスピレータは、2,500円ほどでフツーに市販されています。しかし、市販品にはインターフェースの貧弱さという欠点があるのです。代表的な金属製アスピレータの水ポートと真空ポートは、ともに不便なタケノコ継手というのが本当にいただけません…。規格の配管部品が直接アスピレータに接続できれば…と筆者は長年考えていま

したが、そんな時こそ3Dプリンターの出番です！

ということで、自分専用のアスピレータを「Fusion360」でモデリングしてみました。【05】の画像にある通り、アスピレータに対して水ポートには1/4管用メスネジ、真空ポートには1/8管用メスネジを設けています。ここに種々の継手を取り付けることで、取り回しの良いアスピレータを構築。また、流水部へ極力滑らかなRを付与することで流れの剥離を防止し、効率の良い排気を狙いました。さらに、3Dプリンターで出力するという都合上、ノズル下部にはサポートを設け、プリント中のダレを防止します。

このような機能性に特化した柔軟な設計は、3Dプリンター

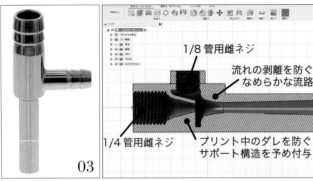

1/8 管用雌ネジ

流れの剥離を防ぐ
なめらかな流路

1/4 管用雌ネジ

プリント中のダレを防ぐ
サポート構造を予め付与

03

04

03：市販されている金属製の
アスピレータは、タケノコ継手
なのが欠点
04・05：イチから書き起こし
たアスピレータの3Dモデル。
せっかくなので自分仕様にカス
タム！　タケノコ継手ではなく
雌ネジにした
06：3Dプリント中。実に複雑
な内部構造で、機械工作で作る
のは大変だ。3Dプリンターな
らではの設計といえる

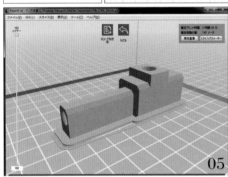

05

06

だからこそなせるもので、これ
を機械加工で作ろうとすると、
部品を複数に分割したり、テー
パ加工を行ったりと、膨大な時
間と手間がかかることは想像に
難くありません。

　3Dプリンターでの出力の様
子を覗いてみると、この複雑な
形状は3Dプリンターならでは
だと改めて感じます。プリント
は2時間ほどで完了。層間を強
力かつ緻密に溶接していく耐圧
3Dプリント設定を適用し、タ
イトな仕上がりとなりました。

タッピングを施して完成

　プリントであらかじめ設けて
おいた雌ネジに対して、管用タ
ップを立てていきます。切り込

む際は適切な切削液を使って、
冷却と潤滑を怠らないのがポイ
ントです。さもなくば、切り込
み時の熱で樹脂が軟化、タップ
に絡みついてきれいな仕上がり
は得られません。今回は、アル
コールスプレーを切削液として
使用しました。

　タッピングが終われば、アス
ピレータの完成です。水ポート
にはΦ10チューブ用ワンタッ
チ継手を、また真空ポートには
Φ6チューブ用の逆止弁を取り
付けています。この逆止弁はア
スピレータから真空ラインへの
水の逆流を防止するために設け
ており、これが無いとアスピレ
ータへ水の供給を止めた際、ア
スピレータ内部に残留している

水が真空容器内部に逆流してし
まいます。

　あとは水道に接続すれば駆動
させられるのですが、先端から
吹き出すウォータージェットの
勢いがなかなか激しく、そのま
まだと水がはねたりして扱いづ
らいことが判明。そこで、専用
のケーシングを作ることにしま
した。写真のようにガラス製保
存瓶のフタに4か所穴をあけ、
うち1つにアスピレータを、も
う1つに隔壁継手を設け、真空
ラインを接続しています。フタ
を閉めれば完成です。アスピレ
ータにはシャワーのホースを接
続し、もう片方の隔壁継手に被
減圧容器を接続すれば準備OK。
水を送り込めば真空が発生し、

Memo:

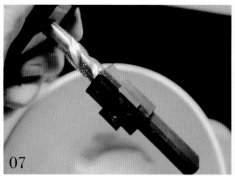

水は保存容器内部で減速してフタに設けた穴から穏やかにオーバーフローする構造です。

いざ真空実験!

早速真空度の測定を行いました。水温を最低に設定しバルブを全開にすると、圧力計の針は一気に回転します。値は−0.095MPa、絶対圧に直せば0.062気圧。文句なしの素晴らしい性能です! 供給水温を下げればまだまだ真空度は上がるでしょう。排気速度も申し分なしで、簡単な実験を補助するには十分な性能といえます。

ということで、3Dプリンターを活用して高性能な自分仕様のアスピレータユニットも自作することができました。今回のア

07：プリントが完了したらタッピングでネジを作る。熱で樹脂が軟化してしまうため、切削液を利用すること　08：オリジナルのアスピレータの完成　09：穴をあけた保存容器にアスピレータを固定する　10：フタを閉めればコンパクトなアスピレータユニットが完成。シンクの中で使おう　11：圧力は−0.095MPaにまで到達。素晴らしい排気性能だ!

スピレータは、リークタイトな耐圧プリント&3Dプリントならではの柔軟な設計が合わさった好例ではないかと思います。アスピレータ内部の流路構造を工夫すれば、任意の場所から配管を引き回すことも可能です。また、アスピレータの流路構造を筐体内部で並列化し、大流量化を図るのもアリでしょう。流体機械と3Dプリントの相性の良さ、これでお分かりいただけたでしょうか…?

自作のビールを自作のサーバーでサーブする！
3Dプリンター製ビールサーバー

● text by yasu

工作レベル ★★★☆☆

3Dプリンターを駆使して、2種類のビールをサービングできる空冷式ビールサーバーを構築した。
これを使って注ぐのは自作のビール。あああ──ウマいぃ、悪魔的だよぉー、これは…！

皆さん、ビールは好きですか？私は大好きです。実は日本でもアルコール度数1％未満であれば製造免許なしでもビールの醸造は法的に認められており、近年始めた筆者のライフワークのうちの一つがこの自家醸造。自分で作ったビールをビールサーバーからサーブして飲めたら最高ですよね。そこで、耐圧3Dプリントの技法を応用して、小型のポータブルビールサーバーを自作してみました。

自作ビールサーバーが演出する、最高の時間

空冷式ビールサーバーの構造

ビールサーバーと聞いて多くの人が思い浮かべるのは、居酒屋に置いてある生ビールサーバーでしょう。業界的には「ビアディスペンサー」と呼ばれ、ビールを注ぐための蛇口（タップ）

とビールを瞬間的に冷却するための熱交換器が組み込まれています。そこに炭酸ガスボンベをつなげたビール樽を接続し、樽内部を二酸化炭素で加圧してビールをディスペンサーに圧送することで、熱交換器でキンキン

に冷却されたビールがタップから出てくるというわけです。このような「冷却機能」を有するサーバーは「瞬冷式ビールサーバー」と呼ばれ、いろいろあるサーバーの中でもデラックスな位置付けになっています。

瞬冷式ビールサーバー

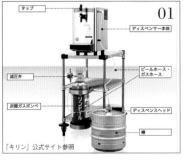

01

タップ
ディスペンサー本体
減圧弁
ビールホース・ガスホース
炭酸ガスボンベ
ディスペンスヘッド
樽

「キリン」公式サイト参照

居酒屋でよく見かける、瞬冷式ビールサーバー。ビール樽は常温で外に放置されるが、熱交換器でキンキンに冷却されたビールがサーブできる

空冷式ビールサーバー

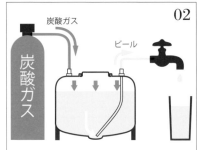

02

炭酸ガス
ビール
炭酸ガス

今回採用したのが、この空冷式ビールサーバーシステム。炭酸ガスボンベ・ビール樽・タップの3つから構成される

Memo: 画像出典
● 「キリン」公式サイト：キリン樽詰トラブルQ＆A
https://www.kirin.co.jp/products/beer/taruzumenama/ryoriten/FAQ/

これを作るのは現実的ではないので、今回は機能を絞ったシンプルなサーバーを構築します。最小構成のビアサーバーシステムは図【02】の通り。炭酸ガスボンベ、ビール樽、タップの3つから構成されます。炭酸ガスボンベから供給される炭酸ガスの圧力でビールを圧送し、その流れをタップで制御。ビールの冷却は、このシステム自体を冷蔵庫に入れてしまえばOKです。

このような圧送と冷却を切り分けたシステムを「空冷式ビールサーバー」と呼びます。システムがシンプルな上、運用上ビール樽は常に冷蔵環境下に置かれるため、ビール樽を常温で放置する瞬冷式と比べて、品質維持の観点で有利です。そのため高品質と多品種に力を入れるビールバーなどでは、大型の冷蔵庫内部にこのシステムを組んでいる場合がほとんどです。

さて、前置きが長くなりましたが、要するに冷却を冷蔵庫にアウトソーシングすれば、ビールサーバーは非常にシンプルに構築できるのです。ということで、ポータブルビールサーバーを構築するにあたってのコンセ

サーバーのキャップ部。継手やチューブ、またペットボトル本体と接続されるインターフェースパーツ（ピンク色）と、それをペットボトルに固定するためのユニオンナット（黄色）から成る

プトを、次のように定めて設計しました。

● シンプル構造の空冷式ビールサーバーの構造を採用する
● かさばらないように小型化
● 2種類のビールをサーブできるようにする

今回は小型化するため、ビール樽は1.5Lのペットボトルを使用します。出先で使用したら、そのまま廃棄できるのがメリットです。このペットボトルにビールサーバー機能を付与するにあたり、最も重要なのが専用キャップの開発。キャップには炭酸ガスの注入ラインとビールの

抽液ラインを装備します。2つのラインを液体やガスのリークなく行える構造をいかに3Dプリンターで作るかが、この装置の肝といえるでしょう。

キャップ部の設計

完成したペットボトルのキャップ部が【03】の写真です。左にはガスチューブが接続され、炭酸ガスがボトルに供給されます。一方、右にはビール抽液用チューブが貫通し、先端の小型タップよりビールが供給される仕組み。一見簡素な部品ですが、実は多くの創意工夫が込められ

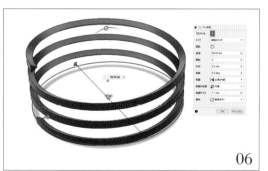

05：3Dプリントしたユニオンナット　06：Fusion360の「コイルツール」を利用して、雌ネジをモデリングした。これは、ペットボトルの雄ネジに対応する

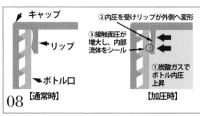

キャップ
リップ
ボトル口

①炭酸ガスでボトル内圧上昇
②内圧を受けリップが外側へ変形
③接触面圧が増大し、内部流体をシール

【通常時】　【加圧時】

07：自作ビールサーバーの最重要部品である、インターフェースパーツ。ガスとビールライン用のチューブが接続される
08：リップシールの概念図。工業的には回転軸の貫通部をシールするためのオイルシールに、広範に用いられている
09：改めてペットボトルキャップの実物を見てみると、内側に環状の突起があるのが分かる
10：3Dプリンターで出力したリップシール部
11：3Dプリントを見越した、Oリング溝のモデリング

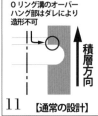

Oリング溝のオーバーハング部はダレにより造形不可

積層方向

【通常の設計】

面取を設けてプリント中のダレを防止

積層方向

【3Dプリント用設計】

抽液用チューブ

内圧を受けOリングはチューブと密着して流体をシール

【使用時のシール機構】

ているのです。

　キャップの断面図【04】を見ると分かる通り、キャップはインターフェースパーツとユニオンナットという2つの部品で構成されています。このうち、時間がかかる耐圧3Dプリントが必要なのはインターフェース部のみで、ユニオンナット部はラフな高速出力が可能です。

ユニオンナット

　インターフェースパーツをペットボトルに固定する機能を持つ「ユニオンナット」。内部にはペットボトル口の雄ネジに対応する雌ネジを設け、外周部には滑り止めのための凹凸を施しました。ここで重要なのは雌ネジのモデリングです。3D CADソフトの「Fusion360」で、「コイルツール」を使用して出力します。一般的なペットボトルに適合する雌ネジのプリント設定は、次の通りです※1。

・タイプ：回転とピッチ
・直径：28.4mm
・回転：3
・ピッチ：3.4mm
・角度：0.0deg
・断面：三角（内部）
・断面の位置：内側
・断面サイズ：1.1mm

インターフェースパーツ

　最重要部品となるインターフェースパーツの設計でポイントとなるのは、「ボトル口のシール機構の実装」と「Oリング溝の形成手法」の2つです。
　まずは「ボトル口のシール機構の実装」から。我々が何気なく使用しているペットボトルのキャップは、実はかなり複雑な構造をしています。【08】の左の図に示すキャップの断面図を見ると、ボトルの口の内側に設けられた「リップ」と呼ばれる構造があるのが分かります。
　リップの外周部はやや山形になっていて、ボトルにねじ込むと樹脂の弾性で口の内面に均一に押し付けられるようになっています。内圧が上昇すると内圧の上昇に伴い、リップ内面には圧力差に起因する外向きの荷重が生じ、外側へ変形。結果としてリップはボトルの口に強く押し付けられ、接触面圧が増大し、内部の流体の漏れをせき止めてくれるのです。ボトル内部の圧力を利用して内部流体をシールするため、内圧が高くなればな

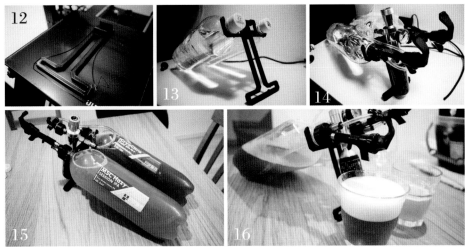

12：ペットボトルを支えるスタンドも、3Dプリンターで作成した。必要最低限のシンプルな形状に仕上げた　13：製作したスタンドに、1.5Lのペットボトルを2本セット　14：レギュレータを取り付けてテスト。いい感じだ！　15：タップを開ければビールが注がれ、タップの開度を調整することで、泡の量も細かく調整できる　16：自分で作ったビールが、自分で作ったサーバーから出てくるのはなんともいい気分だ

るほどシール性能は向上。子供の力でラフにキャップを締めただけでも、0.5MPaを超える圧力に耐えられるのです。このシール機構は「リップシール」と呼ばれており、3Dプリンターで再現できます。耐圧3Dプリント設定で出力して、ボトルの口との接触面を適切に磨いて凹凸をならせば、完璧な封止性能が得られるのです。

続いて、Oリング溝の設計について。ビール抽液用のチューブを挿し込むための孔には、シールのためにOリング溝を設ける必要がありますが、この溝にも3Dプリント特有の問題に対する工夫があります。図【11】を見て下さい。左の図は、通常のOリング溝の設計ですが、下から上へ樹脂を積層していくFDM式3Dプリンターでは、その原理上オーバーハング部となる溝の上部はダレてしまい、正常なプリントができません。

そこで、溝上部に中央の図のように面取を設け、オーバーハング部をモデルから除去。そうすることで、FDM式の3Dプリンターでも溝の形成が可能になります。使用時には溝にOリングをはめ込み、ビール抽液用のチューブを挿入。上部から内圧が作用すればOリングがチューブに密着し、シールされるというわけです[※2]。

ビールサーバーの仕上げ

肝となる耐圧部が完成したら、あとは構造部材を作っていきます。今回は2つのボトルを同時に運用すべく、専用のボトルスタンドを用意しました。樹脂の弾性を活かし、ボトルのネック部にパチっとはめて、斜めに傾斜した状態で2つのボトル

を保持できます。

パーツが完成したら、全部品を実装。中央に鎮座するのは小型の炭酸ガスレギュレータで、チーズで分岐して2つのペットボトルに接続されています。内圧を0.3MPa程度に上げてもリークは生じず、成功です。

自家製のノンアルコールビールをペットボトルに充填し、製作したキャップとスタンド、CO_2レギュレータを接続すれば、卓上コンパクトビールサーバーの完成！　今回はOリング溝やリップシールの実装など、流体機械として重要な要素を多く盛り込んだ設計でしたが、適切な工夫によりしっかり3Dプリントできました。この成功を礎に、さまざまな流体機械の自作可能性が得られたといっても過言ではなく、今後の発展が楽しみです。

※2　逆に下部からの圧力に対してはシール機構が発現しないため、設計の際には要確認だ。

ご家庭の洗濯機を実験機器に超活用!
シンプルな遠心分離機を構築

● text by yasu

工作レベル ★★★☆☆

料理やカクテル作りに遠心分離機を使いたい…と思っても、大容量対応の実験機器は、まぁお高い。
そこで3Dプリンターで専用パーツを作り、洗濯機を活用する方法をご提案。

今回製作した遠心分離用のバケット。瓶フレーム(黒色)とスタンド(赤色)部分を3Dプリンターで印刷し、ボルトでつなぎ合わせた。これを洗濯機にセットし、脱水することで遠心分離が可能になる。自宅の洗濯機が遠心分離機と化すのだ!

生物や化学の実験でおなじみの遠心分離機。最近では料理やカクテルの製法にも活用されたりと、手元にあるといろいろな実験ができて何かと便利な道具です。しかし当然新品は非常に高価であり、特に大容量の処理が可能な本格的なものになると数十万円コースは確定です。遠心分離機の原理自体はシンプルなため、モーター・フレーム・バケットを用意すれば自作も可能なのですが、かさばってしまうのが難点…。

そこで身の回りに目を向けてみましょう! ほとんどの家庭には、遠心分離機が既に配備されています。それは、ズバリ「洗濯機」です。

洗濯の工程の最後で行われる

「脱水」は、遠心力で衣類と水分を分離する遠心分離そのものであり、洗濯機もまた遠心分離機にほかなりません。ならば、それを活かさない手はありません。今回は洗濯機にユニットを追設することで、遠心分離機化するという魔改造の解説です。

大きな流れとしては、①洗濯槽の内側に取り付ける2つのバケットを製作し、②これにガラス瓶を固定することで任意の試料に遠心力を付与できるようにします。バケットを取り付けて脱水モードで洗濯槽をブン回せば、遠心分離機として使えるというわけです。遠心分離機を使う際には、アンバランスへの対策に気を使う必要がありますが、洗濯機は脱水時に洗濯物が大き

に偏ることを前提とした設計なので、多少アンバランスになっても安全に起動させることが可能なのです。これで心置きなく改造できますね。

①専用バケットの製作

バケットの製作には、最近の工作で必須ツールとなった3Dプリンターをフル活用します。今回の工作では、遠心力によって生じる100kg近い荷重を考慮する必要がありますが、強度が必要な箇所はボルトなどの金属部品を中心に構成。3Dプリンターはそれらをつなぎとめ、バケットの機能を作るだけといった役割分担で設計していきます。

まずは瓶を収めるための瓶フレームを作成しました。3Dプ

Memo:

142

①専用バケットの製作

→バケット部品は3Dプリンターで出力。強度を出すためインフィルは100%に設定した

→ガラス瓶を収めるフレーム。3Dプリントした枠と、ボルト・スペーサからなる。瓶を収めるとガタなくしっくりハマった

→回転中、写真下向きに作用する力を支えるため、スタンドはM10のボルトで強固に構築した。安定性と堅牢性を兼ね添えるよう三角形の構造になっている

スタンドの穴側には真鍮のスペーサが埋め込まれており、瓶フレームはスタンド上で自由に回転可能だ

②洗濯機への設置

→バケット底部に突起がある。これは洗濯槽の穴に合わせた設計で、引っ掛けることで簡単に固定できる

→バケットを洗濯機にセット。アンバランスを極力小さくすべく180°の向きで、2つ向かい合うように設置する

任意の試料を2つの瓶に等量詰め、バケットにセット。あとは脱水モードを選択して洗濯槽を回転させれば、遠心分離が始まる。脱水の時間を任意に設定できるので使い勝手がイイ！

リントした枠で瓶位置を拘束し、枠と枠はボルト及びスペーサで強力に締結されています。瓶をはめ込むとガタつきもなくきっちり固定されます。

このフレームを洗濯槽内部に固定すべく、赤のフィラメントでスタンドを出力したら、バケット部分は完成です。なお、このスタンドは瓶フレームに生じた遠心力を受け止め洗濯槽に伝達する重要な役割があるため、頑丈かつ安定する三角形の構造を採用しています。辺はボルトで構成し、頂点をプリント品とすることで、3Dプリント部品の出力時間を最小限に抑え、強度

的に合理的な設計としました。

瓶フレームは、スタンドの穴に瓶フレームの軸が挿し込まれる形で拘束されています。瓶フレームは自由に回転できるよう、スタンドの穴側には真鍮のパイプを埋め込み軸との摩擦を低減するようにしました。

②洗濯機への設置

バケット一式はバケット底部に設けた突起を洗濯槽表面の穴に引っ掛けることで、容易に固定可能としています。そして可能な限り振動の発生を防ぐため、2つのバケットは向かい合わせで設置。あとは2つの瓶に

等量の試料を詰めてバケットに設置し、洗濯機のフタを締めて脱水モードを起動すれば遠心分離のスタートです！

ラボ用の遠心分離機と比べると、洗濯機の回転数は毎分900回転と小さいですが、その分は回転半径の大きさでカバー。運転時間を延ばすことで、ある程度のラフな分離であれば問題なく行うことができます。私の家では、フルーツリキュールを自作する時など、ろ紙では詰まってしまう濾過工程でその威力を存分に発揮しています。使わない時はコンパクトに収納できるのも便利です。

超音波洗浄機を真空化

減圧脱気機能を追加してポテンシャルをフルに引き出す!

● text by yasu

工作レベル ★★★★☆

メガネの洗浄などに使われる超音波洗浄機は、通常の使用法では装置が持つ本来のパワーを引き出せていないのだ。ひと手間加えて、洗浄効果を大幅に強化しようではないか。

座学編 超音波洗浄の仕組みと改造方針について

超音波洗浄とキャビテーション

超音波洗浄機と聞くと、超音波が汚れを落としていると考える方も多いでしょう。しかし洗浄機構の本質は、「キャビテーション」という物理現象に起因し、超音波はこのキャビテーションを発生させるための「ツール」に過ぎません。超音波、そしてキャビテーションによる洗浄機構は次の通りです。

①疎密の縦波である超音波が水中に入射されると、水の圧力はある瞬間には低圧、また次の瞬間には高圧へ周期的に揺さぶられる。

②この低圧時、水の圧力がその温度での飽和蒸気圧を下回ると、局所的に減圧沸騰が生じ始める。

③圧力はさらに低下し、減圧沸騰により生じた蒸気は成長して蒸気の泡が形成される。

④やがて高圧の波が到来して周囲圧力は回復し、水蒸気の泡は周囲の水圧に押し潰され、一気に崩

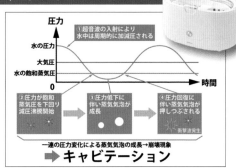

一連の圧力変化による蒸気気泡の成長→崩壊現象

➡ キャビテーション

壊。この時、局所的に強力な衝撃波が発生する。

以上の圧力変化による蒸気気泡の成長→崩壊現象をキャビテーションと呼び、この崩壊時に生じる衝撃波が物体表面に作用し、強力に汚れを落としているのです[※1]。

キャビテーション気泡の非球形崩壊

キャビテーション気泡の崩壊について、壁面近傍ではさらに興味深い挙動を示します。右の図①では気泡周囲が均質なため、気泡は球形を維持したまま圧縮→崩壊していきます。しかし壁近傍の気泡の場合、壁面側では水の供給がなされず、壁面の反対側から一方的に水が流れ込むことになり、結果として壁面へ向かう高速のウォータージェットが形成されます。

この局所的かつ高速なウォータージェットが先程の衝撃波と相まって洗浄面を叩き、強力な洗浄を可能にしているのです。

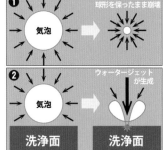

青い矢印は水の流れを表している。均質空間でのキャビテーション気泡の崩壊

壁近傍でのキャビテーション気泡の崩壊

Memo: ※1 超音波洗浄機を駆動すると生じるチリチリと騒がしいノイズは、超音波ではなく、このキャビテーション現象によって生じる衝撃波が可聴音となって知覚されたものだ。

キャビテーション洗浄を阻害するもの

減圧沸騰と同じく、超音波を入射した際に気泡を生じる機構として、溶存ガスの放出というものがあります。超音波の入射によって水の圧力が下がると、溶け込んでいた空気由来の酸素や窒素などが気泡として顕在化してくるのです。これらは先述の蒸気泡と異なり、非凝縮性であるため、圧力回復時に崩壊せず、互いにくっ付き成長し大き

な泡になって水中に留まり続けます。するとこれら溶存ガスの気泡は、例えるならスピーカーの吸音材のように作用し、超音波振動子から入力された疎密波を減衰させてしまいます。これによりキャビテーション発生も抑制され、結果として洗浄効果もダウンすることに。つまり、超音波洗浄機に空気をたっぷり含んだ普通の水道水を注いで使

用している状態では、実は大きなエネルギーロスが生じているというわけです。であるならば、このロスを生み出す溶存ガスを排除、すなわち「脱気」できれば、投入したエネルギーは余すことなくキャビテーション生成に注ぎ込まれ、洗浄機の真のパワーを引き出せるはずです。そこで、超音波洗浄機に脱気機能を追設することにします。

減圧&超音波入射による脱気

脱気の方法はいくつかありますが[2]、今回は減圧&超音波入射による脱気を行います。

その方法はシンプルで、超音波洗浄機の洗浄槽を覆うフタを用意し、そこに真空ポンプを接続して減圧を行うだけです。さらに減圧中に超音波を入射し続けることで、先ほど説明したミクロの減圧作用によって溶存ガスの気泡化を促進できます。真空ポンプによるマクロな減圧と、超音波によるミクロかつ強力な減圧によって、スピーディーな脱気操作が可能になるわけです。加えて、例えば細かく複雑な部品の洗浄を行う場合には、部品の間に入り込んだ空気が洗浄の妨げとなりますが、部品と水をまとめて脱気することでこの空気も除去できるため、副次的な洗浄機能向上も期待できます。

以上を鑑みて設計・作製したのが、こちらの「減圧脱気機能付超音波洗浄システム」。真空ポンプには3Dプリンターで出力した水圧駆動アスピレータを使用し、これをシャワーホース

減圧脱気機能付き超音波洗浄システム

これが減圧脱気機能付き超音波洗浄システムの全体像となる。超音波洗浄機と真空ポンプをつなぐためのフタは自作する。仕組み自体はシンプルだが効果は大きい。なお、水圧駆動アスピレータの作り方は134ページを参照

主な材料と機材		
●超音波洗浄機	●アクリル板(15mm厚)	●シリコンゴムシート
●真空計	●バルブ	●アスピレータ…など

につなぐことで真空を発生させます。洗浄槽の水を減圧脱気する際には大量の水蒸気を吸い出すことになるため、これを吸い込んでも問題のないアスピレータが最適なチョイスです。一方、ロータリーポンプやダイアフラ

ムポンプなどの真空ポンプでは、水蒸気の吸入は故障の原因となるので要注意です。

次ページでは、真空ポンプの接合部を設けた超音波洗浄機のフタを製作。具体的な製作手順を解説していきましょう。

※2　加熱による脱気も選択肢としてはあり得る。ガスの水への溶存容量は温度によって変化し、温度が高ければ高いほどその量は減少。そのため、1度水を沸騰させることで脱気を行える。ただし、沸騰による脱気後は室温温度まで水を冷却する必要があり、作業が煩雑になってしまうというデメリットも。

製作編 減圧脱気機能を追加するためのフタを自作する

肉厚アクリル板の加工は業者に依頼

脱気操作中は内部の様子が見れた方が楽しいので、フタの素材は透明なアクリルを選択。肉厚については真空引きによって生じる大きな荷重に耐えるべく、厚めの15mmとします。この肉厚のアクリル板をきれいに加工するのは至難の業のため、今回はアクリル素材最大手の「はざいや」に加工を依頼しました※3。配管を取り付ける都合上、板に管用雌ネジを設ける必要がありますが、今回はネジ切り加工は自前で行うこととして、下穴のみあらかじめ加工しています。

仕上がったアクリル部品。肉厚15mmで角のR加工、穴あけを含めてわずか3,000円だった

タッピングで雌ネジ加工

アクリル板に1/8インチの管用タップを立ていきます。タッピングの際にはボール盤のチャックにタップを取り付け、タップを部材に押し当てながら、手動で回転させることで容易に直角を出すことが可能。ある程度まで切り込んだらボール盤から外し、タップハンドルを取り付けてしっかり切り込んでいきます。

アクリルは切り込んだ際に生じる摩擦熱でタップと簡単に溶着してしまうため、作業は切り込み部を水で冷却するのがきれいに仕上げるコツです。

タップ立てが終わったら、バリ取り用の工具であるカウンターシンクを用いて端部を処理。ここではNOGAの回転式を使っています。これで雌ネジ加工は完了です。

 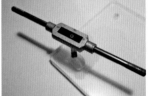

水で冷やしながら、慎重にタップで切り込んでいく

 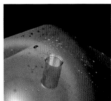

カウンターシンクを使い、丁寧にネジ穴のバリ取りを行う

真空計とバルブの取り付け

ネジが切れたら真空計とバルブの取り付けです。バルブを操作することで洗浄槽の接続先を真空ポンプ、大気開放とそれぞれ切り替えることができます。また、フタと洗浄槽の間に挟むパッキンは、3mmと肉厚のシリコンゴムシートを切り抜いて自作しました。洗浄槽の表面にはうねりがあるため、肉厚がないと密着性を得るのが難しいためです。

完成した専用のフタとパッキン。これを超音波洗浄機に設置すれば完成だ

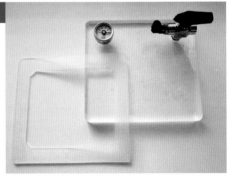

Memo ※3「はざいや」(https://www.hazaiya.co.jp)。Web上のフォームに洗浄槽の寸法に合わせて二辺の寸法や角のR加工、配管取付け用の穴あけを指定すれば自動で見積りが得られる。価格も非常にリーズナブルかつ高品質なので便利だ。

実験編 減圧脱気機能付き超音波洗浄システムの実力は？

減圧実験

パッキンとフタを載せ、アスピレータで真空引きを行います。フタに少し荷重をかけることで試験槽とパッキンが密着し、放っておけば圧力は下がっていきます。パッキンの密着性は申し分なく、バルブを締めて放置し

ても一切のリークは確認されず、真空容器として完璧に動作しています。この日はアスピレータを駆動する水温が高く、得られた真空は−85kPa（0.16気圧）程度ですが、超音波脱気目的ならば十分です。

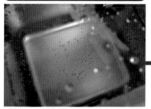

溶存ガスが気泡化

槽の底を見てみると、わずかに溶存ガスが気泡として成長し始めているのが見て取れるが、脱気としては不十分。さらなる減圧作用を得るべく、超音波入射ボタンをポチッと…

激しい発泡が生じる

ボタンを押した瞬間、激しく気泡が発生し始めた。アスピレータによるマクロな減圧とキャビテーションによるミクロな減圧の相乗効果で、ボコボコ脱気が進んでいる。脱気装置としては大成功！

禍々しい波打ち

10分間の脱気完了後、フタを外して超音波を入射すると、かつてないほど水面が激しく波を打っている。音はチリチリではなく、キンキンカンカンというハードな音に変化している

脱気時間が洗浄へ与える影響を検証

試験片としてアルミホイルを洗浄槽に吊るし、超音波の入射によってどれだけエロージョン（壊食）が生じるかで脱気が洗浄効果に与える影響を確認してみます。脱気時間は0から1分ずつ増やしていき、それぞれ1分間の洗浄を行いました。実験結果を見てみると、脱気の実施によりエロージョンが強化され、特に、脱気時間が4～5分で最も激しくなっているのが分かります。これで「脱気により洗浄効果を向上させる」という、当初の目的は達成されました。

興味深いのは、脱気時間が6分を超えると逆に洗浄効果が低下する点で、これは溶存ガスの量には最適値が存在するということ。調べてみたところ、キャビテーションの生成には気泡成長の核となる存在が必要で、実は溶存ガスがこの役割を果たしているとのこと。そのため過度な脱気はかえってキャビテーション生成を抑制するようです。

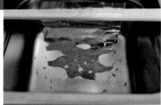

アルミホイルは超音波キャビテーションで容易にエロージョンを生じるため、比較テストには好都合な素材だ

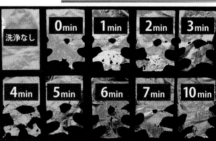

脱気時間とキャビテーションエロージョンの関係。4～5分で最も激しいエロージョンが生じている

格安品をカスタマイズして究極のバナナオレを作る!
真空ミキサーの製作

● text by yasu

工作レベル ★★★☆☆

3Dプリンターで製作したアスピレータを活用して、中華製ミキサーを次世代キッチン家電に進化させる。真空ミキサーでスペシャルブレンドした、トロトロのバナナオレをご賞味あれ!

134ページでは、何でも雑に真空化できるアスピレータを、家庭用の3Dプリンターを使って製作しました。今回はこのアスピレータを活用し、次世代のキッチン家電を自作してみましょう。改造対象はミキサー。そう、「真空ミキサー」を作るんです!

真空ミキサーとは?

通常のミキサー最大のデメリット、それは撹拌時の空気の巻き込みです。空気が強烈に被撹拌物と混合されることで、完成品の酸化は免れません。さらに、撹拌の過程で空気が泡として液体中に導入されるため、本来の濃密感が失われてしまいます。「ならばその原因たる空気そのものを、ミキサー内部から除去してやればいいじゃないか!」というのが、今回製作する真空ミキサーのコンセプトです。

システムは単純で、ミキサーの撹拌容器からチューブを引き出し、何かしらの真空ポンプにつなぎます。その真空ポンプには、アスピレータがベストでしょう。アスピレータは、一般的な真空ポンプである油回転真空のように、非吸引側にオイルミストが逆流しません。また、ダイヤフラム真空ポンプのように、水分や異物の混入によって故障することもありません。アスピレータはクリーンかつロバストなポンプで、今回の用途にはピッタリなのです。

減圧アタッチメントの作製

システムの立案が完了したら、素材集め。ベースとするのは、Amazonで売られていた中国製のポータブルミキサーを採用することにします。まさかのUSB充電対応で、どこでもミキシングができるというオモシロ実用品です。価格は4,000円程度。改造には適役でしょう。真空ポンプには、3Dプリンターで自

01:真空ミキサーの概念図。今回は、アスピレータとミキサーの接合アタッチメントを作る 02:Amazonで購入した、3,977円の格安ミキサー。コンパクトなバッテリー駆動で、実験には最適だ 03:3Dプリンターで自作した、チューブフィッティング継手付きのアスピレータ 04:気密プレートとユニオンからなるアタッチメントをモデリング 05:3Dプリンターで出力したプレート。耐圧プリント設定を適用しており、気密性は完璧だ

Memo:

06：完成したオリジナル真空ミキサー。真空計がイカす無骨なデザインに仕上がった。アスピレータと接続して使用する　07：アタッチメントにシリコンパッキンを挟み、確実な真空シールを実現する　08：バナナ・牛乳・バニラアイスをミキサーにぶち込んで、減圧開始。発泡し始めるので、あふれないように真空ポンプの水量を調整する。落ち着いたら、ブイィィーーーン！　09：最上級のバナナオレが爆誕。見るからに濃度が高そう

作した、アスピレータを使用します。構造や作り方は、134ページをチェックして下さい。

さて、真空ミキサーを構築する主役が揃ったところで、今回の工作の肝である、減圧アタッチメントを製作していきます。これはアスピレーターとミキサーを接続するためのパーツ。3D CADソフト「Fusion360」で3Dモデルを作り、3Dプリンターで出力します。

この減圧アタッチメントは気密プレートとユニオンからなり、気密プレートの中央には1/8の管用雌ネジを用意。ここにチューブフィッティング継手を接続することで、アスピレータとの接続が可能になります。そして、この気密プレートにシリコンパッキンを取り付け、ユニオンでミキサー本体と固定すれば、流体的にミキサーとアスピレータはリーク無く接続されるというわけです。

3Dモデルを耐圧3Dプリントで出力したら、タップを立て雌ネジ加工を施し、配管を接続す

れば完成となります。

気密プレートにはバルブと真空計を取り付け、バルブの先にアスピレータを接続。プレートとガラス筒の間に挟んだシリコンパッキンは、減圧されるとその分強く押し付けられて完璧なシール性能を発揮するのです。3Dプリントで出力したプレート表面は非常に滑らかであり、表面処理不要で問題なく動作します。真空計で減圧を確認してからミキサーのスイッチをオンにすれば、一切の酸化が生じず、泡立ちもない超絶濃厚フレッシュ液体が完成するはずです。

究極のバナナオレを作る

完成した真空ミキサーのベンチマークとして、筆者の好物であるバナナオレを作ってみます。材料はシンプルに、バナナ・牛乳・バニラアイスのみ。これらをミキサーに突っ込んだらアスピレータを駆動し、内部を減圧していきます。減圧が進むにつれて素材に溶け込んでいたガスが膨張して液面が上昇するの

で、あふれないようにアスピレータに供給する水量を調整します。減圧が完了したら、ミキサーのスイッチを入れてブイィィーーン！　しばらく撹拌したら出来上がりです。

このバナナオレを一口飲んでびっくり。何だこの異常な濃度は…。いまだかつてない体験です。超絶濃厚で口あたりの滑らかさが異常。甘さがダイレクトにきます。普通のミキサーで作ったバナナオレとは、もはや完全に別物です。撹拌時の泡が無いだけで、飲み物はここまで雰囲気を変えるのか…。

イチゴやトマト、あるいは緑黄色野菜など、発色が鮮やかなフルーツや野菜で試すと酸化防止の観点でより鮮やかでフレッシュなスムージーが作れると考えられます。泡を含まないという点で、カクテルメイクの新しい技法として真空ブレンドも面白そう。使い手の発想次第でいくらでも応用できるアイテムになりました。皆さまもぜひお試しあれ！

3Dプリンター製スケルトン型キャノンを開発
爆誕!エグゾーストキャノンMk.19

● text by yasu

工作レベル ★★★★☆

3Dプリンターを活用し、さまざまな流体機械を作ってきた。ここでは3Dプリンター工作の締めとして、圧縮空気砲「エグゾーストキャノン」の開発に挑む。刮目して見よ!

私はこれまでに計18機の「エグゾーストキャン」を開発してきました。その開発方針は主に二つあり、一つは排気速度や連射機能などを極めた性能追求型。もう一つは構造を簡略化して、製作のハードルを下げた製作性追求型です。後者は単管式の発明がその始まりで、水道管をベースにした旋盤を使わないキャノンなどがあります。しかし製作難易度が下がったとはいえ、水道管にドリルで穴をあけたり、穴を金ヤスリで拡張したりと、それなりにハードな加工が必要でした。そして外観はザ・水道管。決してクールとはいえません…。そこで、3Dプリンターの出番なのです。大口径の穴あけや、旋盤でしか作れない円筒形の部品も、3Dモデル次第でいくらでも造形可能。さらに耐圧設定を適用することでリークの心配も一切なく、その応用としてOリング溝の成形

水道管キャノン

3Dプリンター製スケルトンキャノン

筐体を水道管で構築することで製作難易度が下がったが、その見た目は無骨そのもの…。3Dプリンターを用いることで、製作難易度を下げつつ、デザイン性も考慮したキャノンの製作が実現した!

方法も確立しています。さらに3Dプリントならではの設計の自由度を活かせば、スマートなデザインに仕上げることができるハズ! ということで、3Dプリンターを活用して、スケルトン型「エグゾーストキャノンMk.19」の開発に挑みます。

応力集中の回避

製作するにあたっての課題は強度です。樹脂を溶融して積層させるFDM式の3Dプリンター

(Anycubic Mega S)を使うのですが、耐圧設定を適用したところで、所詮、樹脂部品です。応力が集中してパキッと割れる脆性破壊からの爆発…という恐れは十分考えられます。

従来のエグゾーストキャノンの設計ではシリンダーとノズル/尾栓の固定方法として、シリンダーに放射状に穴を設け、そこにボルトをねじ込む構造をとっていました。

内圧が高まると両端の栓に荷

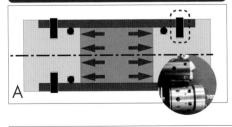

従来のボルトねじ込みによる固定方法と構造の断面図

A

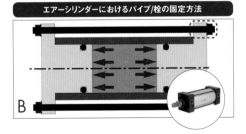

エアーシリンダーにおけるパイプ/栓の固定方法

B

Memo:

150

耐圧試験体を用いた事前テスト

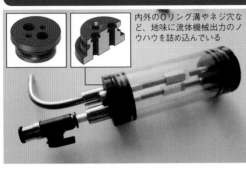

内外のOリング溝やネジ穴など、地味に流体機械出力のノウハウを詰め込んでいる

3Dプリンターで出力した樹脂部品と、クリア塩ビ管を組み合わせて耐圧試験体を製作。2本のシャフトが両端の栓を引っ張ることで、内圧に対抗する。シャフトの貫通部には溝を設けておき、Oリングでシール。1.5MPa（約15気圧）での水圧試験の結果、容器はびくともしなかった。実験成功！

重が作用し、最終的にそれを受け止めるのは赤線で囲ったボルトねじ込み部です【A】。荷重を受ける箇所はその面積が大きければ大きいほど、断面変化が緩やかであればあるほど生じる応力は緩和されますが、このボルトねじ込み構造はパイプの孔、栓のネジ穴がピンポイントで荷重を受ける構造であるため、パイプ側/栓側双方に大きな応力が生じることが予想されます。加えて射撃後に内部ピストンユニットが停止する際の衝撃荷重も、最終的にこの部位で受け止めるため、エグゾーストキャノンの構成部品の中で最も条件が厳しいところなのです。実際、過去に製作した機体でも、パイプ側の穴がその衝撃に耐えきれず、変形してしまった事例が何件もあります。そのため、この従来構造を3Dプリントで作るエグゾーストキャノンに、そのまま当てはめるのは避けたいところなのです。

そこで参考にしたのが、市販エアシリンダーの耐圧構造。エグゾーストキャノンの構造と比較して特徴的なのは、両端の樹脂製の栓とそれを保持する金属製シャフトの存在です。

パイプ外部に張り出した栓同士を金属製のシャフト及びナットで締結することで、内圧作用時、両端の栓にはナットを介した圧縮応力だけが作用します【B】。また、ナットにワッシャーを組み合わせることで、座面に生じる応力を大きく下げることが可能です。以上の応力条件の緩和により、栓が樹脂であってもその脆性破壊リスクを回避できるというわけです。たとえ樹脂の強度が低くても、構造を変えることで設計を成立させる。単純な素材の強度アップではないアプローチこそ、「設計」の面白い部分ですね。

そしてこの構造は、パイプへ生じる応力が内圧のみになるというメリットがあります。従来の設計では栓にかかる荷重がパイプの穿孔部に集中するため、その素材は高い強度を持つ金属しか選択肢がありませんでした。しかし今回はその制約が取り払われ、最高1MPa程度の設計ならば樹脂パイプも使用できます。給水管に用いられる厚肉の塩ビ管であるVP管は、1MPaの最高使用圧力が設計値として保証されており、問題なく使用可能。非常に加工しやすく、また透明で内部が可視化できるものも販売されているため、クリアタイプのキャノンも製造できます！

耐圧容器構造の試作

今回は初めて1MPaまでを扱う、本格的な圧力容器の3Dプリントになります。そこでエグゾーストキャノンに組み込む前に、予備実験を行うことにしました。そうして製作したのが、この最小構成の耐圧容器です。

シリンダーにはクリア塩ビ管を使用し、その両端を3Dプリントした栓がシールする構造となっています。そしてこの2つの栓同士をボルトで締結することで内圧に対しボルトが引張応力、栓が圧縮応力の形で対抗し、釣り合いを保つ仕組みです。栓のボルト貫通部には外径Oリング溝を配し、そこにOリングを挿入することでシールしています。この構造によって、樹脂部品であっても高い内圧に耐えられるはずです。栓の片側には2

使用機材とソフト
●3Dプリンター「Anycubic Mega S」
●3D CAD「Fusion360」

3Dプリンターでパーツを出力して組み立てる

01

02

03

04

05

06

07

08

01：3D CAD上でピストンの動きをシミュレート。これは圧縮空気導入時で、ノズルシールピストンに取り付けたOリングによって、ノズルはシールされる **02**：尾栓から圧縮空気を排気すると、メインピストンが後退。ノズルが開放され、内部の圧縮空気が瞬間的にノズルから排気される **03**：耐圧3Dプリント設定を適用して、ピストンやノズルなどの部品を3Dプリンターで出力 **04**：管用雌ネジをタッピング。エタノールを吹きかけ丁寧に切り込んでいく

つのチューブフィッティング継ぎ手を配し、1つは加圧用ポート、そしてもう一方は水圧試験時に内部を水で満たす際の空気抜きポートになります。

では、耐圧試験です。内部に水を充填し、テストポンプを取り付け加圧していきます。徐々に水圧は上がり、最高使用圧力の1MPaに到達。まだまだリークや変形などは見られません。さらに圧力を上げ、最高使用圧力の1.5倍である1.5MPaに到達！30分ほど放置しても圧力の低下は見られず、耐圧試験は無事クリアです。そこから1.8MPaまで上げてみましたが、リークなどは生じず、十分な耐圧性能が

証明されました。

これは素晴らしい実験結果で、今後のキャノン開発にあたって塩ビ管と3Dプリント品で大容量の耐圧容器が構築可能であることを示唆するものです。従来は旋盤加工、あるいはグラインダーと溶接くらいしかなかったアプローチに、卓上ですべてが完結する3Dプリンターという簡便な手法が追加されたのです。

キャノン本体の設計

無事に耐圧試験をクリアしたので、エグゾーストキャノン本体の設計に取り掛かります。設計は3Dプリンターでの出力を見越し、すべて3D CAD上で行

います。基本構造は最も実績のある「単管式」を採用。従来の機体と大きく異なるのは、シリンダーとノズル/尾栓の固定方法です。先述のエアーシリンダーと同様にシリンダー外部に3本のシャフトを配し、これでノズルと尾栓を締結します。ピストンユニットを構成する樹脂部品はすべて3Dプリンターで出力し、追加加工は不要。唯一、ノズル内面がOリングの摺動に耐えうる滑らかさかどうかが、実際にやってみないと分からないポイントです。

パーツの3D出力と加工

使用する樹脂はPLA。耐圧3D

Memo:

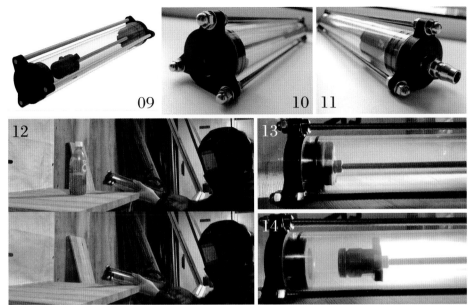

09　10　11　12　13　14

05・06：3Dプリントで出力したノズル。内面に大きな凹凸は見られないが、紙ヤスリで研磨することで美しい摺動面を得られた　07：一体出力したメインピストン。複雑な逆止弁構造も3Dプリントならラクショーだ　08：ノズルシールピストン。ノズルと問題なく摺動するクリアランスを持つ　09・10：部品を組み上げて完成。3D CAD上で設計したモデルと全く同じ外観に仕上がった　11：尾栓には、エアー供給のためのプラグを取り付けられる（さらにここにエアーカプラも）　12：動作テスト。爆音とともに発射される圧縮空気で、ペットボトルが吹き飛んだ。完璧に動作している！　13・14：断熱膨張により霧が発生。スケルトンゆえに、内部の状態を観察できるのも面白い

プリント設定を適用し、極力薄く、ゆっくり、高温でやや多めのフィラメントを押し出し、プリント済みの下層と常に溶着させながら積層していきます。

　部品同士のクイアランスはほぼ一発で決まるものではなく、今回もノズルピストンとメインピストンについては適切なOリングの密着性を得るため、それぞれ5回程度のトライアンドエラーを繰り返しています。このあたり、切削加工であれば必要に応じ追加切削をすれば済む話のため、3Dプリントの難しさ改めて痛感した部分です。なお、上記1セットのパーツのプリントは、10時間ほどかかりました。

　3Dプリントが完了したら、追加加工を施します。尾栓やメインピストンには、タッピングを行いネジを成形。ノズルはOリングと摺動する円筒面があり、この部分の滑らかさがエグゾーストキャノンの正常動作には不可欠です。出力結果を見てみると、非常に良好！　触ってみると細かい凹凸はあるものの、動作に支障をきたすほどではありません。念のため、紙ヤスリで内面を研磨したところ、非常に滑らかな摺動面を得られました。これなら完璧でしょう。

組み立てと試射

　154ページに掲載している部品一覧のクリアパイプの下にあるのが、メインピストン・ピストンホルダー・ノズルピストンが一体となったピストンユニットで、これがパイプ内部で摺動します。複雑な形状のメインピストンは、すべて一体成形。従来は1つ1つボール盤で加工していた、逆止弁作用をもたらす上面の切り欠きも3Dプリンターなら一発です。中央のボルトとの締結には緩み止めのためにノルトロックワッシャーを使用しており、これは過去のエグゾーストキャノンシリーズからの継承です。ノズルシールピストンはクリアランス調整に手間取りましたが、1度寸法が決まれ

3Dプリンターで各パーツを出力し、追加加工を施した状態の部品一覧。3Dプリントであれば、メインピストンの複雑な逆止弁構造も美しく出力できる

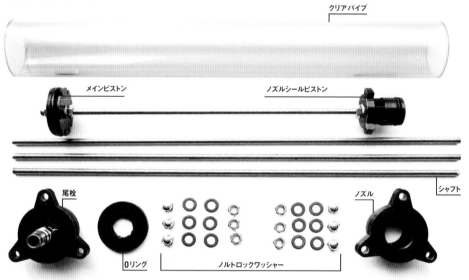

クリアパイプ

メインピストン　ノズルシールピストン

シャフト

尾栓

Oリング　ノルトロックワッシャー　ノズル

ばなんてことはありません。Oリングと合わせて、ノズルと問題なく摺動します。

　これを組み上げてスケルトン仕様のエグゾーストキャノンが完成です。内部のピストンが見えて大変イケてます。尾栓部分には、エアー供給のためのプラグを取り付け、ここにカプラをセットしてエアーを送り込めばメインピストンが前進し充填完了。そしてこのカプラを外すことが、発射のトリガーとなります。

　ノズル内面は旋盤加工なしのヤスリがけのみですが、非常に滑らかで美しい仕上がりです。これが数万円の家庭用卓上3Dプリンターで構築できるのですから、本当にすごい時代が来たものです…。

　さて、いよいよ火入れの時。

やや恐れを抱きながら0.8MPaの圧縮空気を導入し、トリガーをかけると、ノズルから圧縮空気が瞬間的に開放され、爆音が鳴り響きます。空のペットボトルに向けて撃つと、時速50kmほどの速度でぶっ飛びました。完璧に動作している！！！　何より、内部構造が可視化できるのが面白いです。射撃直後、パイプ内部は一瞬、白い霧で満たされます。これは内部の圧縮空気が断熱膨張によってその温度が低下し、水蒸気が瞬間的に凝縮するためです。

3Dプリンターの可能性

　最後にお伝えしたいのは、「3Dプリンターは、製作を楽をするための道具に留まらない」ということ。空気の流れを最適化す

る流路構造や、発射を自動化するバルブ周りなど、流体機械の構造はとにかく複雑で、しばしば加工方法の限界がその実現を阻んできました。しかし、3Dプリンターという全く新しい造形方法がそれらを可能にし、新しいより高度な流体機械設計の可能性を提示しているのです。

　これまでの記事で紹介した耐圧3Dプリント、管用ネジの造形、Oリング溝の造形、そしてそれらをフル活用した既存機械の再現はその序章に過ぎません。今までにない機構や機械を生み出すことこそ、「真の3Dプリント工作」といえるでしょう。3Dプリンターを活用したものづくりはまだまだ発展途上です。アイデアと実験で、ご家庭から世界を驚愕させてやりましょう！

Memo:

Chapter.05
サバイバル裏工作

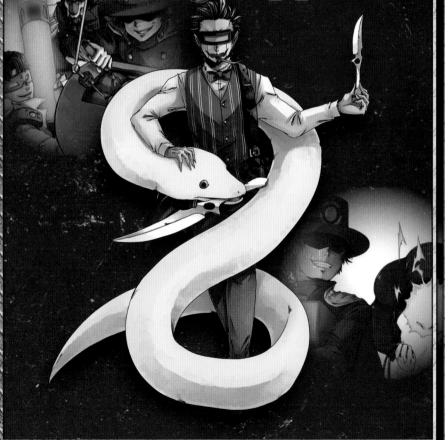

10,000ルーメンオーバー仕様に凶化する!
超爆光LEDライトの製作
● text by POKA

工作レベル ★★★☆☆

何てことはないフツーの中華製LEDライトを、爆光仕様にカスタマイズ。ただし限界を超えたフルパワー化なので、数秒限定の命となる。儚い一瞬の煌めきに、男のロマンを感じてみないか?

近年、ハイパワーLEDを安価に調達できるようになりました。特に懐中電灯タイプは発熱が少なく効率も良いため、一般的にも普及しています。「超強力LED」としては十分なレベルですが、「こんなに優秀な製品をさらにイジったらどれだけハイパワーになるんだろう」とも思うわけです。そこで、超強力LEDライトを改造して、最強レベルの超爆光LEDライトを作ってみました!

使用するLEDの選定

標準搭載されているLEDを、100Wクラスの超高輝度白色パワーLEDに差し替えます。LEDの寿命は放熱が大事で、中途半端な放熱だと高価なLEDでも寿命は短くなります。LEDチップを生産している有名メーカーとしてはCree社やBridgelux社などが知られており、価格は5,000円ほど。一方、中国製のノーブランド品なら約500円で調達可能です。パワーは申し分ないので、実験用途で使うなら安価な中華製で十分でしょう。

LEDには種類がありますが、超爆光化するなら、小さなLEDを大量に集積した「COBタイプ」が最適です。一般的なレンズ付きのLEDはリフレクターでの反射を想定しているのに対し、COBタイプは大面積を均一に照らすのに向いています。レンズ付きのLEDチップは「XML-T6」と呼ばれるCreeの製品が中華LEDライトには好んで使われており、1つで1,000ルーメン程度が出せます。そして、COBタイプのLEDチップはさらにハイパワーで、なんと10,000ルーメン以上!

バッテリーは18650

10倍以上のパワーを取り出すためには、当然ながらそれに見合った強力な電源が必要となります。そこで使うのが、100W以上のパワーをひねり出せる、リチウム系の18650バッテリー。単純計算で、バッテリー1個から25W以上のパワーを取り出せることになるため4本必要です。電流換算すると8A

Before 200ルーメン

After 15,000ルーメン

ベースとする中華製LEDライト
●電源:リチウムイオン電池（18650×4）

光量が75倍にアップ! その差は一目瞭然で、草木の隅々まで照らされている。短時間しか点灯できないが、カメラのフラッシュ代わりに最適?

Memo:

01：100Wクラスの超高輝度白色パワーLED。左はBridgeluxのもの　02：ドライバ回路はエネルギー損出の少ない、チョッパ制御を採用した　03：ドライバ回路の回路図　04：COBタイプのLEDはリフレクターが不要なので、すべて取り外す。アルミ合金でしっかり作られていたので若干もったいないが…

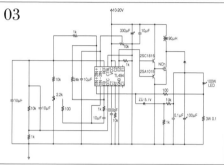

程度なので、アルカリ乾電池ではかなり厳しいでしょう。ただし、リチウムバッテリーは強力な電力放出が可能というメリットがある一方で、取り扱いを誤ると発火・爆発の危険もあります。使用の際は、十分注意して下さい。

ドライバ回路の設計

　ドライバ回路には100W以上の出力能力が必要ですが、懐中電灯型のライトに組み込むに体積の制限があり、設計難易度は高くなります。

　今回はチョッパ式の昇圧回路を採用し、LEDの駆動は定電圧ではなく定電流仕様に設計しました。また、100W以上の電力をこのサイズで扱うのは無理があるので、今回は数秒の短時間限定運用とします。連続駆動は20W程度が限界でしょう。

　リチウムバッテリーは過放電

すると、電池が深刻なダメージを受けます。100W級のパワーを引き出すと凄まじい勢いで電圧が低下。3V程度を安全ラインと考え、バッテリー電圧が3V以下になる寸前で主回路が停止するように設計しました。

移植先とする懐中電灯

　中華LEDライトによくあるタイプの、18650バッテリー×4本を使用する懐中電灯を採用しました。この手のLEDライトは、「XML-T6」チップが大量に使われている場合が多いです。ボディの作りはしっかりしているのですが中のLEDと電源部の設計が甘く、表記通りのパワーはほぼ出ません。

　この懐中電灯を分解して、COBタイプのLEDに置き換えてしまいましょう。COBタイプならリフレクターは不要なので取り外します。

超爆光LEDをテスト

　魔改造した懐中電灯を屋外で使ってみました。200ルーメン程度の一般的な懐中電灯と比べると、比較にならない圧倒的な光量を放ちます。この時のセッティングは15,000ルーメン程度としました。LEDチップメーカーのデータシートに記載されている電流値で駆動しているので、出ているであろうルーメンの数値は信用できます。

　今回は数秒の運用を前提に設計しているため、長時間の点灯はできません。このボディサイズでの連続運転は2,000ルーメン程度が限界と考えられます。15,000ルーメン駆動は昇圧回路も過熱してしまい、ボディの放熱も追いつきません。とはいえ、数秒でも超絶爆光はなかなか楽しいものです。皆さんも作ってみて下さい。

都市型サバイバル工作!
ファイヤースターターで海水電池をDIY

● text by デゴチ

工作レベル ★☆☆☆☆

長い人生、1度ぐらいは遭難することもあるかもしれない。そして運悪く、LEDライトの電池が切れてしまったり…。そんな時は、手持ちのキャンプ道具で即席電池を作ろう。

キャンプに来て遭難した状況を想定します。日が落ちて暗くなったのでLEDライトを使いたいのですが、運悪く乾電池はすべて切れてしまいました。手元にあるのは6本のマグネシウム製ファイヤースターター、食事に使う食塩と紙コップ、釣り用の鉛のオモリ、財布にある十円玉数枚、ステンレスの洗濯バサミ、常に携帯しているワニロクリップの電線が2本です。ファイヤースターターが6本あるのは、あなたが心配性で100均で予備の予備の予備…を用意していたから。乾電池の予備を用意すればよかったのに…。

100円ショップのセリアで購入したファイヤースターターは、マグネシウムの棒と鉄製のノコギリ刃のようなものがセットに

主な材料	
●ファイヤースターター×6	
●紙コップ	●鉛のオモリ
●食塩	●十円玉×数枚
●ステンレス製洗濯バサミ	
●ワニロクリップ付き配線	

マグネシウムと金属を組み合わせた海水電池を作る。単に明かりが欲しければ、ファイヤースターターで火を起こせばいいけど、それはロマンがないよね?

なった商品です。ノコギリ刃でマグネシウム棒を削って粉を作り、擦ると火花が出てこれに着火し激しく燃えて火が起こせます。今回は、このマグネシム棒を使って海水電池を作ります。

海水電池とは、食塩水を電解液として利用するボルタ電池の一種です。ボルタ電池のメカニズムは、種類の異なる金属を電解液に入れると2つの金属の間

でイオンが移動するので、それを電気エネルギーとして利用する…といった感じ(ざっくり)。マグネシウムを使った海水電池は、負極にマグネシウムを用いて、正極に塩化銀・塩化銅・塩化鉛などが使われるのが一般的です。そして、電解液が食塩水で無害なため気軽に使えるのが利点です。ということで、実際にマグネシウム海水電池を作っ

海水電池でオリジナルフィギュアを製作

マグネシウム棒を使った海水電池で実験していたら、ふとエヴァンゲリオン弐号機の獣化第2形態(ザ・ビースト)を連想…。そこで海水電池で目が光るオブジェを作ってみることにした。100円ショップで適当なサイズの恐竜の人形を入手し、ざっくり削って形を整え、目の部分にLEDをはめ込み粘土で成形。陽極は銅テープを使い、マグネシウム棒は陽極とショートしないようにティッシュを巻いて取り付ける。食塩水を注ぎ、これらを直列接続すると…。

恐竜にマグネシム棒を突き刺せば、エヴァ弐号機のビーストモードっぽいのでは…?

陽極には銅テープを使用した(ダイソー)

Memo:

検証1　鉛のオモリ
1.1V→0.8Vで安定

検証2　銅の十円玉
1.1V程度で安定

検証3　ステンレスの洗濯バサミ
5個直列で4.6V

ステンレスとマグネシウムの海水電池を5個直列した状態で、LEDを接続。電流は0.3mAと微弱だが、しっかり点灯した

て、性能を確認してみましょう。

検証❶：鉛のオモリ
実用度 ★★★☆☆

食塩水を入れた容器に、陽極の鉛と負極のマグネシウムを入れて電圧を測定。最初は1.1V程度でしたが、後に0.8Vまで下がって安定しました。考えられる要因としては、鉛の表面が酸化していて酸化被膜があり、その影響で一瞬電圧が高くなったのかもしれません。

検証❷：銅の十円玉
実用度 ★★★★☆

陽極を銅の十円玉に替えてみます。電圧は1.1V程度で安定しました。電池の電圧としては、比較的良好だと思います。

検証❸：ステンレスの洗濯バサミ
実用度 ★★★★★

洗濯バサミはマグネシウム棒を挟めるので、連結しやすいのがメリット。ある程度の電圧を確保したい場合、海水電池を直列接続できるのは便利です。ステンレスとマグネシウムの海水電池を2個直列にした場合は、2.2V程度で電圧が安定しました。ステンレスはベースが鉄なので、鉄を陽極にして試してみたところ、こちらは電圧が0.8V程度という結果に※。

ステンレスとマグネシウムの海水電池を、5個直列にした時の電圧は4.6V。LEDをつないだ時に流れる電流は0.3mAと微弱でしたが、問題なく点灯しまし

た。電極を食塩水に浸ける面積を多くしたりすれば、もう少し数値は上がるかもしれません。

ともあれ、マグネシウムと食塩水と銅もしくはステンレスがあれば、即席の海水電池が作れることが分かりました。ラジオやLEDの電源程度であれば役に立ちそうです。

01 02 03
頭〜顔部を削り、LED4個をセット。粘土でそれっぽく成形する。続いて胴体部に穴をあけ、銅テープを仕込む。そこにティッシュを巻いた6本のマグネシム棒を挿し込んだら、ボディ全体の形を粘土で整えて着色。マグネシム棒に食塩水を垂らすと、1つの海水電池の電圧は1.1V出ている。これを6本直列でつなぐと、目が発光する

※ステンレスは鉄にクロムが含まれる合金なので、その影響で高い電圧が維持できるのかもしれない。
この電圧の違いが発生するメカニズムについては、ここでは省略するので各自自習しておいてね。

簡易太陽光発電システムの製作

● text by デゴチ

工作レベル ★★★★★★

ステイホーム中に停電になったらジ・エンドだ。そんな不測の事態に備えて、太陽光による自家発電システムを用意しておこう。いつも通り、テレビを見たりスマホを充電できるぞ。

ステイホームが明けたら今度は一転、お母さんから「家にばかりいないで外で遊んできなさい」とお小言が…。でも、この太陽光発電システムがあれば大丈夫。録り溜めた深夜アニメを太陽の下で見まくろう!(笑)

必要な材料
●ソーラーパネル (50W、17.3V、3.02A出力)×2枚
●ソーラーパネル充電コントローラー: 20A、12V/24V対応
●DC12V→AC100Vインバータ: 大橋産業3WAY正弦波インバータ400W
●自動車用鉛バッテリー:日立化成「40B19L」
●逆流防止ダイオード:耐圧60V、5A×2個
●カーバッテリーターミナルクランプ: プラス×2個
●配用用VVFケーブル: 導体1.6mm×2芯、定格600V18A、5m程度

主な工具	
●マイナスの精密ドライバー	
●プラスドライバー	●ニッパー
●ラジオペンチ	●カッターナイフ

地震や台風などの災害はいつ来るか分からないため、災害時の対策はコツコツと整えておくべきでしょう。災害時に困ることはいろいろありますが、日頃録画して溜めていた深夜アニメなどが停電で見られなくなるのは非常に困ります(笑)。

ということでここでは、3万円ほどの投資で組める、お手軽な太陽光発電システムを紹介しましょう。材料を揃えて電線をつなぐだけで完成します!

太陽光発電の仕組み

まずは太陽光発電システムについて簡単に説明しましょう。これは、太陽の光を光電効果で電気に変える太陽電池(ソーラーパネル)で発生させた電力を、

鉛電池などの充電式電池(二次電池)に溜めて、インバータなどの電源回路で電圧を変えて使えるようにしたものです。電気機器が使える電力は、このインバータの出力できる能力次第。インバータの出力能力は二次電池から電力を取り出す能力なので、高出力のインバータを使うと充電した電気を早く使い切ってしまいます。夜間や曇天に長く使いたい場合は、インバータ出力が必要最小限のものにするか、容量の大きい二次電池を選ぶのがコツです。

必要な電力の計算

続いて太陽光発電システムを組むにあたり、どの程度の電力が必要か考えてみましょう。日

常で用いる電化製品を全部動かすような電力を太陽光発電で賄いたいならば、家の屋根を全面使うような大規模なシステムを組む必要があります。そんなシステムを組むには大金がかかるので、ここでは非常時を想定してみましょう。

ラジオや電灯は乾電池でも動くものがあるので問題ないですが、テレビを見たり携帯電話の充電などは、やはりコンセントが欲しくなります。携帯電話の充電は、10W程度、32インチ型の液晶テレビなら60W程度、ノートPCは40W程度あれば動きます。非常時はいろいろ制限がありますが、今回はざっと100Wの電力を出力できれば足りるものとしましょう。

Memo:

160

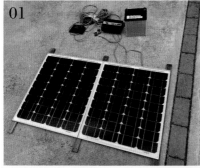

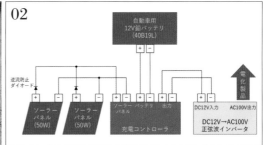

01：主な材料。ソーラーパネルは約15,000円、充電コントローラーは約3,000円、インバータは約9,000円、鉛バッテリーは約2,700円
02：本システムの構成図。ソーラーパネルは2枚並列につなぐ
03：ソーラーパネル裏面の電極に配線を接続。ここで発生した電力は、充電コントローラーに向かう
04：充電コントローラーが二次電池への充電、インバータへの出力を制御する

システムの構成

　筆者が組んだ太陽光発電システムに使う材料は表の通りで、すべて通販で用意できます。インバータは余裕をもって400W出力のものをチョイスしました。実際の製作は、材料であるソーラーパネル、二次電池、充電コントローラー、インバータを接続するだけです。ソーラーパネル2枚は並列に接続します。ただ、ソーラーパネル2枚をそのまま並列に接続すると2枚それぞれの発電量が影などの影響で不均一となった場合、その電圧の差により電流が逆流してソーラーパネルが壊れる可能性が…。それを避けるため、2枚のソーラーパネルの間で電流が逆流しないよう、逆流防止のためのダイオードを介します。それぞれの機器を接続する際は、配線がショートしないように注意が必要です。もちろん、作業中にソーラーパネルが作動しないように、暗い場所で作業するのもお忘れなく。

　充電コントローラーには、ソーラーパネル・バッテリー・負荷出力と接続先が書かれているので、その通りに配線をします。＋と－の極性を間違えないように気を付けて下さい。

　最後に、充電コントローラーの負荷接続端子にインバータを接続。このインバータが充電コントローラから出力される二次電池の直流12Vを受けて、交流100Vに変換します。ちなみに、インバータは少しお値段が高くなりますが正弦波出力するもの

を選んだ方が無難です※。

　すべて配線したら、ソーラーパネルを日当たりの良いところに固定しましょう。充電コントローラーが二次電池への充電、インバータへの出力を制御していることを確認すれば完成です。

まとめ

　今回紹介した太陽光発電システムは、工作としてはあまりトキメカない内容かもしれませんが、小規模とはいえ太陽光発電システムがあると停電という現代人には致命的なトラブルにも対応が可能。心の余裕を得ることができます。コロナ自粛が明けたら、このシステムを外に持ち出し、大自然の中で深夜アニメに興じるのも楽しいかもしれません。

※安いインバータには、疑似正弦波というカクカクした波形で交流波を出力するものがある。疑似正弦波では動かない電化製品もある。

「くっ、少し肺に入った」を防ぐために…
ナウいマスクを作る

◉ text by デゴチ

工作レベル ★★★☆☆

新型コロナウイルス感染症の拡大により、マスクの重要性が見直されている昨今。煩わしいマスク生活を少しでも楽しむため、あのナウシカのマスクの構造を考察し、再現してみた。

映画『風の谷のナウシカ』の劇中では、最終戦争後の汚染された世界で菌類が群生する腐海から、「瘴気」と呼ばれる毒ガスが発生。人はその瘴気を吸わないように、マスクを着けて生活しています。このマスクがどのような構造かを考察しつつ、実際に作ってみました。

主人公のナウシカさんが装着しているマスクは、横から出ている房と正面の凹みが特徴です。この形状の意味をまず考えました。マスクでの吸気は外気をフィルターで浄化して、排気は逆止弁で外気の逆流を防ぐ必要があります。吸気効率を良くするため、またフェイルセーフの観点から2系統用意するという理由で、左右に付いている2つの房が吸気側と推察。

吸気側を房にする必要性は何でしょうか。腐海の森の菌類は胞子を出します。マスクには瘴気の毒ガスを吸着するフィルターが内蔵されていますがそのフィルターの目は細かく、直接外気にさらされると浮遊している胞子やホコリなどの微粒子で目詰まりを起こして使えなくなる可能性が…[1]。そこで比較的目の粗い布を1次フィルターとして用い、内部の毒ガスフィルターの目詰まりを防止する構造で

『風の谷のナウシカ』[2]

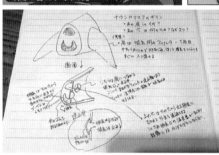

↑劇中では瘴気を吸わないように、みんなマスクを着けて生活している

↩ナウシカさんのマスクは、左右に付いている房と、正面の凹みが特徴だ。その構造や形についていろいろと考察してみた。これはもちろん筆者の推論なので、違っていてもあしからず（笑）

はないかと考えました。1次フィルターが房のような風になびく形状であれば、使用中に房に付いた大きな胞子やホコリは房の動きで振り払われて落ちるため、それらによる目詰まりを防ぐことができるわけです。

正面の凹みは、吐く息（呼気）の排気用の穴と推察。排気は上述したように、外気が逆流しないよう逆止弁になっている必要があります。そしてこの逆止弁は排気の抵抗にならないよう、柔らかいゴム板などが適しているでしょう。また、逆止弁がマスク外側に露出していると破損するリスクがあるため、これを

保護しつつ、排気できるように2層構造だと想像しました。

そして、排気側の穴が2つある理由は、ゴーグルなどの結露防止ではないでしょうか。2つの穴は呼気が自分の視界側に噴出さないように排気を下方向に導き、呼気が作る流れに引かれる形で上の穴から外気を取り入れて熱をこもりにくくして結露を防止する役目なのでは？ 結露はフィルターの目詰まりの原因にもなるので、吸気側に排気が行かないように吸気側にも逆止弁を付けて自分の呼気が吸気フィルターに当たらないようにしているのでしょう。

Memo: ※1 スギ花粉の直径が約30μm～40μm、カビの胞子は数μm～100μmとバラつきがある。今回は布製の房の目の粗さが10μm程度、内部の不織布フィルターの目の粗さが数μm程度と想定する。
　　　※2 「スタジオジブリ作品静止画」公開サイト参照　https://www.ghibli.jp/works/nausicaa/#fra

製作編 3Dプリンターでパーツを出力して組み立てる

[1] 3Dプリンターで本体を出力

n-mask　　　　　　　　n-mask_L

3D CADでマスクの構造を設計。積層で3Dプリントするので、できるだけサポート材が無くてもプリントできるようにする。中に浮くような反り返る形状(オーバーハング)とならないようにした

↑3Dプリンターでマスクの構造体(本体部分)を出力。サポート材が崩れたが、形になったので問題なしとした

↓ヤスリとカッターで、3Dプリント時のサポート材やバリなどを除去する

[2] 逆止弁の製作を検討

PLA樹脂のフィラメントで、0.2mm厚の円形を3Dプリンターで出力した。弾力があるため、弁として使用できそうだが…

PLA樹脂製の逆止弁。機能はするが、呼吸をするにはやや力が必要な感じがして息苦しい

別案として、ネームプレートなどのポリエチレンシートを使用することに。円カッターで切り抜いて、ネジ止めする

　検討した構造のナウシカマスクの本体部分は、プラ板や樹脂粘土でも作成可能ですが、形状が複雑なので3D CADで設計し、3Dプリンターで出力することにしました。吸排気の逆止弁は、0.2mm厚の薄いPLA樹脂製の円板を使うことを検討。PLA樹脂は0.2mm厚だと柔軟性のある弁として使用できるため、逆止弁も3Dプリンターで作れます。た

だPLA樹脂の弁は、ゴムなどに比べると硬いため、呼吸する際に抵抗を感じるかもしれません。その場合は、薄いビニールシートや書類を入れるクリアケースなど柔らかい素材を使うといいでしょう。直径35mmの円形に切って、吸気口に取り付けるコネクタの円形パーツにはめ込んだら、逆止弁の出来上がり。キレイな円にカットできる「円カ

ッター(サークルカッター)」は、1つ持っていると便利ですよ。
　おにぎり型の排気内側の板にも、板の外側に丸い弁を付けて呼気の逆止弁として、マスク本体のボディにネジ止めします。
　続いて、マスク本体のボディ側面にあいた穴の内側から、弁を取り付けた円形パーツを挿し込みます。取り付けた部分に隙間がある場合は、接着剤やパテ

[3] 逆止弁を取り付ける

01：おにぎり型の排気用パーツ。この板の外側に丸い弁を付けて、呼気側の逆止弁とする。これをボディにネジ止め 02・03：吸気側の逆止弁を取り付ける。本体側面にあいた穴の内側から、弁を取り付けた円形パーツを挿し込む。隙間がある場合は、接着剤で穴埋めする

[4] 緩衝材を本体に取り付け

04・05：発泡ポリエチレン製緩衝材で、密着用のクッションを作る。マスクの形に沿って大きめに切り出し、本体に接着する
06：吸気口に市販の不織布マスクを切り抜いて挟み込み、吸気側フィルターとする

などで固定し、穴埋めして下さい。これでマスクの吸排気機構部分が完成となりました。

密着のための工夫

毒ガスを防ぐ防毒マスクの場合、顔とマスクの密着性は大切です。有毒な溶剤を用いる塗装作業時などに使用する市販の防毒マスクの場合は、鼻と口の周りを囲むように合成ゴムのクッションがあり、マスクと顔の密

着を保ちます。このように防毒マスクは顔との密着を完璧に行うため、軍用マスクを誤った方法で着用して窒息死する事故があったと以前、ニュースで見かけた記憶があります。

ナウシカの劇中では、簡単にマスクを外したり着用したりする場面があるところから、瘴気は即死系の毒ガスではなく塵肺のように長期的な吸引で健康被害をもたらす性質なのでしょう。

そこで着用時の実用性を考慮し、防毒マスクのように顔との密着性を高めるために、顔に触れる部分にクッション素材を接着することにしました。

次は、側面の吸気口の処理です。ここに、40mm角に切った不織布マスクを貼って排気口のコネクタパーツをはめ込みます。これがマスクのフィルターになるのです。

機能面を考慮した製作は以上

Memo:

[5]固定用の外装を作る

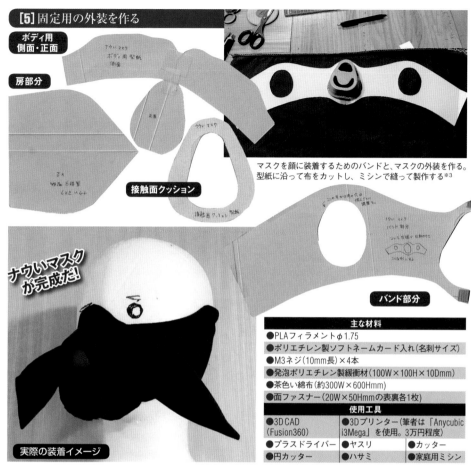

マスクを顔に装着するためのバンドと、マスクの外装を作る。型紙に沿って布をカットし、ミシンで縫って製作する※3

ボディ用
側面・正面

房部分

接触面クッション

ナウいマスクが完成だ！

実際の装着イメージ

バンド部分

主な材料		
●PLAフィラメントφ1.75		
●ポリエチレン製ソフトネームカード入れ（名刺サイズ）		
●M3ネジ（10mm長）×4本		
●発泡ポリエチレン製緩衝材（100W×100H×10Dmm）		
●茶色い綿布（約300W×600Hmm）		
●面ファスナー（20W×50Hmmの表裏各1枚）		

使用工具		
●3D CAD (Fusion360)	●3Dプリンター（筆者は「Anycubic i3Mega」を使用。3万円程度）	
●プラスドライバー	●ヤスリ	●カッター
●円カッター	●ハサミ	●家庭用ミシン

ですが、マスクの外側に布などを貼り付けると見た目がよりそれっぽくなるので、最後の仕上げといきましょう。マスクをすっぽり覆う布のカバーとなる型紙を作り、その型紙に従い布をカットしたら、縫い上げて接着剤でマスクに貼り付けます。頭の後ろに回る布の端には面ファスナーを縫い付けて、後頭部辺りで留められるようにすると、しっかりと固定可能です。

ナウシカマスクの性能

このナウシカマスク、及び市販の防塵防毒マスクが感染症対策として適切かというとそんなことはありません。自分の呼気を出す排気側にフィルターが無いからです。感染症対策として自分の吐く息の飛沫を抑えるという意味では、排気側にも不織布などでフィルターをかける必要があるのです。まあ、そもそ

もこれはマスクの専門家ではなく工作好きが作ったものなので、感染症対策や防毒の効果が保証されるわけではありません。あくまでリアルを追求したコスプレの範疇です。その意図をご理解の上、ぜひ製作してみて下さい。

この工作の最大の利点は、マスクを作っている間は家に引きこもることになるので、感染症の拡散防止に少なからず役立つといったことでしょうか（笑）。

人工呼吸器「木の肺」を再現してみた
プラスチックの肺をDIY！

● text by デゴチ

工作レベル ★★★★☆

人の命を粗大ゴミで救うなんて、人生そんなに甘くないぞ！と舐めてみたら、意外と甘かった…。
パンデミックから人類を救った「木の肺」を、100均グッズで徹底再現！

今回のアリエナ伝説は「冷蔵庫で人工呼吸器？」です[1]。

1937年、北米で伝染病のポリオが流行し、これによる呼吸不全の治療のために人工呼吸器「鉄の肺」が大量に必要となりました。しかし、非常に高価なため、ある医師が木製の冷蔵庫・掃除機・タイヤチューブ・革靴・レコードプレーヤーを組み合わせて代用品の「木の肺」を自作した。それによって大勢の命が救われたのです。詳細は、亜留間次郎先生の著書『アリエナ医学事典』（小社刊）などを参照して下さい。

無いものは作るという精神で人命に関わる人工呼吸器をありあわせの材料で作ってしまうなんて『冒険野郎マクガイバー』[2]や『MASTERキートン』[3]みたいですが、本当にそんなに簡単にできるものなのでしょうか。そこで今回は、スモールサイズの「プラスチックの肺」を実際に作ってみました。

木の肺の仕組み

現在普及している人工呼吸器は、患者の気管にパイプを挿管して、コンプレッサで加圧した空気を一定の周期で送り込む陽圧換気のものが主流。ゴム風船に空気を送り込んで膨らませ、空気を止めると風船がしぼんで排気する、これを繰り返すイメージです。

それに対して鉄の肺は陰圧換気。患者の首から下を密閉した箱に入れて、そこから空気を吸い出すことで箱の中の圧力を下げて陰圧にして、結果、患者の肺が膨らむことにより患者の口から膨らんだ肺に外気が取り込まれます。山のふもとで買ったポテトチップスの袋が、山の頂上でパンパンに膨らむのと同じメカニズムといえるでしょう。ちなみに人間の自発呼吸は、横隔膜や肋間筋の動きによって肺の容積が広がって空気が取り込まれる陰圧換気方式です。

鉄の肺は装置が大がかりで、自動車や家が買えるほど高価な装置だったため、数が不足していたようです。

そこでカナダのトロント小児病院のバウアー医師が鉄の肺の構造を調べて、同様の機能を果たせるように前述の材料を組み合わせ製作したのが木の肺です。

木の肺は、人が入れる大きさの木製冷蔵庫に、人の頭が通るほどの穴をあけて自動車のタイヤチューブを貼り付けます。木製冷蔵庫は、電気式以前に使われていた氷を使って冷やす冷蔵庫です。冷気が逃げないよう木と木の継ぎ目がフェルトなどで

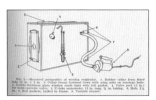

木の肺の組立図。1号機は病院の地下室で組み立てられ、材料の半分は廃材が用いられたという

塞がれており、気密性が高く、ボディとするのに最適でした。また1937年当時、徐々に電気式の冷蔵庫が普及しつつあり、廃棄された木製冷蔵庫が多く出回っていたのも、ナイスタイミングだったのでしょう。

木製冷蔵庫に穴を2つあけて、掃除機と庫内の気圧を制御するための弁となる革靴のパーツを取り付ければ、患者が呼吸するための機能は満たせます。あとは庫内の気圧を確認するための気圧計と、内部の状態を目視確認するためののぞき窓を設置。二重ガラスにフェルトを挟み、気密を確保しながら取り付けていたようです。

革靴の弁は冷蔵庫に約50mmの穴をあけて、その穴をふさげる大きさに切って貼り付けます。材料は革靴とありますが、要は気圧制御のための穴を繰り返し開閉できて、耐久性があればいいはずなので、単純な牛革

Memo: ※1　2003〜2016年にアメリカで放送された巷の噂が本当か検証する極めて真面目な科学検証番組『怪しい伝説』。薬理凶室と同じく番組の最後は爆発で締めくくるなど、共通点が多いと著者は勝手に思っている。
※2　1985〜1992年にアメリカで放送されたドラマ。劇中、悪と戦うマクガイバーさんは、ピンチになると現地調達した材料で役立つものを即席で作

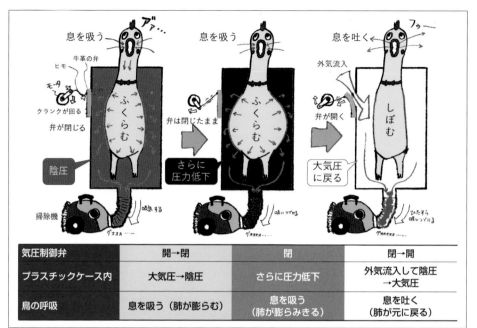

気圧制御弁	開→閉	閉	閉→開
プラスチックケース内	大気圧→陰圧	さらに圧力低下	外気流入して陰圧→大気圧
鳥の呼吸	息を吸う（肺が膨らむ）	息を吸う（肺が膨らみきる）	息を吐く（肺が元に戻る）

「プラスチックの肺」製作に使用した材料＆工具				
材料	●ダイソースクエア収納ボックス	●シャウティングチキン（患者役）	**工具類**	●ホールソー
	●掃除機	●アクリル板（300W×400H×3mm）		●ドライバー
	●牛革（55W×80Hmm）	●タミヤウォームギヤーボックスHE		●半田ゴテ
	●ギアボックス取り付け用木材	●セリア COB調光ライト		●ハサミ
	●ガムテープ	●タコ糸		●カッター
	●セメダイン：木工用接着剤	●食塩		●ラジオペンチ

だったと想定します。また図面を見る限りでは、弁の開閉は当初、人間による手動で操作されていたようです。ただ、その場合、看護者が付きっ切りで行う必要があるため、資料では後にレコードプレーヤーの部品を使ったとあります。これは、回転数を調整できるレコードプレーヤーを、弁の開閉に用いたのでしょう。この弁の自動開閉についても、今回検討してみます。

患者はシャウティングチキン

実物大の木の肺は製作が大変

なので、ここではミニチュアサイズで検証します。装置が正常に動作しているかを確認する必要がありますが、生きた動物を使うほど、私はマッドサイエンティストではありません。肺のように袋状で気圧の変化で膨らんだりしぼんだりして、患者が呼吸できているかが容易に確認できるもの…。というわけで、今回はジョークグッズでおなじみの「シャウティングチキン」を採用します。お腹を押すと凹み、押すのを止めると「アァー」と鳴るので、呼吸が音で確

認できます。あと、見た目も重視しました（笑）。

被験者のサイズに合った密閉できる容器としては、ダイソーのプラスチックケースを採用。「木の肺」改め「プラスチックの肺」です。フタは、内部の様子が見えるように透明なアクリル板を使うことにしました。ケースの上面が平らなので、動作時には内部が陰圧となりアクリル板がケースに吸いつけられるはず。そのため、今回は特に固定はしません。楽しく工作をするコツは、できるだけ楽をする

って切り抜ける。

※3　1988〜1994年に小学館『ビッグコミックオリジナル』で連載されたマンガ。劇中、主人公の平賀＝キートン・太一さんは、ピンチになると現地調達した材料で役立つものを即席で作って切り抜ける。

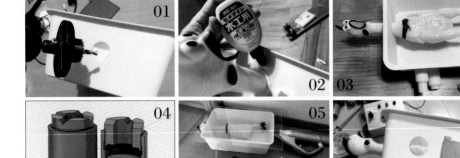

01：ホールソーでプラスチックケースに穴をあける　02：シャウティグチキンの首とケースの隙間を木工用ボンドで埋める。塩を振りかけるとゴムのようになる　03：人工呼吸器弁を3Dプリンターで再現できないかを検討　04：バネの力で空気の流入を抑えつつ、一定以上の空気圧で弁が開く仕組みを考えたが失敗…　05：小型ポンプでさらに小型化できないかと考えたが、またもやこれも失敗…　06：弁は革靴ではなく牛革を採用した

ことです（笑）。

まず、プラスチックケースにホールソーで穴を3つあけます。1つはシャウティングチキンの頭をケースから出すため、2つ目はケース内の空気を掃除機で吸うため、3つ目はケース内の気圧を制御するための弁を取り付ける用です【01】。

あけた穴にシャウティングチキンの頭を挿し込みます。シャウティングチキンは、柔らかいので少し顔を折りたためば、首のところまですっぽりとはまります。作業中「アァアァー」とうるさく鳴くのは我慢です。頭を挿し込んだだけなので、首回りはケースと隙間ができてしまいます。これでは気密が保てないため、木工用の接着剤を首回りに塗りつけて、食塩を振りかけます。木工用の接着剤は酢酸ビニル樹脂と水が混ざったものなので、食塩を振りかけるとすぐに接着剤の水分がヒタヒタと染み出して酢酸ビニル樹脂だけが

ゴムのような状態で固まるのです。グルーガンのような接着力も耐久性もないですが、短時間で手軽に隙間を埋めたい時に便利な方法でしょう【02】。

患者が呼吸するためには、内部の気圧制御が必要。1937年当時は手動もしくはレコードプレーヤーにより弁の開閉を行っていたようですが、今回は3Dプリンターで製作できる人工呼吸器弁が使用できないか検討しました【03】。円筒形のシリンダーの中に弁となる円盤状のバルブが入っており、それがバネの力で一方の空気流入口に押し付けられています【04】。弁を陽圧換気の人工呼吸器として使用する場合は、下側にある空気流入口は、空気を送り出すコンプレッサと患者の肺をつなげるチューブの中間に取り付けて下さい。

弁は、下記の①〜⑥を繰り返すことにより、患者の呼吸を助けます。

①コンプレッサから患者の肺に

空気が送られて、肺で酸素と二酸化炭素の交換が行われる。
②肺内部の気圧が上昇する。
③気圧の上昇はチューブを介して、人工呼吸器弁内部のバルブを押し上げる力となる。
④バルブを押さえつけるバネの力以上の圧力となると、バルブが浮いて人工呼吸器弁内部に空気が流入する。
⑤人工呼吸器弁を介して空気が抜け、肺の内部気圧が低下する。
⑥人工呼吸器弁のバネの力が勝り、再びバルブが閉鎖する。

このメカニズムにより、人工呼吸器弁のバネの力とコンプレッサからの空気流入量、その圧力を調整するだけで、その患者に適した呼吸サイクルを保てるわけです。

木の肺は陰圧換気なので、この人工呼吸器弁を逆向き取り付けることで利用できます。また、掃除機ではなく浮き輪などに使われる小型ポンプを使えばもっとコンパクトになるはずですが

…【05】。結果、実験は失敗でした。最初に大きな音で小型ポンプが唸りましたが、それが終わりの合図。大きめの掃除機に替えて再実験したものの、弁はバルブが開放、または閉鎖のどちらかの状態で安定してしまいます。これは、弁のバネと掃除機の吸引力とプラスチックの肺の容量の大きさに合わせた調整がうまくできていないため。この調整は大変そうなので、今回は弁の採用を見送りました。

また、掃除機の吸引力が強過ぎるので、掃除機とプラスチックの肺をつなぐコネクタにスリットを入れたものを製作して取り付け、吸引力を調整できるようにしました。

制御弁の開閉を調整

そんなわけで、あっさり弁は諦めて、気圧制御は木の肺同様に牛革を採用することに【06】。内部の気圧を変化させるため、弁は一定の周期で開閉する必要があります。木の肺で使われていたレコードプレーヤーは、回転数調整の機能が流用されていたと推測。当時の電動モーターの速度調整は単純な可変抵抗による印加電圧の変更だったはずなので、同様にモーターと可変抵抗を使って牛革の開閉弁を動かします。陰圧で張り付いた牛革を、引き剥がして開放するため、トルクのあるタミヤの「ウォームギヤーボックスHE」を使ってクランクを作り、そこに取り付けた紐で牛革を引っ張ることにしました。モーターに供給する電圧を調整することで、クランクの回転数を任意のスピ

ードに変更できるようにします。100均のCOB調光ライトからLEDを取り外し、その端子をモーターに接続しました。

掃除機の電源を入れて吸引を開始し、モーターの電源も投入。掃除機の吸引により内部の気圧が下がり、牛革の弁が閉まります。弁が閉まると同時にシャウティングチキンが「アー」と鳴きました。患者が空気を肺に吸い込んだ状態です。モーター駆動のウォームギアのクランクが回り、弁に取り付けた紐が引っ張られて弁が開くと外気が入り込み、陰圧だった内部の圧力が大気圧に近づきます。シャウティングチキンはお腹にゴムバンドを巻いているため、陰圧が緩和されたことでお腹が凹みま

す。これは、患者が息を吐いた状態。クランクは回り続けて弁が閉じると、プラスチックの肺は陰圧となり、シャウティングチキンは再び「アー」と鳴きました。このように患者は息を吸う、吐くを繰り返し呼吸を継続します。

1937年当時は4時間ほどで作り上げたといわれる木の肺ですが、実際にプラスチックケースをボディにして場当たり的な設計でも動作するものができました。動作原理を理解すれば、材料を集めて4時間で作ることも不可能ではないでしょう。ということで、今回の怪しい伝説じゃなかった、アリエナイ伝説「冷蔵庫で人工呼吸器？」の検証結果は「CONFIRMED（正しい）」。

アアー

プラスチックの肺で
呼吸をアシスト！

可変抵抗の回路図

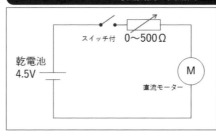

スイッチ付　0〜500Ω

乾電池
4.5V

M

直流モーター

動作の様子は、こちらから動画でチェックできるぞ！（Twitter）

2段蒸留システムを構築して激安酒から作る!
消毒用アルコールを錬成

● text by yasu

工作レベル ★★★★☆

新型コロナウイルスの蔓延により、2020年春、日本市場の消毒用アルコールが枯渇。ってことで、3Dプリンターと市販の部品を駆使して、ホワイトリカーから消毒用アルコールを作ってみた。

店頭では消毒用アルコールの在庫が枯渇し、挙げ句の果てにはメチルアルコールを主成分とする燃料用アルコールまでがなぜか売れていく惨状。無知とは恐ろしいものです…。そんな状況でこそ、科学と工学の出番! 消毒用アルコールの原料はまだ普通に流通しているので、十分な殺菌能力を有する消毒用アルコールを製造する装置を組み、合法的かつ安価に消毒用アルコールを自作しましょう!

しかしアルコールの製造に関しては、常に「酒税法」が付いて回ります。消毒に用いるアルコールには主に2種類あり、エタノールと水を主成分とする「消毒用エタノール」と、それにイソプロピルアルコール（IPA）を添加した「IPA添加消毒用エタノール」です。健栄製薬の製品を例にすると、消毒用エタノールは体積分率で76.9〜81.4vol%のエタノールを含み、IPA添加消毒用エタノールは同じく76.9〜81.4vol%のエタノールに加えて、IPAが追加されています。IPAをわざわざ加えるなら、何かしら追加の効果が得られると考えるのが普通ですが、両者に殺菌効果の差はありません。しかもIPAを添加していない消毒用エタノールの方

が、約1.5倍高く売られているのです。

この歪な状況は、消毒用エタノールに酒税法が適用され、酒税がかけられているからです。消毒用エタノールを飲む目的で大量購入・消費する人間なんておらず、そんなものにまで酒税をかける国税庁のやり方は多くの研究や医療など、諸々の営みを阻害する極めて悪質な行為と言わざるを得ません。ここで着目すべきは、先述のIPA添加消毒用エタノール。IPAは毒性を有しているため、エタノールに添加することで飲用不可となり、酒税法ならびに酒税の上乗せを回避できるようになります。つまり、このIPAを添加した消毒用エタノールを製造すれば、酒税法の魔の手から逃れることができるのです。

消毒用エタノールの製造にあたって最も重要なのはエタノール濃度で、最大の殺菌効果が得られるのは質量分率で70wt%。この時の体積分率がまさしく前述の76.9〜81.4vol%となります。要するに、80%程度の高濃度エタノールを作ればいいということ。そして低濃度のエタノールなら、「酒」という形で誰でも簡単に入手可能…そう、酒を蒸留して濃縮すればいいの

健栄製薬の消毒用エタノール

右のIPA入りのエタノールは1,050円なのに対し、ベーシックな方は1,463円と高くなっている。悪法が作り出した極めて不健全な構造だ

です! 酒を加熱して沸騰させ、得られたエタノールリッチな蒸気を回収、凝縮すればOKというわけです。

しかしネックになるのが、蒸留器の調達です。というのも、消毒用アルコールの製造では、高濃度のアルコール蒸気を取り扱うため、半端な装置では蒸気のリークに起因する炎上のリスクが高くなります。Amazonなどで売られている安価な蒸留器はそのあたりが雑なので推奨しません。実験用のガラス器具で組むこともできますが、処理する酒の量は数L単位。装置も大規模となってしまい、家庭では非現実的でしょう。

ということで、3Dプリント技術を活用して、安価かつ簡単に高性能な蒸留器を自作します。適切な設計と部品選定によって、エタノール製造に最適なシステムを構築するのです。

Memo:

消毒用アルコール蒸留システムの基本設計

1: アルコール蒸気への引火を防ぐシステムを採用する

高濃度の消毒用アルコールを取り扱うため、次の通り事前検討を行いました。高濃度かつ高温のアルコールに引火すれば、即座にファイアボンバイエ。わずかでも蒸気漏えが生じうる構造は極めて危険です。そこで、信頼性のあるワンタッチ継手などを活用し、確実なシールと簡便な分解組み立てを両立します。そして熱源としても裸火が生じないIHヒータを使用し、火災リスクを下げます。

2: 入手しやすくて、低価格・高濃縮の酒を原料に採用

原料の酒の度数によって蒸留装置の設計が変わるため、基本設計の段階で使用する酒は決定しておきます。あらゆる酒をリサーチしたところ、入手しやすく最もコスパがいいのは、果実酒を漬けるためのホワイトリカーです。以後は、35vol%のホワイトリカーを基準に、設計を進めていきます。

ホワイトリカー

容量：1,800mL
度数：35%
エタノール量：630mL
価格：1,875円
1Lあたりの価格：1,042円

3: 80vol%程度のアルコール濃度を得るため、蒸留器を多段化する

蒸留装置を組む上で確認すべきは、下記に示す水-エタノールの気液平衡線図です。この図を用いると、ある濃度の溶液を沸騰させた時に生じる気体の組成を見積もることができます。例えば35%の酒のモル分率は0.138と換算され、これを1回蒸留すると発生する蒸気のエタノールモル分率は0.45。アルコール度数に換算すれば約75%となります。十分高い度数に思うかもしれませんが、これはあくまで原料の酒が35%を維持した場合の値。実際には蒸留の進行に伴って酒の度数は下がっていくため、最終的に回収するエタノール水溶液の度数はずっと低くなります。さらにもう1度蒸留をすると、モル分率の最大値は0.63程度となり、アルコール度数に直せば88vol%。これだけ高ければ十分な殺菌能力を持つエタノール水溶液が得られるでしょう※1。

ただ、蒸留操作を2回繰り返すのは時間と労力がかかるため、蒸留器を多段化することでその問題を解消します。ということで今回は、通常の蒸留システムに第2ボイラを追加することにしました。第2ボイラにはあらかじめ少量のアルコールを加えておき、そこに第1ボイラで生じた蒸気を吹き込む構造にします。第1ボイラで生成したアルコール濃度の高い蒸気は熱エネルギーを有しており、これを第2ボイラに吹き込むことで内部のリキッドを再沸騰させるわけです。第2ボイラに存在するリキッドのアルコール濃度は1段目よりも高くなっているため、より低い温度で再沸騰が生じ、発生する蒸気のアルコール濃度はさらに高まります。この構造によってエネルギーを無駄にせず、1回分の蒸留操作で高度数のアルコールを1度で得られるのです。

水-エタノール溶液の気液平衡線図。緑のラインから、任意のモル分率を有するエタノール水溶液を沸騰させた際に生じるエタノールのモル分率を読み取ることができる

グラフ

縦軸：発生蒸気のエタノールモル分率
横軸：沸騰溶液のエタノールモル分率

共沸点（96wt%）
凝縮
蒸発
35%の酒を蒸留していく
酒の度数に換算すると88%

二段式消毒用アルコール蒸留システムの概念図

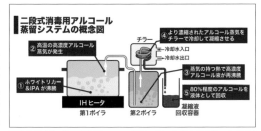

① ホワイトリカー＆IPAが沸騰
② 高温の高濃度アルコール蒸気が発生
③ 蒸気の持つ熱で高度数アルコール液が再沸騰
④ より濃縮されたアルコール蒸気をチラーで冷却して凝縮させる
⑤ 80%程度のアルコールを回収

IHヒータ
第1ボイラ
第2ボイラ
チラー
冷却水入口
冷却水出口
凝縮液回収容器

第2ボイラは、英語ではThumperやDoublerなどと呼ばれ、ここで2回目の蒸留が行われる

※1　酒税法とは別に、「アルコール事業法」も今回の実験では考慮する必要がある。この法律は90vol%以上のアルコールに対して適用されるが、幸い35%のホワイトリカーを2回蒸留したところでその最大値は88vol%なので、アルコール事業法の適用外と判断できる。

消毒用アルコール蒸留システムの製作

1:圧力鍋で作る「第1ボイラ」

第1ボイラは酒を大量に投入する必要があるため、それなりの容量が必要です。そして蒸留操作中は沸騰によって液面が揺動することを考え、投入液量の2倍程度の容量を持つ容器が望ましいでしょう。また、安全性の観点からしっかりと密閉できる容器を選ぶことはマスト。以上を鑑みると、圧力鍋をボイラに流用するのが最も簡便といえます。入手したのは、パール金属の格安圧力鍋。1.8Lのホワイトリカーパックを蒸留することを考え、容量は約2倍の3.5Lを選定しました。価格は約4,000円と非常にお値打ちです。

この圧力鍋を改造していきますが、改造対象は圧力鍋のフタのみで、穴をあけるなど不可逆的な加工は一切不要です。

まず、内側のパッキンを外すと、黒い樹脂の取手を固定する小ネジの頭が露出するので、ドライバーで外します。さらにもう1つの弁も、適当なレンチで回して取り外しましょう。

フタから取手と弁を取り外すと、直径14.2mmの穴と座が姿を現します。この穴に対してエスコの「PT隔壁めすユニオン」をマウント。適合チューブ外径は6mm、外周部のネジはM14で、先ほどの穴と座に対してこの隔壁継手が神シンクロするため、一切の追加加工なしにマウント可能です。その際、写真【05】にある中央のOリング、あるいは適当なシリコンパッキンを挟み、確実なシールを施すのをお忘れなく。

フタの内側にパッキンをはめ

パール金属の「クイックエコ H-5040」。Amazon最安値（実勢価格は3,900円）の圧力鍋で、改造には最適。容量は3.5Lをセレクトした。IHにも対応している

直したら、圧力鍋の改造は完了。何事もなかったかのように隔壁継手が収まっています。これで任意のφ6チューブを圧力鍋に接続することが可能になりました。圧力鍋には圧力調整用のリリーフ弁が取り付けられているため、何らかのトラブルで内圧が異常に上昇した際もボンバイエすることはないから安全です。リリーフ弁が吹く方向も鍋中心上方であり、仮に裸火が近くにあったとしても引火リスクは小さいと考えられます。

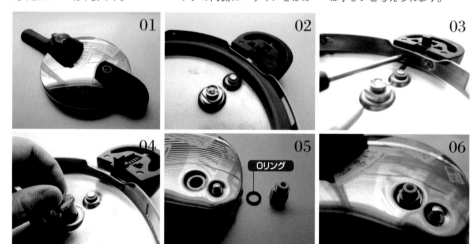

01：改造を施すのはフタのみ　02：裏返してパッキンを取り外す　03：鍋の取手を固定しているネジをプラスドライバーで取り外す
04：弁はレンチで外す　05：弁を外すと、継手と神シンクロする穴が現れる　06：隔壁継手が完璧にフィットした！

Memo:

2:ガラス瓶を加工する「第2ボイラ」作り

さらなる濃縮が行われる第2ボイラは、1〜2L程度あれば十分です。容器はガラス瓶が適当ですが、安価なジャム瓶などはフタが鉄製なのでサビてしまい向きません。そこで、フタもガラス製の保存瓶を採用しました。本体とフタの間にはシリコンパッキンが挟まれているため、気密性も申し分ありません。

課題となるのは、ガラス製のフタへの穴あけ。ガラスに穴をあけるにはホルソーの刃が研磨剤となったガラスドリルを使いますが、位置決めが極めて難しいのです。ツルツルのガラスに使用すると、滑ってしまいうまくあけられません。

そこで、3Dプリンターを使い、ガラスドリル用の治具を出力します。治具にはガラスドリルの外径にフィットする穴を設け、両面テープを貼り付ける十字の溝

も装備。肉厚の両面テープでガラス瓶のフタに固定した様子が写真【02】です。治具自体の外径もフタの内部溝にフィットするため、正確な位置出しと、きれいな穴あけが可能になります。

この治具を取り付けた上で、水を十分にかけながらドリルで穴あけを行っていきます。コツは肉厚の半分まで穴を掘り進めたら、今度は逆側から掘り進め、中央で穴を連結させること。片側から貫通させるとどうしても貫通時に表面が激しく割れてしまうためです。こうすることで、ハンドドリルでも美しい穴をあけることができます。

最後に、先ほどの隔壁ユニオンとPISCOの「隔壁ユニオンエルボ」のφ6チューブ仕様を固定し、エルボの方に適当なパイプを取り付ければ、第2ボイラの完成です。

第2ボイラの容器は、セーラーメイトの「取手付き密封びん2L」。実勢価格は1,650円。サビと無縁のガラス保存瓶だが、課題はフタへの穴あけである…

ガラスへの穴あけは、ガラスドリルを使用するが、これ単体ではツルツルと滑ってしまい扱いが難しい。そこで穴あけ用のガイドを3Dプリンターで作製した

01

02

05

03

04

01：3Dプリンターで出力した、ガラスドリル用の治具。4つの穴のサイズは、ガラスドリルの外径に合わせている　02：肉厚両面テープを十字に貼り、瓶のフタに固定して使用する　03：水をかけながら、丁寧に両側から穴をあけていく　04：穴あけ完了。治具のおかげで、完璧な仕上がりに！　05：継手を取り付ければ、第2ボイラの完成だ

3: 3Dプリンターを活用する「チラー」作り

下の図の通り、チラーは容器内部に冷却コイルを設け、さらに蒸気入口と凝縮液出口、冷却水の入口と出口の合計4ポートを設ける必要があります。

冷却コイルの作製は、3Dプリンターを活用。コイル巻き治具を3Dプリントして、この治具に沿ってなまし銅管を曲げていくことで、完璧な寸法の冷却コイルが作れます。そして、4つの取り合いポートは、第2ボイラと同様、ガラス製保存容器に治具を用いて穴あけして、隔壁ユニオンを用いて構築。容易に気密性のあるシステムが組める、オススメの工法です。

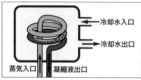
4つのポートと冷却コイルを含むチラー

01：3Dプリンターで出力したコイル巻き治具。プリントの詳細は126～129ページをチェック！ 02：円柱に沿ってなまし銅管を曲げていく 03：巻き終えたら治具から引き抜く。専門業者と違わぬ仕上がりの冷却コイルが完成！ 従来は配管屋のノウハウに頼るものだったが、3Dプリンターの普及によって、誰でも簡単に作れるようになった

01：穴をあけたフタに隔壁ユニオンを組み付け、ポートを構築する 02：機能美を有するチラーが完成した！ まるで真空管のような美しい仕上がりに 03：チラー内部。完璧な曲げのコイルが映える

4: ホワイトリカーから消毒用アルコールを生産

各ユニットを接続したシステムの全体像は175ページの通り。配管長は最小限にして簡便に仕上げました。チラーの冷却水には、水道水を使うのが最も楽です。その際、カクダイの「カチットジョイントセット」を利用すると、風呂場のシャワーホースから必要な時だけ水を引き出せるので、非常に便利です。

35％のホワイトリカーとIPAを用意し、早速実験してみます。

アルコール蒸気
冷却水出口
凝縮液
冷却水入口
再沸騰アルコール蒸気

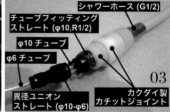
シャワーホース (G1/2)
チューブフィッティングストレート (φ10,R1/2)
φ10 チューブ
φ6 チューブ
異径ユニオンストレート (φ10-φ6)
カクダイ製カチットジョイント

01：流体の流れ。非常にコンパクトにまとまった。171ページの「蒸留システムの概念図」と見比べると、流れがよく分かるだろう 02：冷却水の引き出しに便利な、カクダイの「カチットジョイントセット」 03：写真のような接続で、φ6チューブに水道水を供給できる

Memo:

昨今の事情で100%のIPAは品薄となっていますが、クルマのエンジン用の水抜き剤は99wt%がIPAであるため、代替品として使えるかもしれません。実験中のエタノール度数の計測には、屈折率式エタノール濃度計を使います。これは水とエタノールの比率と、溶液の屈折率の関係を用いており、1滴のサンプルから簡単に濃度の計測が可能です。

これらを用意したら、まず第1ボイラにホワイトリカー全量を投入。続いてIPAを第1ボイラと第2ボイラに注ぎます。これで蒸留操作中のすべての段階で、発生する溶液は飲用不可となり、酒税法の適用外となります。第2ボイラへの添加量は、吹き込み管が完全に没する量が必要。こうしないと吹き込まれた蒸気がそのままチラーへ流れていってしまい、再沸騰による濃縮効果が得られません。

ついに完成した「2段式消毒用アルコール蒸留システム」。すべてのユニットはワンタッチ継手で接続されているため、分解と組み立ては簡単。シールの信頼性もバッチリだ

原料を投入したら、IH調理器の電源をONにして蒸留を開始。第2ボイラのガラスへのヒートショックを防ぐため、序盤は弱出力で沸騰させ、発生する蒸気でゆっくりと温めていくのがベター です。第2ボイラの内表面全体が結露し、定常的な再沸騰が発生し始めたら、IHの出力を上げ、蒸留量を増やしていきましょう。加熱を始めてしばらくすると、チラーから凝縮したアルコール液が出てきました。

濃度計で測ってみると、値は見事に80%に張り付いており、

実験は成功！ 十分なアルコール濃度があるので、確実な殺菌作用を得られるはずです。しかも蒸留は非常に安定しており、セットアップから1時間程度で全投入量の約半分を処理することができました。この時点で滴下する凝縮液の濃度を計測すると既に10%を割っていたため、蒸留操作を中断。最終的に回収したIPA添加消毒用エタノールは約900mL、エタノール濃度は70%を超えており、消毒液として完璧に動作するものを得ることができたのです！

消毒用アルコール生産手順　**01**：第1ボイラに、ホワイトリカー全量とIPAを添加する　**02**：第2ボイラの吹込管が没するまで、IPAを投入する　**03**：準備が整ったらIHの電源を入れて加熱を開始　**04**：凝縮液が滴下し始めたので、屈折率式のエタノール濃度計で測定してみた　**05**：左が35度のホワイトリカーを計測した結果で、右が生成したアルコールの濃度。80度をさしている　**06**：約900mLのIPA添加消毒用エタノールが完成！　完全に実用する消毒液を作り出すシステムを、3Dプリンターと市販の部品を駆使して構築できた。実験は大成功である！

切れ味が蘇る研ぎの基本
刃物のメンテナンス術

● text by しろへび

工作レベル ★★☆☆☆

何でも刃物にしちゃう某動画がバズるように、切れ味鋭いナイフはみんな大好きでしょ？　というわけで、ここでは研ぎの理論から実践までを解説。新品の切れ味を取り戻せ！

01

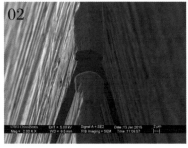
02

01：新品の使い捨てメスを電子顕微鏡で撮影。頂点の厚みは0.2μm（ミクロン）かそれ以下で、バリなどは一切無く、整った刃であることが分かる　02：使い込んで切れなくなってきた刃物。圧力と摩耗で頂点は潰れてキノコ状になっている。この厚みは8〜10μmと、新品のメスの約50倍だ

刃物の切れ味を復活させるためには、砥石などの研磨材で研げばいいのですが、なんとなくの感覚だけで研いでいる人も多いでしょう。基本を押さえて正しい研ぎをマスターしましょう。

潰れた鋼を研磨するためには、鋼材よりも硬い研磨材が必要になります。硬度の高い順に、ダイヤモンド・炭化ケイ素・酸化アルミニウムの3種類があり、性質や研磨材としての形態はさ

まざまです。

刃物の研磨には砥石を使うのが一般的。まずは荒い砥石からスタートし、順に細かくしていくのが基本です。刃こぼれがあるようなら#240くらいから始め、倍くらいの粒度の砥石にしていきます。包丁を含め、汎用的な刃物なら#1000か#2000までが実用的です。オススメは、シャプトンというメーカーの製品で、#1000は3,000円からと

最高のコスパです。

研ぎの実践

研ぎ方は刃の形状により異なります。刺身包丁ではなく、三徳か牛刀なら、峰から刃先までだんだん薄くなった後、刃先から1〜2mmの幅はより鈍角な刃が付いているでしょう。これを「小刃」と呼びます。刃物は鋭角なほどよく切れますが、摩耗や外力に弱く、刃こぼれなどによりすぐに切れ味が低下。そのため、刃先のみ鈍角な研ぎを施すことで、切れ味はやや落ちるものの、刃の寿命は長くなるわけです。

一方、刺身包丁や切り出し小刀、鉋やノミなどは、鎬から刃先まで同一角度で研磨する「ベタ研ぎ」を行います。

刃物の研磨で最も迷うのが、砥石に当てる刃の角度でしょう。上級者は好みの角度にカスタマ

03　　04　　05

03：ダイヤモンドは最硬の物質。ヤスリに電着したりペースト状の研磨材として使う。強い研磨力で、大きな刃こぼれから鏡面仕上げまで可能だ。しかし、強く研ぎ過ぎると電着したダイヤモンドが剥れてしまう　04：ダイヤモンドの次の次に硬い炭化ケイ素。手研磨では、主に耐水ペーパータイプを使う　05：酸化アルミニウムは炭化ケイ素の次に硬く、人造砥石のほとんどが酸化アルミニウムを焼結したものだ

Memo:

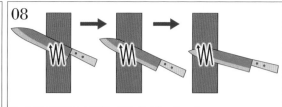

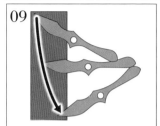

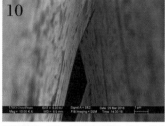

06：小刃付けの断面。2段階になっており、先端が鈍角　07：ベタ研ぎの断面。美しい仕上げを必要とする場合に使われる　08：砥石の幅より長い刃物は、部分に分けて研いでいく　09：刃がカーブしている場合は、元の方から刃先まで引きながら研ぐ　10：電子顕微鏡で撮影したカエリ。これは細かい粒度で研ぐと自然に取れる。取れない場合は、表裏を交互に軽く研ぐとよい　11：グラインダーで研磨する際、砥石は完全に芯を出しておくこと。また、安全カバーを付けておかないと、刃が割れた時に危険だ

イズしたりしますが、慣れていないなら新品の角度を維持することを基本として下さい。小刃付けは少し角度が分かりにくいですが、砥石に当てた際に安定する角度があります。ベタ研ぎの場合はそのままベタッと砥石に当てれば角度が決まります。この角度は1度決めたら絶対に変えないこと。これ大事です。

　利き手で柄を持ち、反対の手は刃の近くに軽く添えます。研磨に強い力は必要なく、腕の重さ程度で十分です。往復で研ごうとすると、手首の角度が不安定になりやすいため、どちらか片道で研ぐのがコツ。

　しばらく研いでいると、反対側の刃に「カエリ」と呼ばれる小さなバリのようなものができます。カエリは研磨終了の目安なので、刃全体にカエリが出たら反対の刃にチェンジ。両刃なら同じ回数、片刃の場合は最初に研いだ側にカエリが出た段階で、次の粒度に移ります。

耐水ペーパー研ぎのススメ

　砥石は幅広い番手を揃えようとすると、コストがかかる上に重くてかさばります。そこで重宝するのが、耐水ペーパー。A4くらいのサイズが1枚数十円から購入でき、#120〜2000と全部揃えても数百円です。もちろんペラペラなのでそのままでは砥石の代わりになりませんが、5mm厚以上で70W×200Hmmくらいのガラス板に、薄手の両面テープなどで接着すると、立派な砥石に早変わり。しかも砥石よりもはるかに研削力があるため、短時間で刃付けが終わります。板にかまぼこ状のRをつけておけば、鎌やカランビットナイフのような内反りの

刃の研磨も可能と万能です。ただし、砥石に比べると柔らかいため、完璧な平面は出せないことは覚えておきましょう。

両頭グラインダーを活用！

　大きな刃こぼれを作ってしまった場合や自作の刃物に小刃を付ける場合、電動工具の出番。両頭グラインダーなら数分かかる作業を数十秒に短縮できます。使用するのは、GC砥石の#120。大きい砥石の方が好ましいのですが、ホームセンターで売られている直径150mmでもなんとかなります。ワークレストは取り外し、必要なら安全カバーの角度を調整。刃は上を向けた方が残った厚みを確認しつつ研ぐことができます。角度については練習あるのみ。完璧な刃付けでなくとも、作業が大幅に楽になりますよ。

くられ先生デザイン監修のメス型ナイフ
新フリップフロップの作り方

● text by しろへび

工作レベル ★★★★☆

くられ先生がデザイン監修しているオリジナルナイフ「フリップフロップ」シリーズ。その最新作となる「フリップフロップネクロ」の製作工程を公開しよう。

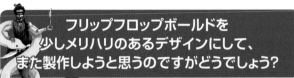

フリップフロップボールドを少しメリハリのあるデザインにして、また製作しようと思うのですがどうでしょう?

そういうことであれば、シャープにしてみてはいかがでしょうか?ニュアンス的にはこんな感じで…

	1	製図
	2	レーザー加工
	3	穴あけ
	4	面取り
	5	研削(外形)
	6	研磨(外形)
フリップフロップネクロ] 製作工程の主な流れ	7	研削(刃)
	8	研磨(平面)
	9	熱処理(外注)
	10	研磨(刃)
	11	研削(峰)
	12	研磨(峰)
	13	研磨(平面)
	14	研磨(外周)
	15	サンドブラスト
	16	サテン仕上げ
	17	研磨(内径)
	18	レーザー彫刻
	19	刃付け
	20	完成

ということで、くられ先生によるデザイン案を元にCADデータを作成し、新作のデザインナイフ「フリップフロップネクロ」として製作していくことにしました。普段、フリップフロップの製作工程は、Twitterで断片的に写真を公開するだけですが、今回は全体の流れをまとめてみます。当然ながら、ほとんど削ってるか磨いてるかだけですが…（笑）。

1 製図

100

くられ先生によるデザイン案

フリップフロップネクロのデザイン

2 レーザー加工

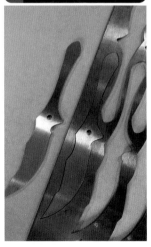

くられ先生のデザインを元にCADデータを作成。デフォルメイラストを参考に、切っ先が反り上がったデザインとした。レーザー加工は外注なので、DXFファイルで書き出した。Illustratorなどで書き出すと、微妙に変換がうまくいかないことがあるので、図面のデザインはやはりCADソフトを使うべきだろう。

Memo:

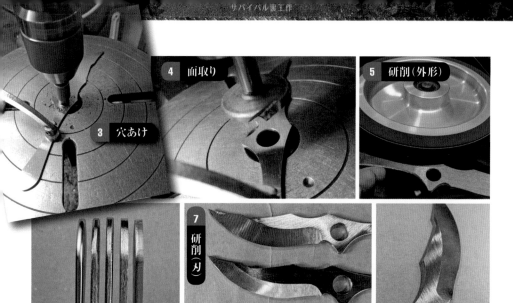

3 穴あけ
4 面取り
5 研削(外形)

6 研磨(外形)
7 研削(刃)
8 研磨(平面)

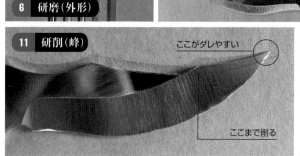

11 研削(峰)

ここがダレやすい

ここまで削る

12 研磨(峰)

❷レーザー加工
金ノコで頑張ってもメリットがないので、素直に外注した。鋼材は愛知製鋼の「AUS6M」。熱処理で硬くなる「SUS420J1」に炭素・モリブデン・バナジウムなどを添加し、硬さや耐摩耗性を向上させたステンレスだ。

❸穴あけ
デザイン上は直径14mmの穴を、レーザー加工では直径6mmで抜いた。レーザー加工は溶断するため、断面は焼き入れ後と同様に硬くなってしまい、次工程の面取りができないからだ。6mmの穴をガイドに、ホー

ルソーを使い14mmの穴をあける。薄物はボール盤バイスよりも下押え式のクランプの方が安定する。

❹面取り
あけた穴のバリ取りを行う。個人的に面取りカッターは、1枚刃がキレイに仕上がる気がする。

❺研削 & ❻研磨(外形)
レーザー加工の断面をベルトグラインダーで丸める。なんとなく丸くなってきたら、研磨材をナイロン不織布系のホイール(スコッチブライトやスコーライトなど)で仕上げる。弾力のある研磨材なので、ワークになじみ滑らかな仕上がりになる。

❼研削(刃)
ネクロの刃は断面形状が凹んだ、いわゆるホローグラインドなので、ベルトグラインダーのコンタクトホールで削る。ゆえに刃はR状に凹む。この段階でほぼ完成寸法の0.5〜0.8mm厚ほどを狙う。刃の厚みを決めてから幅を広げる。

❽研磨(平面)
平面部分の見た目はピカピカしているが、冷間圧延の際に割と深い傷が付いている。軽く磨いておく。

❾熱処理(外注)
熱処理業者に焼き入れ&焼き戻しを外注。真空炉を使って窒素雰囲気下

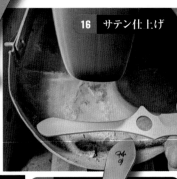

フリップ
フロップ
ボールドネオ

フリップ
フロップ
ネクロ

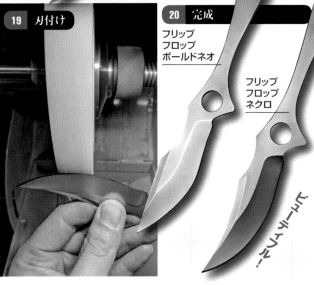

ビューティフル！

で加熱するので、表面が酸化せず金属光沢を維持したまま熱処理できる。

⑩研磨（刃、平面、外形）
熱処理後は、形を崩さないように刃と平面を研磨する。この後、外形を完成寸法まで削るが、切っ先付近は急に面積が減るため、"ダレ"ることがよくある。気を付けて研磨してもいいのだが、最初からダレた部分を削り落とすような外形でレーザー加工しておくことにする。

⑪研削（峰）
峰側もシュッとした方がカッコイイので、外形が完成したら整える。熱処理後で硬いが、研削ベルトは熱

処理後の鋼材よりも強いので削れる。

⑮サンドブラスト
全体を磨いたら、硬く鋭い研磨材のアルミナを0.6MPaほどの圧力で吹き付けていく。サンドブラストして梨地にしてから研磨すると、落ち着いた仕上げになり、わずかだが加工硬化が期待できる。

⑯サテン仕上げ
ここで再度、⑤⑥と同じナイロン不織布のホイールで研磨していく。この段階で水を弾くようになるので、メンテナンス性が向上する。

⑰研磨（内径）
穴の中はサテン仕上げができないの

ため、ACドラムで研磨する。

⑱レーザー彫刻
20Wくらいのファイバーレーザーなら、金属にもマーキングが可能。「白蛇」と入れる。

⑲刃付け
0.5mm程度残してある刃を切れるようにする。ドリルの研磨などに使う両頭グラインダーにCG砥石を取り付け、刃を付ける。

⑳完成
フリップフロップボールドネオ（左）とフリップフロップネクロ（右）。比べるとネクロの方が、シュッとしているのが分かる。

カギの危険な複製検証

3Dプリンターでディンプルキーを完コピ!?

● text by yasu

工作レベル ★★★★★

家庭用の3Dプリンターが徐々に普及し、これまで個人レベルでは不可能だった工作が可能になっている。では、ディンプルキーのような複雑な造形はどうなのだろうか…検証した。

ある日突然合カギが欲しくなる時、ありますよね。合カギは街にあるカギ屋にキーの現物を渡して作ってもらうのが一般的ですが、時と場合によっては手持ちのものを渡せないシチュエーションもあるでしょう。ということで、ここでは合カギを家庭用の3Dプリンターで製作できるのか検証してみます。

今回は検証のためにディンプルキーの錠前一式を用意しました。製作の流れは左下のフローの通りです。では、具体的に作業を見てみましょう。

①ノギスでカギを採寸

すべての出発点がこの工程です。ノギスやマイクロメータなどの計測機器を用いて幅や厚みはもちろん、穴のピッチ・深さ・直径、面取りの形状などを正確に記録します。

②3D CADでモデルを作成

採寸結果を元に、キーのモデルを起こしていきます。正確性

ディンプルキー複製作業の流れ
①オリジナルのキーをノギスで採寸する
②採寸結果に基づき3D CADでモデルを作成する
③プリント用の出力データを作成する
④光造形3Dプリンターで紫外線硬化レジンからキーを出力
⑤IPAでカギを洗浄し、余分なレジンを除去する
⑥紫外線ランプを照射し、キーを二次硬化させる
⑦カギを採寸し、3Dモデルとの寸法差を確認
⑧錠に適合する寸法になるまで③～⑦の工程を繰り返す

01

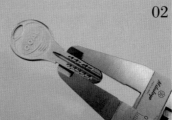
02

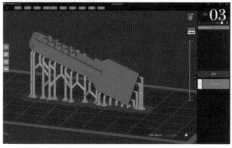
03

04

01：検証用のディンプルキー一式。複雑な構造ゆえ、ディスクシリンダー錠などと比べて防犯性が高いとされている　02：ノギスなどを使ってキーの寸法を計測する　03：スライサーで3Dモデルから3Dプリンター出力用のデータを作成　04：光造形プリンター「AnyCubic Photon」。Amazonでの販売価格は25,000円程度だ

が求められるのは、錠と取り合う箇所のみなので、それ以外はラフでも問題ありません。最初は複雑に見えたディンプルキーも、1度そのルールが分かればモデル作成は比較的容易でした。

③出力用データの作成

モデルができたら適当なフォーマットに変換し、スライサーソフトウエアに読み込ませ、3Dプリント用のデータを作成します。今回は、光造形3Dプリンターを使用。熱樹脂積層式3Dプリンターと比較して出力プロセスがやや煩雑ですが、非常に高精細かつ、滑らかな仕上がりが得られます。そのため、今回のような複雑な構造を出力するには最適なのです。

④プリンターでキーを出力

使用するのは、AnyCubicの「Photon」という光造形3Dプリンターです。同機は光造形機の

エントリーモデルとして不動の地位を築いています。今回は、本体付属のレジンを使ってプリントします。最初は設定のコツがつかめず丸1日試行錯誤に費やしましたが、4度目の挑戦でようやく出力に成功。造形に要する時間は2時間ほどでした。

⑤IPAでカギを洗浄する

光造形プロセスが面倒なのはここから。精密な形状を得るためには、表面に付着した余分なレジンを除去する必要があります。そのためIPA（イソプロピルアルコール）を洗浄液として、まずラフに表面のレジンを落とし（一次洗浄）、さらにIPAを交換の上、超音波洗浄機で未硬化のレジンを徹底的に除去していきます。

⑥紫外線で二次硬化

余分なレジンを徹底的に除去したら、紫外線ランプを追い照

射して、キー全体を中までしっかり硬化させます。紫外線ランプはネイルアート用のものが便利。これにて、光造形プロセスは"一応"完了です。

⑦誤差を修正していく

光造形プロセスは完了しましたが、ものづくりのスタートはここからです。光造形3Dプリンターといえど、決してCADの寸法通りのものができるわけではなく、出力条件やレジンの種類、モデルの形状によって寸法はいくらでも変化します。そのため、1度出力した後に再び採寸して、寸法差をモデルにフィードバックすることで、狙った寸法に寄せる必要があるのです。実際に今回出力したモデルの寸法を計測した所、厚みと幅は若干のプラスで仕上がっていたため、それぞれモデルを調整した上、念のためその値を振って再出力しました。

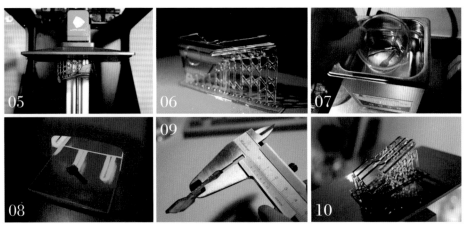

05：造形が完了するとレジン槽からモデルがゆっくりと引き上げられる　06：造形直後は未硬化のレジンに包まれて怪しい雰囲気が漂う　07：水を張った超音波洗浄機にIPAと出力した複製キーを入れたビーカーを浸し、強力にレジンを除去する　08：ネイルアート用ランプで紫外線を照射　09：完成したサンプルの寸法を再び測定し、データとの差異をフィードバックする　10：3本のキーモデルを1度に出力。裏の仕事っぽい気がするが、きっと気のせいだろう…

Memo:

⑧③〜⑦の工程を繰り返す

光造形プリンターの便利でありがたいところは、プリントするモデルの数を増やしても造形時間が変わらないことです。ということで、寸法を振り直した3モデルを1度にまとめて出力します【10・11】。

完璧に動作する合カギの錬成に成功!

地道な作業の末、ついに合カギが完成しました⑫。寸法を計測した結果、3Dモデルと完璧に一致。それでは早速テストです。「ジャラララ!」と小気味良い

金属音を立てながら、滑らかにカギ穴に吸い込まれていきます。奥までキーを挿し込み、ひねってみると、「カチャ…!」完璧に動作しています。全く引っかかることなく、解錠できてしまったのです!

今回の検証から、カギの設計ルールさえ押さえれば、3Dプリンターでディンプルキーの複製は十分可能だということが分かりました。写真1枚あれば必要な情報を読み取れます。それゆえ最後に、「キーの外観はオンライン・オフライン問わず決して公開すべきではない!」とお伝えしておきます。

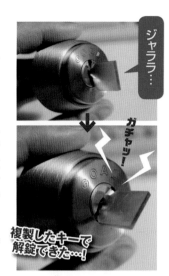

ジャララ…

ガチャッ!

複製したキーで解錠できた…!

11：紫外線ランプを照射して合カギが完成　12：両面両サイドの溝パターンを完全に再現できている!

■ 3Dプリンターは危険な技術なのか!?

家庭用の3Dプリンターで、実用に耐え得るディンプルキーの複製が可能だということが分かったが、3Dプリンター自体を危険な技術として非難するのは極めてナンセンスである。新しい技術は恐れるのではなく、それを活用するのが目指すべき姿だ。

実際、海外では既に3Dスキャン&プリントでも複製困難な「溝パターンが円筒内部に格納されたキー」が"3Dプリンターによって"開発されているのだ。

→スイスの企業が開発した、いわゆる「ステルスキー」。円筒内部にロック解除に必要な溝を隠すことで、外観や3Dスキャナーでの複製を防止している

→従来の製法では成型できないため、金属3Dプリンターで製造されているという

参考サイト
●「Stealth Key」公式サイト
https://www.urbanalps.com/

ストーンワールドでメンタリストが作らされていた!?
マンガン乾電池の分解
● text by POKA

身近なアイテムを分解して中身を見てみることで、さまざまな発見がある。使われている素材や薬品を知れば、応用できることがあるかもしれない。

ということで、ここでターゲットにするのはマンガン乾電池。電池の多くは、内部に強酸性や強アルカリ、有毒な物質などが使われているが、マンガン乾電池は内部にそれほど危険な物質が入っていない。それでいて、比較的簡単に分解可能である。とはいえ、作業時には手袋と安全ゴーグルの着用は必須だ。

構造は亜鉛缶を一極に、炭素棒を＋極に用いている。そして電解質として、塩化亜鉛などを二酸化マンガンに混ぜたものを詰め込んで構成されている。

01：マンガン乾電池。『Dr.STONE』では、携帯電話のバッテリーとするため、ゲンが800個作られた…
02：外側の金属製カバーを剥いていく。マイナスドライバーを挿し込み、めくれたところをペンチで強引に。ただし、内部の亜鉛缶を傷付けないように作業する
03：上部を取り除くと、炭素棒が出てくる。黒色の粉（電解質）を掻き出すようにして引っこ抜く

分解手順

❶外周部を覆っている金属製の缶を取り除く

❷折り重なっている部分の端にマイナスドライバーなどを押し付けて、少しめくる

❸1cmほどめくれたら、その部分をペンチでつかみ、はぎ取るようにして金属缶全体を取り去る

❹通常、亜鉛缶と外周の缶の間にはプラスチックフィルムが挟まれているので、これもカッターナイフなどで切り目を入れて取り払う

❺上部を取り去ると、＋極である炭素棒がむき出しになる

❻この炭素棒は、黒色の粉と一緒に亜鉛缶に装填されている

❼粉が飛び出ないよう紙などで炭素棒の周囲にフタがしてあるので、千枚通しなどを使い引っこ抜くと黒色の粉が見える

❽この黒色の粉が電解質で、亜鉛缶にプレス装填されて、固まっていまる

❾この粉を、先の尖ったものでかき出すようにして取り出す

❿二酸化マンガンの粉を半分ほど取り除くと、炭素棒が引き抜きやすくなる

強く引き過ぎたり、横に反らしたりすると炭素棒がボキッといってしまうので、抜けない時はさらに掘り進めて、余計な粉を取り除いていこう。炭素棒が抜けたら分解完了だ。

ちなみにアルカリ乾電池は、内部に強アルカリ性の水酸化カリウムが使われているので、マンガン乾電池よりも危険。特に目に入ると失明の恐れがあるため、安易なチャレンジはお勧めしない。仮に分解するなら、安全ゴーグルを必ず装着すること。

Memo

アリエナイ実験・工作で活躍する
お役立ち測定アプリ8選

●text by Joker

実験や工作では測定は必須。さまざまな専用の測定器があるけれど、それほど精度を求められない簡易的なチェックなら、スマホアプリが便利だ。お試しあれ!

AR機能で物体のサイズを測定する

 計測

●価格：無料 ●入手先：App Store

　AR機能で手軽に長さや面積を測れるのが、iPhoneの標準アプリ「計測」です。角度や奥行きによっては誤差が出るものの、精度はそう悪くありません。操作は直感的で分かりやすく、画面上で測定したいものを囲むだけ。四角いものは自動的に認識し、辺の長さと面積を出してくれます。また、このアプリは水準器の機能も備えており、水平を確認できるのもポイントです。

起動後にiPhoneを動かしてキャリブレーションをする。「＋」ボタンで点を打って長さを計測でき、自動的に面積を計算する

 Measure

●価格：無料 ●入手先：Google Play

　Android端末用計測アプリでは、Google Play公式の「Measure」があります。最初に平面を認識させるなどキャリブレーションが必要ですが、長さを測定したらそれを写真として保存するなどが可能です。

　これらAR計測アプリを使いこなすコツは、多少の誤差が出ても気にならない局面で使うことでしょう。例えば、新しい機材を配置したい場合などに、ざっくりと測定して写真を撮っておくなどといったケースです。

測定したいポイントで「＋」ボタンをタップし、終点でまたタップすると長さを測定できる

角度や勾配を測定する

 角度傾斜計

●価格：無料 ●入手先：Google Play

　水平の測定は、iOSの場合は上述の標準「計測」アプリで可能です。一方、Androidでは「角度傾斜計」を使うと、水平に加えて、角度や勾配もチェックできます。また、いろいろな条件で精度に影響が出ることがありますが、このアプリは十全にキャリブレーションすることで、より精度を出すことが可能。また、配置的に画面を見づらい場合でも、音声で角度を教えてくれる機能があり、地味に便利です。

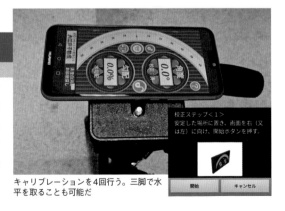

キャリブレーションを4回行う。三脚で水平を取ることも可能だ

Memo:

3D Touchで重さを測定

touchscale

●価格：無料　●URL：http://touchscale.co/

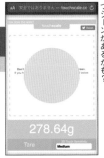

iPhoneを小物用の電子秤代わりに使えそうなのが、「touchscale」です。iPhoneでWebサイトにアクセスすれば、そのまま利用できます。これは、iPhoneの3D Touch機能を利用し、押し込む強さを重さとして計測する

ものです。判定が静電容量式であるため、プラスチックなどの通電しないものはそのままでは測れないという弱点がありますが…。また、スマホの画面に物を置くことになるので、傷や破損にはお気を付け下さい。

数百gまでの重さを測れる。利用できる局面はかなり限定的だが、覚えておくと役立つシーンがあるかも？

温度・湿度・気圧などをチェックする

温湿気圧計（温度、湿度、気圧計）Free

●価格：無料　●入手先：Google Play

気圧計と高度計と温度計

●価格：無料　●入手先：App Store、Google Play

温度・湿度・気圧をそれぞれシンプルに表示してくれるアプリです。Andoridスマホは、センサーが搭載されている場合はそれで計測しますが、非搭載の場合は、GPSで外気の情報を表示する仕組みです。精度はスマホによりけりです。一方、iPhoneの場合はどの機種も温度センサーが非搭載。室温は測れず、GPSを元にした外気温データのみです。単純に気圧や高度を分かりやすく表示するなら、「気圧計と高度計と温度計」のようなアプリが便利でしょう。

温度センサー非搭載のHUAWEI P20 liteで実験。GPSから外気の情報を表示した

気圧・標高などを一覧できるが、温度などはGPSベースの外気温から算出している

工作中に意外と気になる騒音

デシベルX

●価格：無料
●入手先：App Store、Google Play

工作時に気になるのが、工作機械や3Dプリンターなどから出る音です。そこで、スマホで騒音をチェックしましょう。「デシベルX」はiOS・Android双方にアプリがあり、音量に関してはデータだけではなく、「ささやき声」だとか「大声での歌唱」といった、分かりやすい指標を示します。

音量を測定でき、簡易チェックとしては十分。基本無料だが、有料のサブスクリプションプランもある

空気中の放射線量をチェック

GammaPix

●価格：iOS版は1,840円、Android版は無料
●入手先：App Store、Google Play

スマホのみで放射線測定ができるとうたうのが「GammaPix」。原発事故時の写真などでは、強い放射線で白い点が映る現象がありますが、それをスマホのカメラに応用して測定する仕組みのようです。精度は不明ですが、このアプリ自体は、米国国防総省などからの支援を受けて開発されました。

スマホのカメラ部分を遮光した状態で測定する。既存のビデオカメラで放射線を検出する技術が応用されている

工作素材の実践知識

木材から接着剤まで!知ってると役立つ基本

● text by デゴチ

工作では、木材・段ボール・粘着テープ・接着剤・型取り材などを活用する。素材によって加工方法や使い方が異なるので、それぞれ気を付けるポイントをまとめておこう。

木材　使用目的：構造体になる　備考：スギ、ヒノキ、松、オーク、竹、コルク、バルサ…

　木材は身近な素材であり、種類によってさまざまな特徴を持っています。水と薬品で煮込んで繊維（パルプ）を取り出し、加工すれば紙になるのはご存じの通りです。すごいぞ、セルロース・ヘミセルロース・リグニン！　多くの木材は加工しやすく、ノコギリなどで容易に切断・切削でき、釘やネジ、接着剤などによる結合も容易に行えます。ゆえに、フレームやボディなど構造体として利用することが多いです。軽さや加工性の良さから侮りがちですが、木材でもちゃんと設計すれば十分な強度が得られます。その証拠に、

かつては飛行機や自動車などのフレームとして利用されてきました。第二次世界大戦では、イギリス空軍が「DH.98 モスキート」という木製爆撃機を開発・製造しています。

　工作でよく使用する木材は、ホームセンターで安価に入手できるSPF材です。SPFはマツ科の成長の早い針葉樹であるSpruce（スプルース・トウヒ）、Pine（パイン・松）、Fir（ファー・モミノキ）を用いており、それらの頭文字を表しています。そして、「2×4（ツーバイフォー）」などと呼ばれる規格で販売。2×4の断面サイズは、縦

38mm×横89mmとハンパな感じです。これを単に1インチ＝25.4mmとすると、計算が合いません。木材の乾燥による収縮を考慮しているそうです。

　木材を加工する際、気を付けるべきは木材の繊維の向き。種類にもよりますが、繊維の方向で割れたり裂けたりすることがあるのです。割れやすい木材に釘やネジを使う場合は、あらかじめ下穴をあけておくと割れにくくなります。また、ノコギリでの切断やドリルでの穴あけの際、材料に廃材を当てておくと、割れやバリの発生を防ぐので覚えておきましょう。

左は廃材を当てずに切断した様子。切断面にはバリが目立つ。右は廃材を当てて切断したところ、バリの発生を抑えられた

SPF材はホームセンターに豊富に取り揃えられている。そしてとにかく安いのが特徴だ。よく使うのが2×4のもので、断面の幅が89mmとなる

Memo:

段ボール　使用目的：構造体になる｜備考：—

　紙も加工しやすく、よく工作に使用します。特に活躍するのが、平らな紙（ライナー）と波形の紙（メディアム）を貼り合わせて作られる「段ボール」。「フルート」という単位で厚さが区分されており、目的に合わせて最適なものを選びます。そして、内部のメディアムの向きで構造的な強度に差が出るのが面白く、奥深いところです。

　加工しやすくある程度の強度が見込めるため、工作物の構造体や樹脂などで型取りをする際の型枠として手軽に利用できます。また、メディアムの隙間をパイプ替わりにして紐を通し、ロボットハンドのような動くオモチャを作ることも可能です。

　なお、プラスチック製の段ボ

段ボールの構造の向きを考慮して、圧力を均一に加えるなど工夫すれば、クルマの荷重にも耐えられる。が、危ないので、決してマネしないこと

ール、通称「プラダン」もあります。紙よりも耐久性と耐水性が高いため、用途に応じて利用すると工作の幅が広がります。

段ボールは波形の紙（メディアム）が挟み込んである。このメディアムの間に紐を通せば、カラクリ人形のようなロボットアームも作れる

粘着テープ　使用目的：貼り付ける｜備考：セロハンテープ、ガムテープ…

　「セロハンテープ」は、セロファンと天然ゴム糊を利用した粘着テープです。セロファンは木材の繊維のセルロースから作るので、天然ゴム製の糊と共に最終的には土に還る材料です。よく似たテープとして「OPPテープ」があります。テープにポリプロピレンフィルム、糊はアクリル系粘着剤が使われており、全体として石油由来の成分で構成。OPPテープは静電気で手に勝手に貼り付いて扱いづらく、粘着剤の刺激臭も多少あるので個人的には好んで使いません。

　「ガムテープ」は本来、切手のように乾燥した糊面に水を付けて貼り付けるものらしいのです

セロハンテープ　養生テープ
クラフトテープ
ダクトテープ

ガムテープは立体物に貼り付けて切り開くことで、型紙作りにも活用できる

養生テープ	工事の際に、壁や家具が傷付かないように保護材を仮留めする時に使う。粘着力が弱いので、剥がしやすいのが特徴だ。
ダクトテープ	粘着力と強度が高い。アメリカでは主流で、彼らは何でもダクトテープで修理しようとする。

が、日本ではガムテープといえば幅広の粘着テープ全般を指すものとなっています。物の固定などのほかに、立体物から型取りする際にも利用可能です。立

体物に新聞紙を被せてガムテープを貼り付けてからハサミで切り開くと、簡単に型紙を作ることができます。コスプレ用の衣装を作る際に便利です。

強引に何かを接着したい時に便利なのが、「グルーガン」「ホットボンド」です。EVA（エチレン酢酸ビニル）樹脂のグルースティックを融かし、冷えて硬化することを利用して固定します。グルーガンで接着できないのは、柔らかく表面が滑らかなシリコーンゴムぐらいではないでしょうか。種類によって接着力は異なりますが、プラスチック・木材・布・金属など世の中の大抵の物は接着できると個人的には思っています（言い過ぎか笑）。作業時に融けたEVA樹脂が糸を引いて見た目が美しくないので、それを嫌う方も中にはいるようですが、「私は一向に構わん！」という感じで多用していますね。

万能な接着性能を備えているのですが、材料の特性上、当然熱には弱いです。また、融かした樹脂が冷えて固まって接着力が出るため、発泡スチロールとフェルトなど保温性が高い素材同士ではなかなか融かしたグルースティックが固まらず、作業性が悪くなることがあります。覚えておきましょう。

グルースティックは、100均の商品がオススメ。コスパが良い

布や毛皮などの接着にも使える。慣れないうちは火傷に注意すること。EVAシート（コスプレ衣装の土台でよく使うサンペルカなど）も、手早く接着できる

「エポキシ系接着剤」は、2種類のエポキシ樹脂薬剤を混合し、それらの化学反応による硬化で接着します。プラスチックから金属まで使用可能です。紙用のPVA糊や木工用接着剤などが乾燥して接着力が発揮されるまでに時間がかかるのと異なり、エポキシ系接着剤は化学反応により硬化時間が決まります。早いタイプは数分、比較的時間がかかるタイプは30分〜1時間とさまざまなので用途によって使い分けると便利です。硬化する時間として、「可使時間」と「完全硬化時間」が定められています。

可使時間は、薬剤を混合してから実際に対象物を貼り合わせて接着し、固定するまでの時間

基本的にA剤とB剤を同量混ぜて使用する。セメダインの「EP001N」は、ゴムのような柔軟性が残るのでエグゾーストキャノンのパーツ接合部の流体シールにも使える

です。この時間内であれば、対象物の固定位置など微調整が可能です。この時間を過ぎると目に見えて硬化が始まるので、対象物を動かすと不完全な接着となってしまう恐れがあります。

完全硬化時間は、混合されたエポキシ樹脂が完全に硬化して接着剤としての強度を得られるまでの時間です。接着したものを使用する場合は、完全硬化時間を経過するまで待ちましょう。

Memo:

シリコーンゴム　使用目的：型を取る ｜ 備考：1kg3,000円程度

「シリコーンゴム」は、これまた混ぜて固める系の材料です。クリームのようなシリコーン樹脂の主剤に、硬化剤を混ぜることで硬化します。ケイ素化合物ですが、ケイ素の英称であるシリコン（silicon）ではなく、シリコーン（silicone）です。この2つを使い分けられると、「お、コイツ分かってるな」感が出て、Makerたちに舐められないかもしれません（笑）。

見た目は柔軟なゴムのようですが200℃近くの耐熱性があり、薬品にも強く変質しにくい性質。難しい説明は省きますが、とも

シリコーン樹脂主剤　硬化剤

フィギュアの型には、プラスチック樹脂などを使う

かく非常に高機能な素材なのです。一般的な接着剤で接着するのが難しく剥離性が良いため、主にフィギュアなどの造形物の型取りで使用します。基本的な使い方としては、原型を粘土などで作り、その原型を型枠にセットしてシリコーンの主剤と硬化剤を混ぜて流し込めばOK。硬化時間はシリコーンゴムによって異なりますが、おおむね数時間といったところです。

ラバーストラップの製作

好きなキャラクターの凸凹のある型を用意すれば、自分だけのラバストを作ることも可能だ。配色を考慮して、事前にシリコーン樹脂主剤に着色料を混ぜてから硬化剤を入れ、その型に塗り付けていく。配色に従ってすべての部分にシリコーンゴムを塗った後で、黒色など線画となるカバー色を混ぜたシリコーン樹脂を満たして硬化させれば、オリジナルグッズの完成だ。

型は3Dプリンターで出力。そこに着色したシリコーン樹脂を流し込んでいく。自分だけの薬理凶室グッズも作れるぞ！

食品用のシリコーンゴム

チョコレートやゼリーなどの型を作れる食品用シリコーンゴムもある。例えばオモチャの手榴弾の型を取って、その型に溶かしたチョコレートを流し込むと、手榴弾型のチョコレートが作れたりもする。

食品用シリコーンゴム

樹脂A　　　　　　樹脂B

手榴弾に愛を込めて！

クリーム状の樹脂Aと樹脂Bを同量混ぜて、原型の型を取る。そこに溶かしたチョコレートを流し込めば…

本書をお読みいただきありがとうございました。

アリガイ理科の怪人、デゴチです。

あとがきは感動的な名文で締め括る必要があると思いますが、多分無理なので先に謝っておきます。ゴメンナサイ…。

さて、この本では、さまざまな工作を紹介しました。

しかし読者の皆さんが使える工具・設備・体力・知識・資金は、人それぞれで異なります。

なので、本書の工作すべてを実行できる人はまれだと思います。

私だってゴリゴリの金属加工なんか、今はできません。

ただ、「こんな作り方もあるのか」という知識が頭に入っていると、ものづくりで困った時に解決のヒントになるかもしれません。

事典って、大体そんなもんです。

…というのがこの本を読み終わって、「こんな雑な作り方の記事じゃ同じもの作れねぇよ」と

ツッコミをされている方への言い訳です。なんか、ゴメンナサイ（再）。

さて、そろそろ言い訳じゃなくて、あとがき。

人類の最大の武器は、世代を越えて技術や知識の継承と積み重ねができることです。

先人の経験を、それに続く者が引き継いで同じことが再現できる。そういうものが「科学」だと私は思います。

平凡な能力しかない人でも非常に地道なこの積み重ねによる「科学」があるからこそ、人類の文明は発展してきたのだと思うのです。

本書の著者のうち私を含む何人かは、これまでのアリガイ理科シリーズを読書して、毒されて…

じゃなかった感化されて、その技術や知識を応用して新たな作品や技術を独自に作り上げてきました。

読書して 毒されて
独自の何かを作り上げる

何かを見聞きして「入力」し、それから何かを吸収して自分なりに考えて「処理」し、新たな何かを作り出し「出力」する。

「入力」「処理」「出力」という、このループは世の常です。もちろん何の予備知識もなく、

いきなりスゴイ物を作り出す天才がいるかもしれませんが、

普通の人がさまざまな成果を「出力」するためには、ある程度「入力」が必要です。

そんなわけで読者の皆さんには、今後もこの本に限らず広く多様な知識や情報を「入力」し続けて、

楽しい物を作って「出力」して下さい。楽しい工作物が出てくるとそれを見る私が楽しいので、私からのお願いです。

お願いじゃなくて、あとがきを。

私は世の中を気持ち良く生きていくために、控えめに目立たず、あまりわがままも言わず…、

あれって、宮沢賢治の「雨ニモマケズ」の「私」となるように心がけています。

そのため人から「欲の無い人」と言われることがありますが、違います。私は強欲なのです。

欲しい物は欲しい。それが自分に買える物であれば、迷いなく買います。

ただ自分に買えないほど高価な物や、そもそも世の中に無い物は買えません。無いなら自分で作ってでも欲しい。

そんな強欲さが私の工作に対する動機です。恐らく工作が好きな方は、そのように自分の欲求に素直な方が多いと思います。

しかし昨今は過剰ともいえるさまざまな法規制があったり、

義務教育の内容に面白味が欠けていたり理不尽であったりなど、不満を感じる問題が世の中に転がっています。

自分の欲求に素直な工作が、簡単にはやりにくい状況になっていくのを見るのは悲しいです。

とはいえ、本書を手に取った皆さんのように科学や技術に対して純粋な知識欲を持っている人間が多くなれば、

それらの問題は減らしていけると信じています。

ということで皆さん、今後もそれぞれの工作を楽しんで下さい。

それが皆様の人生に、楽しさと発展をもたらすことを祈って…。

薬理凶室 [工作担当]　デゴチ

図解
アリエナイ理科ノ教科書
- ●定価：本体1,714円＋税
- ●2004年3月発行

デッドリーダイエット
- ●定価：本体1,429円＋税
- ●2005年9月発行

図解
アリエナイ理科ノ教科書ⅡB
- ●定価：本体1,800円＋税
- ●2006年7月発行

図解アリエナイ理科ノ工作
- ●定価：本体1,800円＋税
- ●2007年8月発行

図解
アリエナイ理科ノ教科書ⅢC
- ●定価：本体1,886円＋税
- ●2009年6月発行

図解
アリエナイ理科ノ実験室
- ●定価：本体1,886円＋税
- ●2011年7月発行

新版 アリエナイ理科
- ●定価：本体932円＋税
- ●2012年4月発行

図解
エクストリーム工作ノ教科書
- ●定価：本体1,886円＋税
- ●2013年7月発行

図解
アリエナイ理科ノ実験室2
- ●定価：本体1,833円＋税
- ●2015年8月発行

悪魔が教える
願いが叶う毒と薬
- ●定価：本体1,300円＋税
- ●2016年3月発行

アリエナイ理科ノ式
世界征服マニュアル
- ●定価：本体1,300円＋税
- ●2017年8月発行

アリエナイ理科ノ大事典
- ●定価：本体2,000円＋税
- ●2018年2月発行

アリエナイ理科ノ大事典Ⅱ
- ●定価：本体2,100円＋税
- ●2018年12月発行

アリエナイ理科ノ大事典
改訂版
- ●定価：本体2,100円＋税
- ●2019年7月発行

アリエナイ医学事典
- ●定価：本体1,500円＋税
- ●2020年4月発行

The Encyclopedia of Mad-Craft

アリエナイ
◆◇アリエナイ理科別冊◇◆
工作事典

2021年4月25日　第1刷発行

文・監修
薬理凶室

発行人
塩見正孝
編集
ラジオライフ編集部

イラスト
ケイ
怪人キャラクターデザイン
くがほたる　くられ　夢路キリコ　幹人

デザイン
ヤマザキミヨコ(ソルト)
DTP
伊草亜希子(ソルト)

Special Thanks
薬理クラスタの皆さん

発行所
株式会社三才ブックス
〒101-0041
東京都千代田区神田須田町
2-6-5 OS'85ビル3階
TEL・03-3255-7995
FAX・03-5298-3520
mail・info@sansaibooks.co.jp
URL・http://www.sansaibooks.co.jp/
郵便振替口座
00130-2-58044

印刷・製本
図書印刷

ISBN978-4-86673-249-7
C0050　￥2000E

©三才ブックス2021

●本書の無断転載・放送を禁じます。また、記事内容に関してメーカーなどに問い合わせるのはお控え下さい。
●乱丁・落丁などがありましたら、購入書店を明記の上、小社販売部までお送り下さい。送料小社負担にてお取り替えいたします。

※本書は主に2019〜2021年発行の月刊『ラジオライフ』、及びWebサイト「アリエナイ理科ポータル」に掲載された記事を再編集したものです。そのため、現在は入手しにくい製品があるなど、状況が変化している場合がありますのでご了承下さい。
※実験はすべて私有地、または許可された管理区で安全性を十分に考慮した上で行っています。記事内容を実行し事故やトラブルなどが起こっても、筆者及び編集部では責任を負いかねます。なお、これらの記事は再現性を保証するものではありません。また、非合法での記事の利用は堅くお断りします。